D0988990

LA CAVE

ANNE McLEAN MATTHEWS

LA CAVE

*traduit de l'américain
par Joseph Antoine*

ARCHIPOCHE

Si vous souhaitez recevoir notre catalogue
et être tenu au courant de nos publications,
envoyez vos nom et adresse, en citant ce
livre, aux Éditions Archipoche,
34, rue des Bourdonnais 75001 Paris.
Et, pour le Canada, à
Édipresse Inc., 945, avenue Beaumont,
Montréal, Québec, H3N 1W3.

ISBN 978-2-35287-012-8

1

MORT, NOTRE MÈRE

Helen Myrer avait l'impression d'entendre ses talons claquer comme des coups de feu. Elle traversa en courant le Capitole, où flottait une odeur de renfermé et de parquet ciré qui lui soulevait le cœur. Elle était en retard. Un jour pareil ! Dans un instant, elle affronterait le sous-comité, et c'était exactement le genre de circonstance où la plus petite erreur risque de tout flanquer par terre.

Elle allait peut-être assister à la destruction de son œuvre. À l'anéantissement de ce à quoi elle s'était consacrée corps et âme depuis des années. Dans quelques minutes, le sous-comité de la Santé publique se prononcerait sur l'opportunité d'effectuer des coupes drastiques dans le budget de l'Unité d'aide à l'hygiène mentale de l'État de New York – du jamais vu en matière d'économies. Si ce projet passait, ce serait la fin d'un des services de santé publique les plus audacieux au monde. Et c'est Helen Myrer qui porterait le chapeau ! Mais Helen n'avait pas l'intention de se laisser faire. Pour la dixième fois, elle défendrait son dossier devant douze politiciens aigris et hostiles ; elle tenterait à nouveau de leur ouvrir les yeux sur la cruauté des mesures prévues, et sur leurs conséquences catastrophiques.

Helen avait travaillé toute sa vie sur la maladie mentale, d'abord dans une clinique psychiatrique, puis dans l'administration. Elle était bien placée pour connaître les besoins des patients et savoir qu'il était criminel de leur refuser l'assistance qu'exigeait leur état. Son unité avait les moyens de soulager la souffrance de ces gens ; on y effectuait un travail utile et nécessaire.

Helen n'était pas venue au Capitole en se berçant d'illusions. Il était clair que l'Unité d'aide à l'hygiène mentale était d'ores et déjà dans la ligne de mire de la nouvelle législature. Aujourd'hui, la question était de savoir si on allait lui supprimer purement et simplement son budget, ou le diminuer des trois quarts. Dans les deux cas, Helen sortirait d'ici avec un gros problème sur les bras : une faillite de dix millions de dollars, ou une aumône de deux millions.

Pourquoi, grands dieux, lui avait-on confié un pareil budget ? Si seulement elle était restée à sa place dans l'Unité, au lieu d'entraîner tout le monde dans le naufrage !

Ce poste de directrice de l'Unité, elle l'avait obtenu grâce aux relations de son mari Al. C'était un fauteuil occupé d'ordinaire par un médecin psychiatre. Or, Helen n'était pas médecin. Seulement psychanalyste.

Si son budget était supprimé, elle aurait pour tâche, entre autres désastreuses besognes, de licencier la cinquantaine de médecins psychiatres actuellement sous ses ordres. Autant dire que son nom resterait à jamais gravé dans les annales de la profession. Parce qu'aux yeux du public, le sous-comité n'aurait fait que prononcer la sentence. Le vrai coupable resterait le responsable du service.

Peut-être – on peut toujours rêver – l'épreuve déboucherait-elle sur quelque bienfait. L'histoire allait faire du bruit. Qui sait si Helen n'en tirerait pas la notoriété qui lui avait toujours été refusée ?

Comme elle contournait la Chambre des sénateurs, elle aperçut, au fond, la double porte de la salle où siégeait le sous-comité. On entendait ronronner une voix monotone. C'était celle du sénateur G. G. Joiner, en train de prononcer devant une assemblée pratiquement vide un discours sur les droits des riverains. De l'autre côté du hall, un employé de la maintenance poussait une cireuse automatique. Au loin s'élevait le bruit d'une sirène. De longs rayons de lumière tombaient des fenêtres percées sous le dôme du Capitole.

Helen avait aimé, naguère, cette majestueuse maison de marbre étincelante et rouge sous le soleil. Elle avait aimé son histoire. Elle aimait aussi l'État de New York, ses habitants si merveilleux, si ouverts, ses paysages verdoyants et son passé, sans parler de cette ville fabuleuse qui se dresse au sud. Helen avait un appartement à Manhattan. Elle était membre de la Société du Metropolitain Opera. Le Festival du film de

New York la comptait parmi ses abonnés les plus enthousiastes.

Pour dire la vérité, elle était heureuse d'être vivante. En dépit de cet abîme qui s'était ouvert au centre de son univers, ce vide qu'Al avait laissé derrière lui. Il est vrai qu'en un sens, c'était un vide plein de bonheur : leur mariage avait été heureux, et il avait tenu longtemps…

— Al, murmura-t-elle pour elle-même. Tu es toujours là. Je t'aime.

Elle se rappela le jour où elle avait prêté serment devant le gouverneur, quelques semaines à peine après la mort d'Al. Le jour le plus triste de sa vie. Et le plus beau aussi. Cet instant sublime, elle l'avait dédié à cet homme généreux qui avait partagé vingt années de son existence.

Devant la double porte close du sous-comité, elle s'arrêta pour reprendre son souffle. Ils allaient lui couper les crédits. Peut-être la meilleure chose à faire était-elle de se résigner. Mais comment s'y prendre pour mettre à la retraite un homme comme le docteur William Walker, qui dirigeait depuis trente ans le département de psychiatrie ? Pouvait-on agir ainsi avec un médecin d'une telle stature ? Et s'il n'y avait que lui…

Sans parler des malheureux patients. Où les politiciens trouvaient-ils le courage de traiter de cette façon des enfants autistes ? Des schizophrènes sans défense ! Des malades atteints de troubles paranoïaques ! On allait les précipiter dans la misère, le manque de soins et d'assistance. Livrés à eux-mêmes, ils seraient jetés à la rue et deviendraient des proies, des victimes.

Le rapport qu'Helen s'apprêtait à défendre devant le sous-comité s'intitulait « De certaines décisions graves concernant l'aide à l'hygiène mentale et de leurs conséquences ». Il ne dépassait pas dix pages. Mais ces dix pages contenaient toutes les statistiques, toutes les explications nécessaires ; elles décrivaient les ravages causés par les maladies mentales dans les populations défavorisées.

Mais au-delà des statistique, ces dix pages n'étaient ni plus ni moins qu'un appel au secours. Un appel adressé à qui voudrait bien se donner la peine de l'entendre.

Un rire lui parvint à travers les deux portes fermées – un long rire traînant et onduleux. Helen se tenait immobile. Elle s'efforçait de garder son calme. Son cœur s'emballait. Elle serra les mâchoires. Son dentiste lui avait posé dans la bouche une gouttière qui permet de serrer les dents en cas de stress sans les abîmer. Et elle savait que sa jambe gauche ne la trahirait pas, grâce à cette prothèse du ménisque qu'on lui avait installée.

C'est bon. Respire profondément. Adopte une expression neutre. Al est là. Il est dans ton cœur.

C'est à lui qu'intérieurement elle s'adressa :

— *Allons-y.*

Elle saisit les poignées de la porte à deux battants et les poussa vigoureusement. Elle fut accueillie dans la salle par un bref instant de silence, puis les discussions reprirent leur cours tandis qu'elle s'avançait, d'une démarche maladroite.

Le reporter Mal Camber appuya sur le déclic de son appareil photo, et Tom Woolsley, du *Times*, leva les yeux d'une feuille couverte de notes. Quant au sénateur Warner, il dit en affichant un petit sourire pincé :

— Voici enfin notre grande dame…

— Désolée, Tom, s'excusa-t-elle. Les embouteillages…

Le fait est qu'elle était en retard.

Elle se hâta d'aller prendre place à la table des témoins. Elle était venue sans ses assistants. Pas besoin d'équipiers pour son baroud d'honneur. Qu'elle aille au charbon toute seule. Qu'elle assume la défaite, si défaite il devait y avoir. Ses collaborateurs avaient assisté aux neuf séances précédentes – toutes atroces. On était allé jusqu'à interroger des médecins psychiatres sur le nombre d'ampoules électriques qui équipaient leur cabinet…

Elle leva les yeux vers Warner. Son visage anguleux. Ses yeux gris. Un beau jeune homme de trente-deux ans dont le teint bronzé témoignait d'un récent séjour aux sports d'hiver. Avec son hâle et son costume de chez Savile Row, il avait l'air de ce qu'il était : un homme riche.

Oh ! Warner n'était pas un mauvais bougre. Il lui arrivait même souvent de défendre des idées novatrices. Mais, fondamentalement, il ne croyait pas à l'efficacité de la Santé publique appliquée à la maladie mentale. Et ce n'était pas le seul point sur lequel il se montrait peu réceptif. Aussi loin que remontaient les souvenirs d'Helen, elle avait toujours observé chez lui un manque de civilité. Sur le papier, c'était un homme bien élevé. Mais une fois, parce qu'elle l'avait plongé dans l'embarras en faisant allusion devant lui au *DSM-IV*, la bible de la psychiatrie américaine qu'il semblait ne pas connaître, il s'était tout à coup montré cassant, lui conseillant d'éviter la phraséologie médicale durant les audiences, puis franchement menaçant. En un sens, ce caractère si doux cachait bel et bien une personnalité violente. Sa conception de la justice reposait sur la notion de châtiment. Il refusait l'idée que certaines personnes, et surtout des criminels, puissent être des malades incapables de contrôler leurs pulsions.

Helen pensait exactement l'inverse. Sa carrière, mais aussi sa compréhension des êtres, étaient tout entières fondées sur les promesses de la thérapeutique. Selon elle, la folie pouvait être traitée – et guérie.

— Messieurs les sénateurs, dit-elle, je suis prête.

Elle posa des copies de son rapport sur la table des témoins. Un greffier vint les chercher et les distribua aux membres de la commission et à la presse.

Le rapport exprimait une vérité brute, à savoir que les coupes envisagées dans le budget condamneraient l'Unité à une mission des plus basiques : tenter de prévenir les crimes imputables à la folie...

— Bon, dit Warner. Rien de nouveau dans tout ça.

Mais Helen ne voulait pas le laisser mettre trop rapidement l'affaire aux voix. S'approchant du micro, elle reprit :

— Je pensais que vous deviez avoir un tableau de la situation. Les statistiques sont claires, il me semble.

— On les connaissait déjà, dit Warner.

En tout état de cause, il était pressé, et cela n'augurait rien de bon. Helen avait besoin d'un peu de temps. Elle décida de se jeter à l'eau.

— Je ne suis pas sûre, dit-elle, que vous soyez conscients des effets que risquent de produire de telles coupes dans notre unité. Les malades appartenant aux populations pauvres de l'État vont perdre la possibilité de venir consulter de façon régulière. Ils seront soignés épisodiquement.

— C'était votre boulot de réorganiser le service, dit doucement Warner.

Bien. Au moins, le débat s'engageait. Cela permettrait de gagner de précieuses minutes avant ce satané vote.

— Réorganiser un service ou le supprimer, reprit Helen, sont deux choses différentes. Si vous votez ces réductions budgétaires, c'est un équipement qui disparaît. J'aimerais poser une question à chacun d'entre vous. Avez-vous examiné ce dossier sous l'angle de la souffrance humaine, et de la nécessité de la soulager ? Y avez-vous réfléchi de façon personnelle ?

Oui – leurs visages le lui disaient ; ils s'étaient impliqués dans leur réflexion. Et tous, même Warner, partageaient la déception d'Helen.

Le silence était retombé. On n'entendait plus que le ronronnement des ventilateurs qui brassaient l'air chaud. Helen perçut un mouvement derrière elle. Elle se retourna furtivement et vit que sa fille, Selena, venait d'entrer. Elle l'interrogea des yeux. La jeune femme répondit en dressant le pouce. *Bravo Selena.*

Durant un temps très bref, Helen éprouva un sentiment de satisfaction. Selena venait de remporter un premier succès dans une prometteuse carrière de femme d'affaires. Mike, son frère, avait choisi le droit, et il faisait des débuts non moins brillants dans un cabinet d'avocats. Les gosses, pensa-t-elle, quel réconfort dans l'existence. Après l'audience de la commission, elle irait déjeuner avec sa fille. Et ce soir, c'est Mike qui viendrait dîner à la maison. Quand un danger menaçait, c'est encore en famille qu'on se serrait le mieux les coudes. Et cette famille-là possédait une devise secrète : amour et loyauté…

Helen sursauta. Le vote ! Le vote allait commencer ! Elle s'approcha du micro dans l'intention de protester mais ce fut trop tard. Elle ne s'était absentée mentalement que quelques secondes, et ils en avaient profité pour s'entretenir entre eux à voix basse.

Comme des voleurs, pensa Helen.

Le sénateur Warner murmura quelques mots, et soudain une forêt de mains se dressa.

C'était fini. L'Unité d'aide à l'hygiène mentale de l'État de New York venait d'entrer en agonie. Bientôt elle serait morte, détruite comme par un tremblement de terre. Helen décida de demander un veto. Mais c'était peine perdue et elle le savait. Le gouverneur ne la suivrait pas. Quand on s'est fait élire sur un programme de réduction des dépenses publiques, on ne prend pas le risque de décevoir son électorat en défendant un pareil service.

Déjà la salle commençait à se vider. On discutait par petits groupes. On prenait date pour un prochain déjeuner. Ces messieurs récapitulaient les rendez-vous de l'après-midi. La sentence était tombée. Helen était seule, avec sur les bras un service moribond. Seule avec son désastre.

Et tout s'était déroulé si vite ! Les Barbares étaient passés.

— Merci, sénateur Warner, grommela-t-elle entre ses dents.

Une douleur lui vrillait la partie gauche du crâne. Elle referma sa serviette, se leva, puis se dirigea à son tour vers la sortie. Elle s'aperçut que Selena lui emboîtait le pas. Elle aurait voulu que Mike soit là, lui aussi. Mais il avait dû sauter dans un avion de bonne heure ce matin. Aller et retour dans la journée. Il avait promis d'être rentré pour le dîner.

Mais c'est maintenant qu'elle avait besoin de lui ! Elle avait besoin de les avoir tous les deux auprès d'elle. Et auprès d'Al qui était là, blotti dans une région secrète de son cœur. Égoïsme ? Peut-être. Et alors ? Dans un moment pareil, elle avait vraiment besoin de ses enfants. Parce que c'était insupportable d'être traitée de cette façon, insupportable de voir l'œuvre d'une vie balayée par un fleuve de considérations budgétaires dont personne n'était réellement en mesure de saisir tous les tenants et aboutissants.

Le seul endroit au monde où Helen Myrer se sentait encore utile à quelque chose venait de disparaître...

— Et voilà, dit-elle. J'ai réussi à couler l'Unité.

Selena essayait de régler son pas sur celui de sa mère.

— Lève le pied, maman. Et calme-toi...

— Je ne peux pas ! Ils m'ont poussée à bout !

Elle accéléra encore le rythme. Elle voulait qu'ils sachent bien, tous, qu'elle était hors d'elle.

Il lui sembla entendre Tom Warner l'appeler. Mais elle refusa de se retourner. Les larmes commençaient à lui monter aux yeux. Plutôt mourir que de pleurer devant ce type.

— Allez, on va déjeuner, dit-elle.

Elle avait d'abord envisagé le restaurant du Capitole, mais ce n'était plus d'actualité. Maintenant elle avait envie d'aller au Cristal. Le Cristal était la meilleure table de tout Albany. La seule capable de souffrir la comparaison avec les restaurants de Manhattan. Un endroit cher, certes. Helen se demanda si elle n'allait pas payer l'addition avec sa carte de frais professionnels… Non. Pas de ça.

— Pas le Cristal, maman. Ce n'est pas possible.

Helen s'arrêta pour dévisager sa fille.

— J'ai envie de déjeuner au Cristal, dit-elle. Tu ne crois pas que je vais rester ici, et m'offrir en spectacle à ces gens ! Ils n'attendent que ça, de me voir craquer.

— Maman ! ce n'est pas le problème. Ce serait formidable d'aller déjeuner au Cristal. Mais je n'ai pas le temps. Oh ! je sais, c'est nul, mais… Il faut que je sois à mon boulot à 13 heures…

— Tu vas me laisser pleurer toute seule devant ma salade, c'est ça ?

— Désolée, maman.

Elles étaient arrivées dehors, au sommet de l'escalier du Capitole. À leurs pieds s'étendait la vaste esplanade, et plus loin, la partie sud de l'État.

Selena glissa ses mains dans celles de sa mère.

— Je t'aime, dit-elle. Je t'aime vraiment, tu sais.

— Viens dîner. Mike sera là.

— C'est mon premier projet, maman. Et je finis de le mettre au point… J'en ai pour toute la nuit, c'est sûr.

Helen prit sa respiration. C'est le moment d'être forte, songea-t-elle. Le moment d'être une mère compréhensive. Les gosses ont leur vie. Ça se respecte.

— C'est gentil d'être venue, parvint-elle à dire. Merci du fond du cœur.

Il ne lui restait plus qu'à admirer sa fille en train de descendre d'un pas souple les marches, ses longs cheveux dansant sur ses bras clairs, et brillant au soleil. Une belle jeune femme. Le fruit de son amour pour Al. Ses yeux profonds à lui, la délicatesse de ses traits à elle. Un équilibre parfait.

Helen regardait disparaître la silhouette de Selena. Elle avait mal. Quand elle regagna le parking, une bouffée d'angoisse la saisit. C'était plus dur encore qu'elle ne l'avait redouté.

Elle se dirigea vers sa Taurus. Garder les épaules droites, la tête haute. Lever les yeux vers le ciel d'été. Helen essayait de se convaincre que Selena avait fait tout son possible pour être là aujourd'hui. Fût-ce un instant. Sûr qu'elle était débordée de travail. Et puis, Mike venait dîner. Ils pourraient parler. Longuement. De son avenir à elle. Allait-elle pouvoir continuer dans cette carrière ? Qui sait ? Et pourquoi ne pas marquer une pause ? La prochaine étape serait peut-être celle de la résignation…

Il régnait dans la voiture une chaleur étouffante. Helen appuya le front contre le volant. Elle aurait eu envie de hurler. Mais hurler n'était pas son genre.

Au bout d'un moment, elle se redressa, respira et mit le moteur en marche. L'air conditionné commença à ronronner. Elle prit la direction du Cristal. Elle avait dépassé trois blocs d'immeubles, quand elle s'imagina devant son assiette, en train de ruminer seule sa défaite. En plus, Warner déjeunait quelquefois au Cristal. Si l'envie l'en prenait aujourd'hui ? Après tout, il avait quelque chose à fêter, lui !

Elle finit par se résoudre à rentrer dans son appartement d'Albany. Il lui restait du pain. Et, dans le Frigidaire, de quoi déjeuner ou se préparer un sandwich. Elle mangerait en écoutant de la musique, puis elle retournerait au bureau.

Elle mit peu de temps à rejoindre son immeuble. Elle se gara dans le parking, puis se dirigea vers les ascenseurs d'un pas vif. Dans l'espoir d'échapper à la conversation du gardien, elle passa rapidement devant sa guérite en lançant :

— 'Jour Benny !

— Hello, docteur ! répondit l'autre. La matinée a été bonne ?

— Pas vraiment…

— Ah bon ? reprit-il en sortant de sa cage de verre.

Helen s'arrêta.

— De mauvaises nouvelles ?

Sa sœur malade mentale bénéficiait des soins gratuits dans un dispensaire. Exactement le genre de service qu'Helen allait bientôt être contrainte de fermer. Le gardien la regardait. Elle se jeta dans ses bras, à leur grande surprise à tous les deux.

Dieu merci, elle ne trouva personne dans l'ascenseur. Elle resta seule jusqu'au vingt-deuxième niveau, tandis que les larmes finissaient de ravager son maquillage. Au fur et à mesure qu'elle s'élevait, elle avait l'impression de s'enfoncer dans sa solitude. Dans son échec.

L'appartement était silencieux, et comme tous les endroits où vivait Helen, décoré dans des nuances de bleu. Elle conservait ici sa collection de masques mexicains et ses statuettes de la Fête des morts. Quel dépaysement, pour ces figurines, de vivre à Albany, New York ! Helen, durant une partie de son existence, avait été fascinée par la conception mexicaine de la mort. La mort comme célébration de la vie. Elle avait même écrit naguère un article sur la question. « La mort comme tentative de célébrer la vie, chez les Nahuas du nord du Mexique. » L'article était paru en 1984 dans la *Revue d'anthropologie et de psychologie*.

— La mort, murmura-t-elle.

Elle redressa un squelette qui avait tendance à s'affaisser sur son socle noir. Coiffé d'un bonnet à motifs de fleurs, il tenait un cigare fiché dans sa mâchoire. *Madre Morte*. Tel était son nom. *Mort, notre mère*. Helen traversa le séjour et s'approcha de la baie vitrée. La lumière d'été était si claire que l'on voyait jusqu'au Berkshires. Helen baissa les yeux vers la rue. La façade du building ressemblait à la paroi d'un canyon. Dans la cuisine, le ronronnement du réfrigérateur se déclencha. Elle n'avait pas faim.

Se détournant de la fenêtre, elle s'aperçut que le voyant du répondeur clignotait. Elle hésita à écouter le message. Mais le numéro était réservé à la famille et aux proches collaborateurs. Elle appuya sur le bouton.

— M'man ? C'est moi. Problème pour ce soir. Impossible de rentrer à temps… Que dirais-tu d'un brunch, dimanche ? Au Palm Court. On se retrouve là-bas, d'accord ? Je t'aime. Bye.

Helen se hâta d'effacer le message. Cette fois, elle était vraiment mal. Une douleur lui oppressait la poitrine. Un sanglot se nouait dans sa gorge.

Quand Al était là, Mike et Selena se montraient plus fidèles. Maintenant que c'était elle qui traversait une crise grave, ils se dérobaient. Elle n'avait pas le charisme de leur père, sans doute. Voilà une réalité qu'il allait falloir accepter, désormais.

— Ne sois pas ridicule, soupira-t-elle. Tu es en train de t'apitoyer sur toi-même.

Que cela fût vrai ou non, quelque chose venait de se briser en elle, quelque chose qui était peut-être l'espoir, ou une partie essentielle d'elle-même, et qui s'en allait comme un fétu emporté par le fleuve. Avec un sanglot, elle se laissa tomber sur le divan. Pendant un moment, elle pleura. Puis ce fut le silence. Et quand, relevant la tête, elle regarda autour d'elle, il lui sembla qu'elle se trouvait dans un appartement étranger.

Le téléphone sonna. Plusieurs sonneries. Helen, deux ou trois fois, fit le geste de décrocher. Mais sans y parvenir. Le répondeur se déclencha. La propre voix d'Helen se fit entendre. Mike avait-il réussi finalement à se libérer pour le dîner ? Ou Selena ? Non. C'était Victor qui appelait du bureau.

— J'essaie de vous joindre partout, patron. Ça n'arrête pas d'appeler. C'est le bureau des pleurs, ici. Je suis arrivé à tenir tout ce joli monde en respect, mais pour combien de temps ?

Vivement, Helen décrocha. Elle rassura Victor : elle ne le laisserait pas tomber. Jamais.

Après avoir reposé le combiné, elle laissa son regard s'attarder sur un petit squelette particulièrement drôle, en pleine partie de jambes en l'air avec une pin-up à l'arrière d'une voiture en plastique noir.

— Dire qu'on collectionne ce genre de trucs, murmura-t-elle.

C'est à Al qu'elle s'adressait. Ce n'était peut-être pas une bonne idée de lui parler tout le temps ainsi, mais elle avait besoin de parler à quelqu'un. Et elle n'avait personne d'autre.

— Toi, au moins, tu m'écoutes.

Et si elle partait faire un tour au Mexique ? Une partie de pêche au Mazatlán ? Ou n'importe où ailleurs, dans une station de vacances. Elle poursuivit un instant cette pensée, puis eut la vision de couples en vacances sous ces cieux de lumière, et les larmes, de nouveau, lui brûlèrent les yeux. Elle allait se retrouver seule dans la foule. La pire des situations. Non, ce dont elle avait envie, c'était d'un beau voyage avec Al.

— Al, reprit-elle, le regard perdu dans le néant, ou dans le passé. Si on allait passer quelque temps au Vieux Secret, tous les deux ?

Ayant quitté le divan, elle gagna le bureau. Le nom de ce type, allait-elle le trouver dans l'ordinateur ? Non. Sûrement pas au bout de... au bout de combien de temps ? Douze ans ? Douze ans...

Le Vieux Secret était une cabane perdue au fin fond d'un lieu splendide, surplombant un lac, dans le New Hampshire. La dernière fois qu'elle y avait séjourné, Helen était flanquée de ses deux préadolescents et de son avocat de mari. L'homme le plus généreux, le plus séduisant, le plus fort et le plus doux de tout l'Est américain.

Mais où se trouvait-elle, déjà, cette cabane ? Le propriétaire était un homme de petite taille. Il habitait à... Était-ce Carlton ?

Helen décrocha le téléphone et appela les renseignements. Mais il n'existait apparemment aucune localité de ce nom dans le New Hampshire. D'un autre côté, elle avait maintenant une furieuse envie d'aller se réfugier au Vieux Secret. D'y rester quelque temps en compagnie de ses souvenirs. Et d'y retrouver Al. Elle parlerait avec lui. Et il lui répondrait. C'est le vent, la nuit, qui lui rapporteraient ses paroles.

Mais l'adresse ? Le numéro ? Nombre de leurs affaires étaient dans l'autre appartement, celui de Manhattan. Certains objets avaient été entreposés dans un garde-meuble. Soudain, elle songea qu'ici, à Albany, se trouvait encore quelque chose qui avait appartenu à Al. La boîte à chaussures rangée sur la dernière étagère du placard. Cette boîte contenait la correspondance à laquelle il travaillait le week-end de sa mort. Helen avait tout mis de côté, au cas où. Mais elle n'avait jamais rouvert la boîte. Elle y trouverait le carnet d'adresses d'Al. Celui qu'il gardait toujours sur lui. Elle sortit du bureau et alla chercher la clé du placard.

Les lettres couvertes de la fine écriture n'avaient pas jauni. L'une d'elles concernait une affaire d'impayés. Une autre s'adressait à elle, Helen. « Chère madame, je me trouve présentement dans ma chambre du Stanhope, et j'aimerais tellement que vous soyez auprès de moi. Nous pourrions nous glisser sous les draps, regarder la télé, bouffer des pizzas mutantes, puis explorer la nuit qui s'offrirait à nous… »

Helen pressa la lettre contre ses lèvres. Al avait de ces manies délicieuses. Chaque fois qu'il partait en voyage, il lui envoyait ce genre de lettres. Elle les avait toutes gardées ; des centaines en tout, rangées dans des cartons dans l'appartement de Manhattan. Et celle-ci était restée à Albany. Il sembla à Helen qu'elle respirait à nouveau le parfum de son mari – une agréable odeur de rhum et de peau brûlée par le soleil.

Sous les paquets de lettres, elle trouva le vieux carnet d'adresses. Helen le feuilleta. Des restaurants. Des amis qu'elle n'avait pas revus depuis des années. Des partenaires de tennis, de golf, de bridge, de poker. Ses potes, comme il disait.

— C'est idiot, murmura-t-elle. Cinq ans !

Si un de ses patients lui avait déclaré éprouver encore un tel chagrin au bout de cette période, elle aurait jugé son attitude pathologique.

Finalement, elle trouva l'information recherchée. Al le méticuleux ! Il avait noté le nom du propriétaire de la hutte : Henry Matthias. Et ajouté ces quelques mots : « Cabane agréable mais paumée. Apporter du vin. »

Helen, munie du carnet, alla s'étendre sur le lit. Puis elle roula sur elle-même en tendant le bras vers le téléphone. Ce n'était pas Carlton mais Tarleton. Tarleton Corners. Tout à l'heure, elle n'était pas tombée si loin. Le souvenir lui revint : une série de cabanes aux toits en bardeaux noirs, à flanc de montagne, avec le lac en contrebas.

Le Vieux Secret avait des volets verts, et ses fenêtres offraient une vue merveilleuse sur le lac. Helen se rappelait que le lit grinçait. Elle se souvenait aussi d'un certain soir où ils avaient dîné dans le crépuscule paisible, sur la véranda, une fois les enfants couchés. Perches grillées – des perches du lac pêchées par Al – et vin blanc. À la tombée de la nuit, tandis que se dissipaient les derniers rougeoiements du couchant, et que les chauves-souris s'agitaient au-dessus des eaux calmes, ils avaient échangé un long baiser, tels deux adolescents, en se penchant dans leurs transats disposés côte à côte.

Le problème d'Helen n'était pas d'avoir un tempérament de femme inconsolable. Mais elle avait gardé trop de bons souvenirs de la vie commune avec Al. Elle n'avait jamais pu l'expédier au pays des morts. Oh ! les occasions n'avaient pas manqué depuis qu'il était parti. Mais aucun homme n'avait éveillé son intérêt. Après le décès, elle avait fait dresser deux tombes au cimetière. Un jour, elle reposerait auprès de lui. Cela ne faisait aucun doute dans son esprit.

Elle eut une hésitation avant de composer ce numéro à Tarleton. Douze ans qu'elle n'avait pas parlé à ce Henry Matthias ! Et il était déjà vieux à l'époque. Il devait être mort, lui aussi. La cabane avait peut-être brûlé, ou bien il l'avait vendue. Abandonnée. Comme le passé s'abandonne...

— Agence Matthias.

Mon Dieu ! Était-ce possible ?

— M. Matthias ? dit-elle.

L'idée la traversa qu'elle s'adressait peut-être à un mort.

— C'est Henry, à l'appareil.

Dix minutes plus tard, elle avait loué la cabane pour les deux semaines à venir, au prix incroyablement bon marché de trois cents dollars la semaine. Mais on l'avait rassurée : la maison était en bon état, et même équipée d'un téléphone tout neuf.

— Le Vieux Secret, murmura-t-elle.

Elle songeait à des jours anciens. Ces jours ensoleillés à jamais disparus.

2

LE VIEUX SECRET

Elle appela Victor et le chargea de donner de ses nouvelles au gouverneur : elle allait aussi bien que possible, elle avait décidé d'aller se mettre au vert quelque temps. Elle savait que le gouverneur lui accorderait le loisir de panser ses blessures. De toute façon, plus rien ne pouvait être tenté avant l'ouverture de la prochaine session, à part prendre son bâton de pèlerin et aller mendier de sous-commission en sous-commission, en s'efforçant de garder le sourire chaque fois qu'on lui répondrait non.

À condition d'aimer les avions de tourisme, le vol jusqu'à Concord, New Hampshire, était agréable. Ayant débarqué en fin de journée, elle prit une chambre au Quality Inn de l'aéroport et y passa une soirée sinistre : télévision et pizza. La déprime aidant, elle appela Selena et Mike. Plusieurs fois chacun. À la fin, elle se contentait de laisser des messages sur leurs répondeurs. Selena et Mike étaient débordés de travail, et

27

c'était une bonne chose. C'est qu'ils étaient heureux. Helen et Al aussi étaient toujours débordés. Helen et Al étaient heureux.

Elle décida brusquement d'arrêter de pleurer. Et ses yeux restèrent secs même quand Olivia de Havilland apparut à l'écran, sur fond d'une fabuleuse symphonie de Brahms, pour plaider d'une voix émouvante en faveur d'un traitement plus humain de la folie.

Le lendemain, elle prit à 9 h 15 le seul avion pour Tarleton Corners. Le vol durait une demi-heure, avec passage au-dessus du lac Glory, étincelant comme de l'or au soleil – elle reconnut le lac immense, ses eaux claires et poissonneuses.

À l'aéroport, l'attendait Henry Matthias, qui lui offrit de la conduire, mais elle déclina son invitation. Elle avait réservé une voiture chez Hertz, sachant que le Vieux Secret était très isolé. Et c'est cramponnée au volant énorme d'une grosse Mercury qu'elle traversa la ville, derrière Matthias qui lui ouvrait la route. Quel âge avait-il, maintenant ? La vie d'une petite localité avait l'air de lui réussir. Mais Helen avait l'expérience de certains malades mentaux venus des petites villes. Ils se tenaient constamment sur leurs gardes. Les petites villes sécrétaient leur lot de paranoïaques, de ces gens qui cèdent brusquement à des crises de panique… Elle se rendit compte soudain du tour que prenaient ses pensées.

— Oh ! non… gémit-elle en secouant la tête.

Elle essaya de se détendre en respirant profondément. D'oublier qu'elle était psychanalyste. Et de ne plus tenir ce volant comme si elle avait l'intention de le broyer !

— Tu n'es pas ici pour faire des diagnostics ! se dit-elle.

Avec Al, la dernière année, ils avaient eu le projet de revenir au Vieux Secret. Et même d'y revenir régulièrement. Parfois, ils se surprenaient à caresser un fantasme : le Vieux Secret n'était jamais loué à personne d'autre, ils étaient les seuls à jouir des volets verts, de la magnifique véranda jetée au-dessus du lac sur une falaise de cinquante mètres de hauteur, et de ces poissons pêchés le jour même, que l'on mangeait grillés, à la nuit tombante, en buvant du vin clair étincelant comme de l'or.

Helen gara la Mercury à côté du véhicule de Matthias qui se dépliait pour descendre de voiture. Soudain, il afficha un sourire. Puis, l'air émerveillé, il claqua dans ses mains et lança :

— Regardez, docteur Myrer.

Helen ne voyait qu'un supermarché impeccable, de l'autre côté de la rue tranquille bordée d'une haie de fleurs.

— Quoi donc ? s'enquit-elle.

Matthias eut un mouvement de la tête.

— Les oiseaux, reprit-il à voix basse.

Deux petits oiseaux étaient en train de s'accoupler au milieu de la rue. Helen comprit, et la scène la fit rire. Mais son propre rire, dans l'air limpide de cette petite ville, lui fit l'effet d'un aboiement désagréable.

Henry Matthias se tourna vers elle.

— La saison des amours, gloussa-t-il.

— Ce sont des pinsons ?

— Non, des moineaux. Des saloperies de moineaux.

Curieux bonhomme, pensa-t-elle. Qu'est-ce qui lui prend d'attirer mon attention sur des moineaux en train de forniquer ? Qu'a-t-il en tête ? Quel genre de pensées inconscientes ?

— Allons-y, docteur Myrer. Allons régler cette affaire.

Un escalier extérieur les conduisit jusqu'à un bureau fermé par une porte au verre dépoli où se lisaient en lettres d'or : H. MATTHIAS, AGENT IMMOBILIER.

Le bureau était vide. Pas d'employé. Personne au téléphone. Pas de secrétaire. On n'entendait même pas, comme dans n'importe quel bureau d'une grande ville, ronronner l'air conditionné. La pièce était occupée par une table unique. La fenêtre ouverte ne laissait passer d'autre bruit que les cris des oiseaux.

Maintenant qu'il était dans son domaine, M. Matthias semblait vouloir s'affairer. Il montrait un air satisfait, important. S'étant assis derrière la table comme pour y remplir un office considérable, il étendit ses longs bras. Helen prit place en face de lui et le regarda dans les yeux. Il détourna le premier son regard, se pinça les lèvres et s'éclaircit la gorge.

— Voyons le formulaire, dit-il avec sérieux.

Il tira une chemise jaune d'un registre, l'ouvrit. Helen s'étonna :

— Vous plaisantez ?

À cet instant un personnage entra en faisant grincer la porte, un homme au visage gris, qui atteignait difficilement le mètre soixante. Il se mit aussitôt à fouiller dans un classeur en chêne plus haut que lui. Et soudain il lança d'un air irrité :

— Il va falloir se réapprovisionner en fournitures !

À quoi Henry répondit :

— C'est toi qui sais de quoi tu as besoin, Kevin.

Un vieux couple en train de se chamailler, songea Helen qui consultait le formulaire. Un formulaire absurde. Elle le reposa sur la table.

— Tout ça pour une location de quinze jours ? dit-elle. C'est ridicule.

Matthias écarta les bras, paumes tournées vers l'extérieur, comme pour parer une attaque.

— C'est la loi, docteur Myrer…

— Henry ?

Matthias adressa à Kevin un regard courroucé.

— Quoi ?

Le petit homme eut un sourire nerveux.

— Non, rien. Je me disais juste que pour le docteur Myrer, on pourrait faire une exception…

Helen tourna les yeux vers la figure de papier mâché. Le sourire de Kevin s'agrandit. Elle sourit à son tour.

— C'est l'État, reprit Matthias, intraitable. Avec leurs paperasseries ridicules. On n'y peut rien.

Il avait l'air mécontent.

— Imaginez, poursuivit-il, que vous vous révéliez par la suite être dans le trafic de drogue. Ils nous confisqueraient le titre de propriété.

Kevin approuva d'un gloussement.

— Et comme ça, dit-il, ils mettraient la main sur le Vieux Secret.

Helen, comprenant qu'il était inutile de discuter, inscrivit son nom, son adresse et toutes les informations requises par le formulaire – métier exercé, emploi occupé, lieu de travail, nombre d'années à ce poste… La dernière fois qu'on a loué cette cabane, pensait-elle tout en écrivant, l'affaire s'est conclue en quelques minutes. On a payé cash, on a pris les clés et on a filé pour un séjour de rêve. Un formulaire si élaboré pour une vieille cabane ! Elle se sentait contrariée. En plus, elle avait la désagréable impression que les douze années qui venaient de s'écouler représentaient tout à coup un temps affreusement long… C'est quoi, Al, ces conneries ? Je suis venue ici chercher le silence, pas remplir des formulaires idiots. Mes fantômes, vite ! Qu'on me rende mes fantômes !

Mais elle tenait à respecter les obligations de l'agence. C'est pourquoi elle remplit le document avec soin, sans négliger aucune question. Quand elle eut fini, elle tendit les papiers à Matthias qui les examina en hochant la tête et en produisant, en signe d'approbation, de petits bruits de gorge.

Helen, après avoir signé le formulaire, remit à Matthias six cents dollars en liquide. Plus cinquante de caution. Puis elle se leva. L'agent arborait un tel sourire qu'elle en fut presque choquée. Chez les êtres civilisés, on se dispense en général d'exprimer sa satisfaction d'une façon aussi grossière.

— Merci, dit-elle.

Rester aimable exigeait d'elle un effort. De toute façon, elle était fatiguée.

Aux cris des oiseaux se mêlèrent soudain des voix d'enfants venues de la rue. Helen se leva. Henry Matthias referma son registre.

— Tout est en ordre, dit-il. Je suis désolé pour ces tracas.

— C'est sans importance, soupira Helen.

— Ce qu'il faudrait, c'est changer de gouvernement. D'abord virer celui-là… Bien, c'est Kevin McCallum qui va vous accompagner, docteur Myrer. Moi, j'évite de conduire. Je suis trop vieux.

Helen ne put se retenir d'exprimer son dépit. Comment, on n'allait pas la laisser se débrouiller par ses propres moyens ? Elle protesta :

— Je connais le chemin.

Phrase qui fit rire Kevin. Glousser plutôt. Et ce bruit se mêla aux éclats de rire des enfants – de vrais éclats de rire, ceux-là.

— Oh ! dit-il, vous n'avez pas besoin d'avoir peur. Je ne vous importunerai pas. Je suis hors-circuit, de toute façon.

Il affichait un bon gros sourire de péquenot. Il ajouta :

— J'habite à dix minutes du Vieux Secret. Il vaut mieux que vous le sachiez, chère madame. En cas de problème.

— Merci, répéta Helen.

Et elle ajouta aussitôt :

— Bien, je vais en face faire des courses. Ensuite j'essaierai de trouver la cabane toute seule. Si je n'y arrive pas, je viendrai vous chercher.

— Bonne chance, docteur Myrer, répondit Matthias.

Ayant enfermé l'argent dans une boîte en métal, il conclut :

— Voilà qui est parfait.

Munie de sa clé et d'une photocopie de la carte de la région, seule enfin et heureuse de l'être, Helen quitta l'agence. Un instant plus tard, elle marchait le long du trottoir et découvrait un peu mieux la ville. Tarleton Corners. Charmante petite bourgade. Typique. Un vrai décor de série télévisée, avec ses rues bordées de chênes dont le feuillage épais filtrait les rayons dorés. Les couleurs dominantes étaient le vert et le blanc caractéristiques de la Nouvelle-Angleterre. Le blanc des façades, le vert merveilleux des frondaisons. L'air portait des sonorités douces, intimes, tels les cris des enfants, la radio du supermarché, le chant des colombes ou des rouges-gorges dans les branches. Tous ces bruits mêlés les uns aux autres semblaient délivrer à Helen le message qu'elle était précisément venue entendre, à savoir que le monde, somme toute, était supportable – loin des peines des hommes.

Elle grimpa les trois marches de bois du supermarché, puis franchit le seuil de la porte en faisant cliqueter un rideau de perles. Une odeur éveilla en elle de puissantes sensations venues tout droit de l'enfance – elle en aurait presque pleuré. Fruits et légumes n'étaient pas conservés au frais mais dans de simples cageots à l'étalage, comme autrefois. Et leurs riches parfums se mélangeaient à mille autres, évocateurs de l'épicerie ancienne. Helen avait envie de tout acheter. Tout le supermarché. Tu voudrais faire revivre le passé, pensa-t-elle. Tu veux revenir en arrière, au temps où le monde était tout neuf. Helen se demanda s'il était normal de voir le ciel s'assombrir avec les années, et de toujours regarder ses souvenirs comme s'ils étaient peints de riantes couleurs.

Elle traversa le supermarché en faisant ses achats – du lait, des céréales, un melon qui sentait bon et paraissait riche de délectables promesses. Elle vit que l'on vendait aussi du matériel de pêche. Trente dollars la petite canne avec son moulinet. Il y avait des appâts. Helen se rappela les parties de pêche avec Al, la barque amarrée sur la grève au pied de la falaise. Était-elle toujours là, cette barque? Et de nouveau, cette soirée précise lui revint en mémoire: du poisson frais, des fruits frais, du vin glacé comme les étoiles.

Elle réfléchissait à ce problème de barque en jouant avec les cannes à pêche lorsqu'elle aperçut Kevin au rayon papeterie. Il achetait du matériel de bureau. D'un ton plus aimable que tout à l'heure, elle lança:

— Hello! Vous êtes là…

Il examinait un cahier à spirale.

— Kevin, reprit-elle. Excusez-moi…

Kevin, en essayant de sourire, montra des dents jaunies, et Helen eut pitié de lui.

— Je n'arrive pas à me décider, dit-il.

Il étudiait maintenant les autres cahiers.

— Je me disais, reprit Helen, que vous pourriez peut-être me renseigner à propos de la pêche…

— Vous avez l'intention de pêcher ? Pas facile de prendre quelque chose. Il faut aller vers les rochers, à la pointe. Prendre la barque…

— Je me souviens de la pointe. La barque est toujours là ?

Kevin regarda autour de lui avant de répondre :

— Je vais demander à notre ouvrier, Slim Goode, de la remettre en état. Que vous n'alliez pas couler. Il y a des courants dans le lac Glory…

— Je veux bien, dit-elle, songeant qu'elle n'était pas très bonne nageuse.

— Vous pourrez vous nourrir de poissons, docteur Myrer. Certains le font. Vous voulez bien choisir ?

D'abord, elle ne saisit pas le sens de la question, puis elle comprit que Kevin lui demandait de décider pour le cahier. Il hésitait entre un vert, un noir et un rouge terne.

— Prenez le vert, dit-elle. Le vert est une couleur paisible. C'est ce qu'il y a de mieux dans un bureau.

— Dans le bureau d'une psychanalyste, peut-être. Mais dans un bureau ordinaire ? Un vieux bureau…

Avait-il parlé avec une pointe d'amertume ? Ou de colère ? Helen préféra ne pas approfondir.

— Je m'apprêtais, dit-elle, à acheter une canne à pêche. Et des appâts. Vous auriez un conseil à me donner ?

— Non. Je ne pêche pas avec ce genre d'appâts. Moi, je me sers d'appâts vivants.

— C'est mieux ?

— Ce qui vit mange ce qui vit, docteur Myrer. Même un poisson est capable de reconnaître un ver en plastique. Décidez, pour mon cahier. Cela porte bonheur, quand une étrangère décide pour vous.

— Je n'avais jamais entendu ce proverbe.

— Alors c'est que je viens de l'inventer.

— Prenez le vert, répéta Helen.

Et tournant les talons, elle regagna le rayon des cannes à pêche.

— Ne faites pas ça ! lança Kevin.

Elle s'arrêta. Elle avait cru percevoir comme un avertissement dans la voix du petit homme. Elle fit demi-tour et le regarda, inquiète.

— Qu'y a-t-il ? dit-elle.

— N'achetez pas de canne à pêche. Il y en a dans la cabane. Autant que vous voudrez. Et les vers, vous les trouverez dans la terre. Il suffit de creuser un peu, le matin. Il vaut mieux faire les choses simplement, docteur Myrer.

— Merci du conseil, dit Helen.

Et elle ajouta :

— Vous êtes un sage.

À présent, elle se sentait moins sur ses gardes avec lui. Plus à l'aise. Plus naturelle.

— Un sage, répéta-t-il.

Une minute plus tard, Helen passait à la caisse, puis franchissait le seuil du supermarché. Elle traversa en direction de l'immeuble devant lequel était garée sa Mercury. Al aimait ce genre d'immeuble. Symétrie de la construction. Arcs et corniches… Al aimait… Al s'intéressait à… Al se souvenait de…

Elle ouvrit la portière de la Mercury, déposa ses achats et se mit au volant.

Devant elle, une vieille camionnette bleue avançait sans se presser. Helen tripotait le bouton de l'autoradio dans l'espoir de tomber sur une bonne station. Bientôt lui parvint la voix familière d'un présentateur connu. Il annonçait un concert de cloches. Voilà qui conviendrait pour le voyage. Helen coupa l'air conditionné et descendit toutes les vitres de la voiture. L'atmosphère matinale s'emplit du bruit des carillons. Elle fredonnait au rythme de la musique, s'arrêtant parfois pour rire de ses propres fausses notes, puis se remettait à chanter de plus belle.

Derrière les arbres qui bordaient la route se cachaient des fossés sombres et brumeux.

3

UNE OMBRE À MIDI

Engagée sur l'étroit chemin qui descendait à la cabane, Helen serrait les dents chaque fois que la carrosserie effleurait un arbre, c'est-à-dire très souvent. Pourquoi avoir choisi une voiture aussi large ? Elle dut se rappeler à elle-même qu'il s'agissait là d'un problème mineur et que l'assurance, le cas échéant, rembourserait à Hertz les frais de carrosserie.

En arrivant à l'entrée du chemin, elle aperçut, garée derrière les arbres, la vieille camionnette bleue qu'elle avait suivie un moment en quittant la ville. Cela pouvait signifier que Slim Goode, l'ouvrier, était en train de s'occuper de la barque. Dans ce cas, Helen était tombée sur l'agence la plus efficace de tout le New Hampshire.

Le chemin était très raide dans les derniers mètres, et quand elle freinait, elle sentait les pneus de la Mercury déraper dangereusement.

Enfin le Vieux Secret apparut en contrebas, comme suspendu à la falaise, tel qu'il était douze ans plus tôt – avec ses volets verts et son toit alpestre qui émergeait d'un écrin de fleurs. Helen resta assise au volant. Il lui semblait entendre, portées par le vent, les voix de ses enfants et le rire de leur père.

Encore une fois les pneus dérapèrent. Helen peina à manœuvrer la voiture mais parvint à la garer près de l'escalier qui descendait vers l'entrée de la cabane. Le Vieux Secret offrait une vue magnifique sur le lac Glory, et ce n'était pas le moindre de ses charmes. Mais cela voulait dire aussi qu'on était toujours en train de monter et de descendre.

Helen sortit de la voiture, empoigna les deux sacs de provisions et sa petite valise puis s'engagea dans l'escalier. Les marches de bois étaient humides, branlantes sous ses pas ; sa jupe frôlait d'épais massifs de soucis.

Helen tourna la clé dans la serrure – sans résultat : la porte, en réalité, n'était pas verrouillée.

— Slim ? appela-t-elle.

Elle reçut pour seule réponse le bourdonnement des insectes.

Elle scruta l'intérieur de la cabane, puis entra. Vite, elle traversa le vaste séjour si haut de plafond qu'il faisait penser à une cathédrale ; la pièce ouvrait sur la grande véranda et le lac. Helen gagna la chambre, ouvrit le placard pour y ranger des vêtements et des chaussures, puis revint à la cuisine. Elle se souvenait bien de cette cuisine à l'ancienne mode. Le réfrigérateur fonctionnait avec un compresseur et produisait un bruit bizarre de pots qui s'entrechoquent. La cuisinière était de marque « Royal Rose » et fonctionnait avec des allumettes. Quant à l'eau qui jaillissait en gargouillant du robinet, elle avait un goût étrange, comme si elle avait stagné là depuis le premier matin du monde.

Tout en commençant à sortir les provisions des sacs, Helen regarda vers le lac où deux voiliers, au loin, donnaient de la gîte. Elle venait de prendre une boîte de céréales aux raisins secs quand elle aperçut la fameuse barque, peinte en vert vif, pareille à un jouet, gentiment amarrée à un minuscule embarcadère de conte de fées. La barque était là, mais aucun signe de Slim. Il n'était donc pas en train de la remettre en état. L'agence n'était peut-être pas aussi efficace, après tout.

Mais tout cela n'avait aucune importance et Helen décida de ne plus y penser. L'air était doux, et cette matinée délicieuse.

Elle transporta ses céréales et un paquet de sucre en morceaux jusqu'au cellier, une pièce au fond de laquelle était ménagée une ouverture conduisant au sous-sol. Déjà, douze ans plus tôt, elle n'aimait pas cette cave qui communiquait avec le cellier. Les paroles d'Al lui revinrent en mémoire :

— Il doit y avoir toutes sortes de légumes pourris, là-dedans. De vieilles patates pleines de racines.

Il s'amusait toujours à lui faire peur quand il la trouvait là. Il la frôlait dans le noir. Ou bien il poussait un cri… Helen frissonna en rangeant la boîte de céréales sur l'étagère.

Quand elle voulut poser le sucre, sa main hésita au bord du rayon. Quelque chose… Non pas un bruit, ni un mouvement. Rien d'évident en fait. Juste la sensation d'être enfermée, de se trouver subitement à l'étroit. De manquer d'air.

Une forme se découpait contre le mur du fond. Helen y jeta un bref coup d'œil. Était-ce une ombre? Non… Un sentiment d'effroi lui serrait le cœur. L'être était tapi dans le noir. Son visage inexpressif ressemblait à une figure recouverte d'un bas. Il tenait contre sa poitrine son poing refermé sur un couteau pointé vers le sol. Sa lame était immense.

Au cours de longues années de pratique clinique, Helen avait appris à dominer suffisamment la panique pour être capable d'opérer une retraite avec sang-froid. Tel un avion touché en plein vol et qui n'en continue pas moins de suivre sa trajectoire, elle acheva le geste de déposer la boîte de sucre sur le rayon. Après quoi elle tourna les talons et sortit du garde-manger. Elle n'avait aucun doute sur ce qu'elle venait de voir. Un homme était caché au fond de la pièce. Un homme masqué, armé d'un couteau. Était-il grand, petit? Helen n'en savait rien. Douze ans auparavant, Slim Goode était un garçon de haute taille au visage anguleux – elle se souvenait d'un gars timide qui riait tout le temps. Quant à savoir s'il possédait un camion bleu, elle n'aurait su le dire. Non. Ce type était musclé. Baraqué même. Ce n'était pas Slim.

En milieu hospitalier, quand un patient devenait violent, le réflexe consistait à paraître aussi calme que possible. Mais dans le cas présent, son sang-froid menaçait de la trahir. Dans sa hâte, elle faillit heurter le mur. Au cours de sa carrière, elle avait souvent interrogé en prison des criminels déments. Elle connaissait exactement le genre de danger qui la guettait dans ce cellier.

Helen sortit de la cabane et s'efforça de recouvrer ses esprits. Elle avançait avec calme mais d'un pas vif. Elle arriva même à feindre une certaine désinvolture et siffla quelques notes au moment de franchir le seuil de la maison. Elle espérait qu'il s'attendait à la voir revenir chargée de nouvelles provisions. Elle grimpa l'escalier en fouillant dans sa sacoche, à la recherche des clés de la Mercury.

Quand elle s'assit dans la voiture, le sang lui battait si fort dans les veines qu'elle craignit de s'évanouir. Elle s'aperçut alors que ce qu'elle tenait, c'étaient les clés de l'appartement de New York. Elle plongea de nouveau la main dans sa sacoche. Rouge à lèvres. Mouchoirs en papier. Poudrier. Portefeuille. Pas de clés de voiture.

Elle réfléchit, les yeux fixés sur le pare-brise. Et la vérité lui apparut, simple et glaçante. Les clés de la Mercury étaient restées dans la cuisine. Avec son sac à main. Près de l'égouttoir à vaisselle.

Tu as le choix. Une voix intérieure venait de murmurer ces mots. Une voix calme. Une voix de thérapeute. Soit elle retournait dans la cuisine, soit elle essayait de fuir.

Elle examina l'alternative. Une possibilité était de contourner la cabane, de descendre jusqu'au lac par l'escalier abrupt, de sauter dans la barque et de fuir à la rame. Mais il pouvait – il allait sûrement ! – deviner son intention. Dans ce cas, il la coincerait pendant qu'elle descendrait maladroitement les marches. D'ailleurs, la barque avait-elle été remise en état ? Ne risquait-elle pas de couler ?

Kevin habitait au-dessus de la côte. Mais la côte était terriblement escarpée. Et Helen ne connaissait pas la route pour se rendre chez lui.

Le mieux était peut-être de sortir au plus vite de cette voiture et de se mettre à courir sur le chemin. Mais il pouvait comprendre tout de suite ce qu'elle était en train de faire. Dans ce cas, aurait-elle le temps d'aller assez loin ? La poursuite ne risquait-elle pas de prendre fin quelque part entre ici et la route de Tarleton ?

Un petit cri jaillit de ses lèvres. Un cri involontaire. Le cri de la victime. Le soupir bref et frissonnant de l'être qui, soudain, se découvre impuissant, totalement vulnérable.

Cet être la tenait à sa merci aussi sûrement que s'il la tenait au bout d'une laisse. Et déjà ligotée. Elle laissa retomber sa tête en arrière contre le siège. Sous son pied, la pédale de l'accélérateur s'enfonça en grinçant.

De la voiture, Helen apercevait la cabane. Derrière les volets verts percés d'un cœur, les fenêtres étaient sombres. Mais dehors, les soucis se balançaient tranquillement au soleil ; et les chênes étendaient par-dessus le toit couvert de mousse un feuillage d'où jaillissaient des chants d'oiseaux.

Avait-elle affaire à un ancien patient ? Non. Elle n'avait pas soigné beaucoup d'individus dangereux. Ni de violeurs. Ni de ces types – Dieu merci ! – qui tuent sous l'emprise d'une pulsion irrépressible. Quant aux assassins qu'elle avait interrogés en prison, aucun d'eux ne serait jamais relâché.

Elle se demanda si le mieux n'était pas de retourner à la cabane, de prendre les clés dans la cuisine et de remonter vers la voiture comme si de rien n'était. Il penserait qu'elle avait besoin des clés pour ouvrir le coffre. Le coup était jouable.

Bien sûr, elle ne devait rien laisser paraître de son angoisse. Pas le moindre signe de peur. Il faudrait agir vite et avec calme. Sans laisser son corps exprimer ce qu'elle éprouvait vraiment. Sans serrer les mâchoires. En gardant les épaules décontractées. Elle devrait avoir le regard clair d'une femme arrivant en vacances. Il faudrait marcher sans presser le pas. Surtout, éviter de courir.

Helen avait la main sur la portière, mais elle se sentait trop faible pour saisir la poignée. La peur. Elle regarda ses longs doigts fuselés. Son avant-bras. On la disait belle. Certes, elle faisait ses quarante ans et, du reste, elle ne cherchait pas à dissimuler son âge. Mais la nature avait été généreuse avec elle. De belles mains. Des bras fins et lactescents. Un visage où se réfléchissait la douceur.

Elle savait les ravages qu'un dément est capable d'exercer sur le corps d'une femme. Elle savait aussi que ces patients-là étaient considérés comme incurables. Au point que certains, dans la profession, se laissaient convaincre par les arguments en faveur de l'euthanasie. Ce n'était pas son opinion à elle. Elle avait un point de vue parfaitement clair. Toute personnalité, quels que soient les troubles dont elle est atteinte, est accessible, par définition, à une psychothérapie. Ce type caché dans le cellier avait un profil psychologique qui correspondait à une demi-douzaine de profils semblables : celui du tueur ultra-violent.

Le rythme de sa respiration commença à s'accélérer, son cœur à battre plus vite. Elle sentit que le monde risquait d'échapper bientôt à son emprise.

Crise de panique. Surtout ne pas la laisser se développer ! Penser au profil du type. Pour le moment, il se sert de ce couteau comme d'un bouclier, c'est tout. Son problème est derrière. Bien caché. Le couteau deviendra-t-il une arme ? Peut-être. Si l'homme y est forcé.

Du calme. L'idée est la suivante : surtout ne pas le forcer à se servir de son arme. Apparemment, sa présence à elle ne suffit pas à déclencher le processus. Elle est entrée dans la pièce et il n'a pas bougé. Alors quoi ? Qu'est-ce qui pourrait le déclencher ? Que doit-elle absolument éviter de faire ?

Ces entretiens réalisés en prison. Il y a peut-être là matière à l'aider. Les tueurs lui ont-ils dit ce qui avait déclenché en eux la pulsion de tuer ? Le détail qui avait mis en branle la machine ? Elle songea à Guy Cobb, cet être qui se rongeait les ongles jusqu'au sang. Palmarès : sept meurtres avec mutilations. Il se servait d'un couteau, lui aussi. Et sa méthode consistait à se cacher dans un placard.

Mais il agissait sans attendre. Si elle était tombée sur Guy Cobb, tout à l'heure, elle ne serait déjà plus de ce monde.

Elle avait besoin de temps pour réfléchir. Mais elle ne pouvait plus attendre. Il fallait agir. S'il s'approchait d'une fenêtre, il l'apercevrait assise au volant de la voiture. Et il comprendrait qu'elle n'était pas remontée pour aller chercher d'autres provisions. Il avait dû la surveiller, à son arrivée. En voyant les sacs du supermarché, il s'était dit qu'il la coincerait dans le cellier le moment venu. Or, pour une raison inconnue, il ne l'avait pas coincée. Il n'était pas prêt. Si la chance était avec elle, il ne serait jamais prêt. Et elle trouverait un moyen de fuir.

Mon Dieu. Il était arrivé ici avant elle. C'est lui qui était au volant de cette camionnette bleue. Helen fit un effort de mémoire. Avait-elle pu le croiser en ville ? Non. Il était déjà en route quand elle s'était mise au volant.

Ce n'était pas le hasard. Le type l'avait traquée. Il connaissait la cabane. C'était quelqu'un du coin. Une bonne chose, en un sens. Ce genre de tueur ne commet pas ses crimes près de chez lui. Le type était peut-être un violeur. Ou un voleur.

Elle sentit ses mâchoires craquer. Le bout de sa langue effleura sa gouttière. Elle renifla. Elle s'aperçut qu'elle était en train de pleurer. Elle avait les joues mouillées. Cela suffisait-il à le faire jouir, ou lui en fallait-il beaucoup plus ?

Elle s'essuya avec précaution. Puis elle aspira une bouffée d'air. Ayant rassemblé ses forces, elle saisit la poignée, ouvrit la portière et sortit.

Que l'endroit était calme ! Et tellement isolé. Elle se rendait compte, à présent, combien le chemin serait dur à grimper en cas de fuite. Quant à la forêt, elle n'était pas très dense, mais elle poussait sur une pente abrupte. Kevin avait dit habiter à dix minutes du Vieux Secret. Le bois ne devait donc pas être très profond. On voyait d'ici la crête de la montagne. Mais où était-elle, la route qui menait chez Kevin ?

Helen observa la cabane. Le soleil avait tourné. Impossible de distinguer quoi que ce soit derrière les fenêtres.

Maintenant, elle était décidée à prendre le risque. Elle redescendit les marches de bois. À l'entrée, elle ouvrit la porte d'un coup sec. Ne pas s'arrêter. Continuer de marcher. Comme si elle avait oublié quelque chose et qu'elle revenait le chercher. Elle traversa le séjour en claquant des talons.

À présent, elle était dans la place. Elle gagna la cuisine. Le type avait laissé un signe. La porte du cellier. Elle n'était plus entrebâillée que d'un pouce. Tout à l'heure, elle était grande ouverte. Le compresseur du frigo se mit en route. Bruit de bocaux qui s'entrechoquent. Le soleil tapait sur l'évier. Helen tourna les yeux vers le lac. Les voiliers étaient très nombreux maintenant. Elle revint à l'égouttoir à vaisselle.

Pas de clé.

Un instant, la cuisine vacilla. Helen dut s'appuyer au rebord de la paillasse pour ne pas tomber. Les clés. Où étaient-elles ? Le sac était là, mais la clé jaune de chez Hertz avait disparu.

Le piège avait fonctionné. Les clés ? Elles étaient dans sa poche à lui.

Helen laissa glisser sa main. Ses doigts atteignirent la poignée d'un tiroir dont le seul contenu – elle le savait – était un pitoyable assortiment de vieux couverts. Elle l'ouvrit cependant. Et ce fut sans surprise. Elle y trouva les mêmes trois pauvres couteaux qu'autrefois, le même tire-bouchon, le couteau à écailler. Il devait bien y avoir un marteau quelque part. Et un pic à glace. Mais où ? Elle fourrageait dans le tiroir. Pendant ce temps, l'autre se préparait à attaquer.

Le menacer d'un de ces couteaux n'aurait d'autre effet que de le rendre fou de rage. Pour affronter un déséquilibré avec une arme, il faut être sûr de gagner.

Bon. Restait le téléphone. Elle pouvait toujours composer le 911. Le 911 fonctionnait dans la région. Elle se dirigea vivement vers les deux marches qui marquaient le seuil du vaste séjour. Là-bas, près du fauteuil, il y avait un petit tapis élimé et un guéridon. Et sur le guéridon, un téléphone d'un rouge incongru.

Helen traversa le séjour et atteignit le tapis. Elle n'avait même pas pris le temps d'enfiler de bonnes basket ou des chaussures de marche. Juste ses escarpins. Excellents pour arpenter les trottoirs à Manhattan, mais nettement insuffisants quand il s'agirait de s'élancer dehors, de dévaler l'escalier humide en direction de l'embarcadère, ou de grimper vers le chemin en vue d'une course jusque chez Kevin.

Elle s'arrêta près du guéridon. Il convenait d'agir avec grande prudence. Le shérif aurait besoin de vingt minutes pour arriver de Tarleton Corners. Vingt minutes durant lesquelles elle ne pourrait s'éloigner d'ici. Il fallait donc s'exprimer en langage codé. Elle demanderait à son correspondant un médicament pour le cœur. Et elle lui parlerait comme on s'adresse à quelqu'un qui est déjà au courant. Elle lui ordonnerait d'agir vite. Question de vie ou de mort. Après quoi il lui resterait à prier pour qu'il ait compris. Pour qu'il interprète l'appel comme un appel au secours. L'appel d'une femme en grand danger.

Au moment de saisir le combiné, Helen songea que le type pouvait avoir coupé la ligne. En décrochant, elle risquait de s'apercevoir qu'il n'y avait plus de tonalité. Et l'autre n'aurait d'autre choix que de fondre sur elle. Mais ce type pouvait aussi être mal organisé, et n'avoir pas coupé le téléphone. Avait-elle affaire à un criminel mal organisé ? Peut-être, vu l'endroit où il s'était caché. Mais le coup des clés disait le contraire. Bon. Mieux valait en faire un adversaire redoutable, au risque d'avoir raison.

Feignant de vouloir prendre un magazine, Helen s'arrangea pour renverser le téléphone. Puis, négligemment, elle le remit en place. Elle était pratiquement sûre de n'avoir pas entendu de tonalité. Et c'était effrayant. Effrayant à en tomber malade.

Le mieux était peut-être de s'asseoir, d'ouvrir le magazine – un exemplaire du *Reader's Digest* d'avril 1989 – et d'attendre que l'autre sorte du cellier… Non. Ce ne serait que retarder l'échéance. Et pour peu de temps. Si Helen décida malgré tout de s'asseoir, c'est qu'elle ne tenait plus sur ses jambes.

Existait-il une autre façon d'entrer en contact avec les autorités ? Une radio ? Non. Rien. Et aucun téléphone cellulaire dans cette contrée perdue au milieu de nulle part.

Al avait dû éprouver la même chose quand le docteur Sykes lui avait annoncé la nouvelle. Cette atroce sensation de désespoir. Monde affreux. Monde mortel. Al en train de faire les cent pas dans la nuit. Al en train de pleurer. Al cramponné à la Bible dans les derniers moments. Mon Dieu ! Était-il écrit que nous aurions tous deux une horrible fin ? Pauvre Selena. Pauvre Michael. Ils se reprocheront jusqu'à leurs derniers jours d'avoir abandonné leur mère au milieu de la forêt. D'avoir privilégié leurs propres vies.

Il faut agir, ma fille. Cesse de temporiser. Ton seul espoir, c'est cet escalier casse-gueule qui descend à l'embarcadère. Et cette sacrée barque qui prend l'eau. Sauf s'il a une arme à feu, bien sûr. Dans ce cas tu, es foutue.

Est-ce qu'il n'y avait pas une arme, ici, autrefois ? Non. Pas une arme vraiment dangereuse, juste un pistolet d'alarme. Un joujou laissé là par d'autres occupants, et disparu depuis sans doute. Helen tourna les yeux vers un angle de la pièce. Le pistolet était là-bas, jadis. Douze ans plus tôt. Et aujourd'hui il n'y était plus. À quoi servirait-il, d'ailleurs, contre un couteau de cinquante centimètres de long ! Elle aspira une bouffée d'air. Elle venait de se représenter son propre corps éventré.

Descendre à l'embarcadère. Avec désinvolture, si possible, mais sans traîner en route. Il attendait toujours, après tout. Et il ignorait qu'elle l'avait vu.

Combien y en a-t-il, de ces fichues marches ? Attention ! Ne laisse pas la panique s'emparer de toi. Maintenant. Tu te lèves. Tu sors. Et tu commences à descendre.

En un mouvement unique et souple qui lui rappela les leçons de danse qu'elle prenait quand elle était petite, Helen quitta le fauteuil, traversa le séjour puis, ayant fait glisser la porte sur son rail, pénétra sous la véranda. Le soleil était chaud, l'air chargé de douceur. Helen s'approcha de l'escalier, regarda en bas et crut entrer en agonie. Les marches descendaient jusqu'au premier palier. Après, il n'y avait plus d'escalier.

Sur sa lancée, elle avait commencé à descendre les marches. Elle chancela, manqua de tomber. C'est seulement alors qu'elle eut le réflexe d'empoigner ce qui restait de la rampe. Cramponnée à cet appui qui grinçait, elle fit encore quelques pas désespérés en direction de l'abîme, puis atteignit ce qui restait du palier suspendu dans le vide. Là, elle dut se retenir à deux mains à la rampe branlante. Elle n'avait plus qu'à faire demi-tour. Elle ne respirait plus. Elle avait la mâchoire comme une pierre. Elle tremblait. Les muscles de ses bras étaient prêts à la trahir. Elle haletait, accrochée à cette rampe comme à son unique secours.

En bas, les morceaux de bois s'étaient répandus sur l'embarcadère, ou flottaient sur l'eau peu profonde, parmi les roseaux. Helen avait la réponse à sa question. Le type était organisé. Il avait coupé le téléphone, plus de doute possible. En outre, il tenait à ce qu'elle sache qu'il était là. Et maintenant ? Qu'allait-il faire maintenant ?

Elle leva les yeux vers la courte volée de marches. De là où elle était, elle apercevait la partie supérieure de la porte qui séparait le séjour de la véranda. De nouveau elle regarda en bas. Plonger ? Partir à la recherche d'un éventuel secours ?

Une femme entraînée aurait pu tenter le coup. Mais pour elle, sauter voulait dire se tuer.

La voix, en elle, murmura de nouveau. *Que préfères-tu ? Être torturée pendant des heures, ou mourir après un vol plané de trente secondes dans un air doux et tranquille ?*

À cet instant elle prit conscience de quelque chose qu'elle avait ignoré jusque-là. Elle n'avait pas le sentiment d'être parvenue au terme de sa vie. Au contraire, elle se sentait à l'apogée de son existence. À l'heure d'accomplir son chef-d'œuvre, de donner le meilleur d'elle-même. De faire quelque chose de grand – quand bien même elle se trouvait loin de New York.

— Al, murmura-t-elle.

Elle pouvait presque sentir sa présence auprès d'elle. Elle avait l'impression de respirer son parfum. Mais remonter cet escalier lui semblait impossible. Le moindre geste exigeait d'elle un terrible effort…

Non ! Ne pas céder. Il y avait forcément une issue. Forcément. Toujours.

— Ce n'est pas encore mon heure, dit-elle. Pas encore le moment du grand saut.

S'adressant à la mort, elle ajouta :

— Désolée, ma vieille.

Il y avait toujours une issue, une perche à saisir. Même dans les situations désespérées. Oh ! la bagarre n'allait pas être facile. La solution ne lui serait pas servie sur un plateau. C'était le genre de circonstances où l'on doit mobiliser toutes ses forces. Sûr que beaucoup se sont montrés intelligents parce qu'ils n'avaient pas le choix, parce qu'ils étaient forcés de l'être.

Arracher un bout de cette rampe pour s'en servir comme d'une batte ? Des clous apparaissaient, là où il avait arraché les marches. Des clous peuvent devenir une arme dangereuse. Arraché les marches… Mon Dieu. Elle était tombée entre les mains d'un monstre. D'une force de la nature gorgée de testostérone. Un tas de muscles sûrement frustré sexuellement. Ce genre de type, vous voyez la détresse dans leurs yeux.

Helen décida de retourner dans la cabane. Elle voulait au moins se trouver face à lui. Mais la peur lui paralysait les jambes. Elle parvint à gravir deux marches. Elle resta un moment adossée à la rampe endommagée. À présent, elle avait un champ de vision plus large sur la véranda. Et le type n'était pas là. Ou alors il était accroupi, étendu à terre, peut-être.

Helen monta encore. L'escalier branlait et craquait sous ses pas. Elle pouvait voir maintenant l'intérieur du séjour. Et même la fenêtre de la cuisine. Le soleil était du bon côté. Il l'aidait. Mais la maison semblait vide. Le type avait-il gagné la chambre ? Était-il toujours dans le cellier ? Descendu à la cave ? La cave pleine de légumes pourris d'où poussaient des racines… En tout cas, il n'était pas dans la partie visible de la maison. Cela, Helen en était sûre.

Bon, il s'amusait avec elle. Voilà qui donnait une indication sur sa personnalité. Il avait probablement des fantasmes de torture. Il allait procéder par paliers. Jusqu'aux limites extrêmes. D'abord les coups, hésitants au début. Puis les griffures. Ensuite les blessures. Avec son couteau.

William K. Harrelson lacérait le visage de ses victimes. Dieu merci, elle ne l'avait jamais interviewé, celui-là. Mais elle avait lu une étude sur son cas dans la *Revue de psychopathologie*. Harrelson n'était pas conscient de ses crimes, lesquels n'avaient commencé à lui revenir en mémoire qu'après quatre années de psychothérapie.

Helen ressentit une vive douleur à la main droite. Elle venait de s'enfoncer la pointe de sa clé sous l'ongle de l'index.

Elle savait qu'il était là. Et lui savait qu'elle savait. D'ailleurs, il l'avait su dès le début. Il savait qu'elle l'avait vu dans le cellier. Et cela faisait partie du jeu.

Et s'il avait peur ? Une supposition. Il avait peur. Il n'était pas sûr de lui. C'était la première fois. Quelquefois, ce genre de crime pouvait échouer. Tout simplement. C'est comme ça que Guy Cobb s'était retrouvé devant un tribunal. Helen crut l'entendre à nouveau :

— Je n'ai pas pu. Tout d'un coup je l'ai vue se mordre les lèvres et j'ai craqué…

Le docteur Helen Myrer aurait-elle cette chance ? À force de travailler en clinique, elle se sentait invulnérable. À tort. Voilà un réflexe qui n'allait pas disparaître facilement.

Et puis, comment agir efficacement ? Un bon praticien doit se montrer chaleureux mais pas familier. Il doit aider le patient sans le forcer aux confidences. Helen avait été une bonne praticienne. Elle avait rencontré pas mal de succès dans son métier. Ce type, elle arriverait peut-être à établir son diagnostic, à définir un traitement. Elle arriverait peut-être à le guérir de sa folie – tout en se sauvant elle-même.

— Très bien, dit-elle.

Sa voix était étonnamment calme. Elle lança :

— Vous pouvez sortir.

Elle attendit un instant, leva la tête et ajouta, d'un ton plus ferme encore :

— Allez, sortez.

Mais l'autre, apparemment, n'était pas encore décidé à se montrer.

4

LE PIÈGE

Assise dans le fauteuil, près du téléphone coupé, Helen tenait sur ses genoux le vieil exemplaire du *Reader's Digest*. Les pages se brouillaient derrière l'écran de ses larmes. Elle n'aurait pas pu lire, de toute façon. Ce type se conduisait d'une façon inhabituelle. Inhabituelle et rusée. En refusant de se montrer, elle en était sûre, il agissait par calcul. Ce qu'elle endurait à présent était une forme de torture. Un supplice qu'il lui infligeait en parfaite connaissance de cause.

Elle avait pu établir, autrefois, le profil psychologique de plusieurs tueurs pathologiques. Mais il s'agissait d'études théoriques destinées à mieux connaître les patients, non à les traiter. Interroger des gens et leur faire passer des tests est une chose, les admettre en clinique pour une cure en est une autre. En principe, cependant, Helen aurait dû être capable, non seulement de prévoir avec précision tous les faits et gestes de son malade, mais aussi d'expliquer pour quelle raison il agissait ainsi. Et, en l'occurrence, tout le problème était là.

Savait-il qu'elle était psychanalyste? Il arrive que les actes et les crimes du tueur pathologique soient en fait des appels au secours inconscients. En 1946, William Heirens, un assassin célèbre, avait fini par supplier la police de venir l'arrêter.

Si seulement elle avait eu à sa disposition le bon tableau clinique concernant ce type de patient! Mais existait-il seulement, le bon tableau? Était-ce seulement une spécialité psychiatrique? Après tout, la façon de les soigner n'était pas établie.

Helen avait eu, dans sa clientèle privée, un patient masochiste et d'autres présentant des pulsions inhabituelles, mais jamais de sadique ni aucun de ces tueurs capables de jouer sur la gamme complète des actes violents.

Elle aspira une profonde bouffée d'air, essayant de reprendre un peu le contrôle d'elle-même. Il y avait forcément quelque chose à faire. Quelque chose d'intelligent. Et ces sacrées hormones femelles qui toujours vous portent à la douceur, à la gentillesse! D'un autre côté, comme elle avait trouvé agréable par le passé de se montrer douce et gentille avec Al, de sentir qu'il avait envie d'elle, d'avoir elle aussi envie de lui faire l'amour!

Dès qu'elle pensait à lui, les larmes revenaient. Mais cette fois, la peur avait disparu, c'étaient des larmes de colère. La psychanalyste, en elle, s'exprima de nouveau : *C'est bon. Tu es sur la bonne voie. La colère est une solution possible.*

S'efforçant de respirer avec régularité, elle considéra une illustration dans son magazine : une femme en train de gravir une falaise sous l'orage. La légende disait : « Mes aventures de mère en pleine montagne ». Des histoires venues d'un monde oublié, soupira Helen, d'une autre époque. D'un temps où personne ne la tourmentait.

C'est alors qu'elle sentit renaître un faible espoir. Il ne l'avait pas encore attaquée. Ce répit signifiait-il qu'elle avait une chance de garder le contrôle des événements ? Et si elle s'était trompée ? S'il n'avait pas encore commencé à la torturer ? Il ne bougeait pas : peut-être parce qu'il ne *pouvait* pas bouger. Qui sait si ce n'était pas la première fois, pour lui ? Oui, c'était la première fois, et il n'y arrivait pas ! Il se terrait dans le cellier, tremblant de peur. Il s'était peut-être même déjà enfui…

Possible. Il n'est jamais interdit d'avancer des hypothèses. Le problème, c'est de les vérifier. Et le meilleur moyen de vérifier cette hypothèse-là, c'était d'aller voir.

Le meilleur moyen ? Pas sûr. Aller dans le cellier, c'était courir le risque de l'obliger à se montrer. Après, il serait trop tard. Quand ce type sortirait de sa cachette, ce serait pour la tuer. En revanche, si elle arrivait à mettre au point une stratégie, alors elle pourrait échapper au pire. Elle respira profondément. L'instant présent. Rien ne valait l'instant présent.

— Oh là ! lança-t-elle dans le silence.

Le timbre de sa voix était faible, après une demi-heure passée à transpirer et à lutter contre la nausée. Elle ne se souvenait pas d'avoir jamais eu une voix aussi fragile et vulnérable depuis qu'elle avait atteint l'âge adulte. Al adorait sa voix. Ses patients aussi. Ils le lui répétaient tout le temps. Elle fit un effort pour retrouver un ton plus ferme :

— Je suis psychanalyste. Je peux vous aider.

L'aider. C'était sa seule arme, à elle. Elle reprit :

— Je sais que vous n'êtes pas bien.

Le silence. Helen attendait. Mais seuls lui répondirent les oiseaux, les insectes, une brise d'après-midi qui murmurait doucement à la cime des arbres.

— Je comprends votre problème. Et je peux vous guérir.

Elle achevait de prononcer le dernier mot quand il lui sembla qu'un autre bruit venait de s'interrompre, lui aussi. Elle tendit l'oreille. Bientôt le bruit recommença. Un bruit très doux, très faible. Elle savait ce que c'était : sa respiration à lui ! Helen se troubla. Il respirait de façon irrégulière, heurtée. Comme s'il retenait des sanglots. D'une voix encore plus gentille, elle reprit :

— Il y a des psychothérapies qui marchent, vous savez. Pourquoi continuer à souffrir comme ça ?

Le grincement d'une porte métallique qui s'ouvre puis se referme. Était-ce le réfrigérateur ? Non. Elle avait compris de quelle porte il s'agissait. Et cela ne lui plaisait pas. Pas ça ! Deux fois, au cours de sa vie, elle avait rêvé qu'elle était prisonnière d'un incendie. Enfant, elle s'était trouvée un jour dans une tente qui avait pris feu. C'est de ce souvenir que venaient ses cauchemars.

Espèce de salaud. Tu t'amuses à ouvrir et à refermer le four, hein ? Pourtant, tu ne connais pas mes angoisses. La seule personne au monde qui les ait partagées s'appelle Susan Tuttle-Marks, et elle est morte. Susan était mon analyste. C'était une femme précautionneuse, mais qui fumait tout le temps. Un besoin compulsif. Son appartement a pris feu en 1992. Elle n'a même pas eu le temps de quitter son lit.

— Si on essayait de se parler ? proposa-t-elle.

Il lui semblait maintenant que l'autre avait du mal à dominer ses nerfs. D'où ce silence. Il fallait absolument qu'elle se fasse connaître, qu'elle devienne pour lui un être humain – mais surtout pas une mère ! Il fallait qu'elle ait un nom, une vie, une famille aimante. S'il en venait à vouloir la tuer pour de bon, il faudrait qu'il ait affaire à une vraie femme. Pas à un être anonyme. Pas à un substitut de maman.

Elle se souvint d'un papier qu'elle avait lu sur les stratégies de personnalisation utilisées par les gens pris en otages, et elle décida d'utiliser la même méthode.

— Mon fils et ma fille vont venir, dit-elle.

Attention ! Ne pas provoquer chez lui de mouvement de panique. Ne pas le forcer au passage à l'acte. Elle rectifia :

— Ils seront là demain, je pense.

Helen s'efforçait de sourire aimablement.

— Ou après-demain. Bon. Cela nous laisse le temps de faire connaissance. Je m'appelle Helen. J'ai deux enfants. J'espère que ça ne vous contrarie pas trop. Ma fille s'appelle Selena. Mon fils, c'est Michael. Ils sont adultes. J'espère que ça ne vous embête pas non plus.

Essayer de lui paraître plus jeune que sa mère. Avoir l'air d'une jeune femme. Helen s'obligea à pousser un petit rire.

Mais pour toute réponse lui parvint un bruit qu'elle ne parvint pas à identifier. Elle crut d'abord qu'il avait plongé la main dans un paquet de pop-corn, mais cette pensée lui sembla complètement ridicule. Non. Il n'était pas en train de manger des pop-corn. Une odeur assez forte se répandit dans l'air.

Pour l'amour du ciel, que se passe-t-il, là-bas ? Il y a eu un bruit sourd. Et maintenant ces couinements aigus, horribles !

Elle tenta un pas en direction de la cuisine, puis un autre.

— Je peux vous aider ?

Encore un pas.

— Quelque chose qui ne va pas ?

Elle avançait toujours. Elle traversait le séjour à présent. Elle s'arrêta au pied de la double marche qui menait à la cuisine. Elle entendit un autre coup. Le même coup sourd. Suivi de petits cris perçants. Quelque chose qu'elle ne comprenait pas était en train d'arriver. Helen franchit la double marche.

Elle s'aperçut qu'elle s'était attendue à le trouver dans la cuisine. Mais il n'y était pas. Quant au bruit, il venait de la cuisinière, la « Royal Rose ». Helen s'approcha.

Le four était allumé. Et le bruit qui montait de l'intérieur n'était plus qu'un faible hoquet.

Elle saisit la poignée du four mais eut peur d'ouvrir, et de découvrir ce qu'il y avait dedans. Peur de voir la peur grandir encore… Oh ! mon Dieu, non…

Elle tira la vieille poignée brûlante. Comme tout à l'heure, quand *lui* l'avait ouverte, la porte du four grinça. Au fond, dans le noir et la fumée, encore agité de soubresauts, gisait le corps d'un gros rat.

Helen laissa échapper un cri. Puis un autre. Et un troisième. Et c'est seulement après ce troisième cri qu'elle essaya de reprendre le contrôle d'elle-même. Marchant à reculons, elle regardait fixement cette horreur. Et elle voyait l'horreur de sa propre situation. Il la tenait en son pouvoir. Et il entendait bien donner à ce pouvoir toute son intensité dramatique. Ce type était infiniment dangereux, elle en avait maintenant la preuve… Et assez fort, peut-être, pour arriver à la paralyser sans recourir à d'autre moyen que sa propre peur.

C'est sa réponse, pensa-t-elle. Sa réponse à mes aimables paroles. À mes efforts pour parler d'une voix paisible et douce. Le rat, il l'avait capturé avant. Il avait prévu de s'en servir de cette façon. Combien de trucs va-t-il encore essayer ?

Le plus terrible, chez ces monstres, c'est leur intelligence. Cette intelligence qu'ils déploient à des fins pitoyables, en pure perte. Ayant claqué la porte du four, Helen revint dans le séjour où l'attendait un autre scène d'épouvante : les coussins du fauteuil étaient éventrés ! La bourre jaillissait des entailles comme de gros nuages d'été ; des bouts de peluche se répandaient à terre. Mais lui, où était-il ? Nulle part. Ce type était invisible, bien qu'il n'eût aucun endroit où se cacher. L'adresse diabolique du paranoïaque ! Certains d'entre eux étaient si intelligents qu'ils se révélaient capables de lire dans votre esprit ; les paranoïaques schizophrènes étaient même quelquefois assez subtils pour prononcer avant vous les mots qui vous venaient sur les lèvres.

Le rat constituait un message affreux. Fini de jouer, maintenant. Ce type-là n'était pas près de se laisser bercer par des phrases mielleuses. En termes cliniques, un enfant qui torture et tue les animaux est un cas d'urgence. Nombre de patients parmi les plus violents présentent dans leur passé des actes de torture infligés à des bêtes. Certains d'entre eux sont des tueurs pathologiques. Helen avait affaire à un psychotique grave. Un malade incurable.

Et sa seule arme restait la parole. Pas question de l'abandonner. Même si elle devait la manipuler avec précaution, sans quoi elle pourrait la voir se retourner contre elle. Elle lui avait adressé – combien ? – trente mots, peut-être. Résultat, il avait lacéré le fauteuil avec une rage vicieuse. Des frissons couraient sous la peau d'Helen.

Le sentiment d'être prise au piège commençait à l'envahir avec plus de force. Elle avait froid, comme tout à l'heure dans la voiture. La peur devenait presque une impression physique, doublée d'un sentiment de profond désespoir, nouveau pour elle. Elle avait entendu des patients lui raconter que la peur se manifestait chez eux par cette même sensation de froid. Quand Helen analysait ce phénomène, elle y voyait la survivance d'un mécanisme ancestral qui se déclenchait instinctivement à l'approche du danger. Certains animaux réagissent encore en se pétrifiant de froid ; les opossums, par exemple. Ainsi se protégeaient-ils des reptiles, qui ne peuvent voir que ce qui bouge.

Lui, pensa Helen, il me voit parfaitement bien. Elle se détourna pour regarder en direction de la cuisine. Et elle entendit la porte du four claquer de nouveau.

Avait-il l'intention de la torturer par le feu ? Cette idée était en train de s'emparer d'elle, lui bloquait les articulations, contractait ses muscles. Avec un gémissement, elle essaya de marcher vers la porte. Ses pieds étaient lourds sur le tapis. Elle tira la porte coulissante qui grinça dans son rail avant d'aller cogner contre l'huisserie, tel un bélier.

Sur la véranda, elle commit l'imprudence d'hésiter. Elle essayait de deviner où il se trouvait

Ayant sauté la balustrade, elle voulut s'enfoncer dans les fougères qui bordaient la cabane.

Et c'est à ce moment qu'il lui apparut. Pareil à un spectre, absolument immobile derrière la fenêtre de la chambre, qu'il semblait emplir tout entière. Il avait les bras croisés. Il la regardait. Le bas qu'il portait en guise de masque lui aplatissait la figure et lui rapprochait les yeux l'un de l'autre. Helen jeta la tête en arrière en titubant dans les fougères, puis elle se mit à hurler. Et dans son cri, elle crut entendre un appel venu de la nuit des temps – la longue plainte de la femme sauvage vaincue par la faiblesse de son sexe. Avec effort, elle se mit à courir, luttant contre ce terrain hostile.

Parvenue à la voiture, elle se dirigea vers le chemin en pente. Bien entendu, il s'était lancé à sa poursuite. Normal. Elle pouvait parfaitement se le représenter, progressant tranquillement, à bonne vitesse, en pleine possession des forces dévolues au mâle, chaque muscle obéissant aux ordres d'un esprit dément, déchaîné, malade. Elle, elle ne pouvait même pas se permettre de ralentir. Encore moins de s'arrêter. La côte devait faire pas loin de deux kilomètres. Elle n'avait pas la moindre chance d'y arriver. Ni la moindre chance de survivre, ensuite, à cette défaite.

Helen courait comme jamais elle n'avait couru. Avec une grâce absurde, sur ses longues jambes, mais en se précipitant trop vite vers les limites de l'épuisement. Elle montait, montait… Et reprenait espoir, constatant qu'il ne la rattrapait pas. L'impossible allait peut-être se produire ! Elle était peut-être vraiment en train de creuser la distance…

Elle courut jusqu'au premier tournant. Le deuxième était à cent mètres au-dessus d'elle. Mais c'est à peine si elle avait encore la force de respirer. Ses mollets étaient pris de tremblements. Ses genoux menaçaient de lâcher.

Il n'était plus derrière elle. Elle était en train de remporter la course. Indiscutablement. Elle avait réussi à mettre entre eux au moins cinq cents mètres. Il allait devoir mettre les bouchées doubles, s'il voulait la rejoindre ! Mais non. Il ne la rattraperait plus. C'est lui qui subirait le handicap, maintenant. Helen laissa de nouveau échapper un cri. Mais un cri de joie, cette fois, mêlée de rage étouffée.

De part et d'autre du chemin, les rangées de pins se dressaient comme deux murs. D'un côté, le ravin escarpé et, en contrebas, le lac que l'on apercevait par éclats entre les branches. De l'autre, à pic, le versant abrupt envahi d'une végétation étouffante et sauvage. Entre les deux, le sentier faisait peut-être trois mètres de large. C'est dans cet espace de trois mètres qu'Helen poursuivait son salut. Mais le rythme de ses jambes diminuait peu à peu, comme les aiguilles d'une montre épuisée. Ses pieds refusaient de grimper jusqu'au sommet, jusqu'à la grande route. Et ses poumons étaient oppressés comme une âme sur le point de rendre son dernier souffle. Insensiblement, Helen ralentissait l'allure. Elle haletait. Et elle sentait qu'elle allait bientôt devoir s'arrêter. Le chemin n'en finissait pas. Son chemin de calvaire.

Soudain, ce fut fini. Elle ne tomba pas, non : elle s'affaissa. Les mouvements de son corps avaient cessé d'eux-mêmes. Elle se retrouva couchée à terre.

— Merde, souffla-t-elle.

Un pneu crevé. La panne d'essence.

Lui parvenait maintenant un bruit régulier de bottes foulant le sol. Avec frénésie, elle essaya de reprendre son souffle et de se mettre en appui sur ses bras. Mais c'était impossible. D'ailleurs, les jambes ne suivaient pas. Il ne lui restait plus qu'à ramper. Elle commença à se traîner sur le sol. Elle gémissait. Elle se détestait.

Elle s'aperçut alors qu'elle arrivait à progresser de cette façon. Mais les pierres du chemin s'enfonçaient dans ses mains. Quand les blessures devinrent trop douloureuses, elle s'arrêta, roula sur elle-même, atteignit le bord de la route et s'enfonça sous les arbres du côté de la falaise. De l'autre côté, elle préférait ne pas s'y risquer : c'était tout de suite le vide du ravin, un vide donnant sur de sombres rochers qui, déjà, l'avaient effrayée douze ans plus tôt. Ici, elle était un peu cachée. L'ombre des arbres la protégeait. Essayer d'aller jusque chez Kevin ? Un instant, elle joua avec cette idée. Mais à quelle distance au juste habitait Kevin ? En partant à sa recherche, ne risquait-elle pas de se perdre dans la forêt ?

Et le type devait se rapprocher maintenant. Dans quelques minutes il serait là. Helen pensa aux traces de pas qu'elle avait dû laisser derrière elle.

Toujours en rampant, elle s'enfonça encore dans le bois, puis se cramponna au tronc d'un pin, tel un naufragé que l'eau menace d'emporter, et que des bras puissants s'efforcent d'arracher à son fragile refuge.

Il allait venir, s'emparer d'elle et la jeter comme un sac sur son épaule. Elle le savait. Elle éprouvait déjà cette sensation atroce d'absolu, de profond désespoir.

Mais il ne vint pas. Helen attendit un long moment. Combien de temps ? Impossible à dire. Elle avait choisi de laisser sa montre à New York : elle voulait être sûre, arrivée ici, de pouvoir se détendre vraiment. En tout cas, ce fut une longue attente. À la fin, les pins jetaient de grandes ombres sur le sol. Helen commençait à croire que le tueur avait réellement renoncé. Pris de panique, il s'était enfui à travers bois.

Elle s'imagina même un instant qu'il ne l'avait pas suivie lorsqu'elle avait quitté la cabane. S'il l'avait fait, même en marchant à faible allure, il aurait déjà dû la rejoindre.

Helen se demanda si elle n'avait pas été victime d'hallucinations. Certains de ses patients en avaient eu. Le phénomène est connu. Des choses qui n'existent pas vous apparaissent avec autant de netteté et de précision que si elles étaient réelles. Elle se souvint d'avoir entendu un jour un patient évoquer un accident de chemin de fer. Le train, disait-il, avait complètement dévasté la salle d'attente de Penn Station. Il s'agissait d'un accident imaginaire, mais la description qu'en avait fait l'homme semblait si exacte, si vivante, qu'Helen avait failli aller consulter les journaux pour en avoir le cœur net.

D'ailleurs, ce besoin subit de se mettre au vert ne signifiait-il pas quelque chose ? Elle avait peut-être deviné inconsciemment qu'elle était en train de tomber malade. Malade mentale ! Sa brusque décision de partir était sans doute un de ces appels que l'on s'adresse à soi-même. Helen avait le désir d'être soignée, de devenir à ses propres yeux une patiente.

Devait-elle retourner à la cabane ? Vérifier si le fauteuil avait effectivement été lacéré ? S'il y avait bien un rat dans le four ? Elle se redressa puis, d'un pas hésitant, regagna la route – pour s'arrêter aussitôt. Elle n'aurait pas la force de redescendre là-bas. Elle préférait clore l'expérience. Et toutes les expériences du même genre pour le restant de ses jours. Elle était même décidée à dormir désormais la lampe allumée, chose qu'elle avait cessé de faire à l'âge de onze ans, quand son père lui avait expliqué que s'endormir avec une veilleuse, c'était bon pour les gamines.

Le silence qui soudain régnait autour d'elle lui parut différent. C'était un silence cruel. Cruel et dangereux. Il ressemblait à cette inquiétante quiétude qui, parfois, règne le soir venu, quand la chouette s'apprête à fondre sur sa proie, quand les rats détalent vers leurs trous.

Marchant aussi vite que possible, c'est-à-dire assez lentement, elle reprit sa course vers le sommet, vers la grande route de Tarleton. Hallucinations ou pas, une chose était sûre, c'est que M. Matthias allait devoir l'emmener loin d'ici. Il s'occuperait des bagages, puis il l'accompagnerait à l'aéroport. Et il n'aurait pas intérêt à la quitter des yeux ! S'il le fallait, elle prendrait un avion pour Boston. Puis le train jusqu'à New York. Le reste de ses vacances, elle le passerait chez elle, dans le ronronnement de l'air conditionné, à épuiser son immense collection de cassettes vidéo. Elle regarderait de vieux films. De temps en temps, elle descendrait à la librairie acheter des romans. De gentils et pacifiques romans dont l'action se déroule entre gens bien élevés, dans la campagne anglaise.

Il lui fallut presque une heure pour escalader le chemin et s'approcher enfin de la route goudronnée. Lui parvint alors le grondement d'un moteur. Aussitôt, elle fut prise d'une envie de courir, d'oublier ce qui était arrivé.

Mais les derniers mètres étaient les plus raides, et elle eut du mal à les parcourir. Elle glissait sur des cailloux coupants, tombait, se griffait les mains, déchirait sa robe déjà mal en point. Elle entendit de nouveau ce bruit de moteur. Était-ce un camion ? Oui, un camion qui manœuvrait. Elle leva les yeux. La camionnette bleue tournait pour s'engager sur la chaussée. Helen la vit progresser, s'approcher en grondant. Le camion fonçait droit sur elle…

Un instant, la surprise la paralysa. Il lui sembla que la camionnette ralentissait un peu. Elle tourna les yeux vers le ravin, derrière elle. Les arbres étaient si denses qu'ils formaient une barrière plus efficace qu'un rang de fils barbelés. Elle n'avait d'autre choix que de faire demi-tour, s'élancer sur le chemin, se mettre à dévaler cette route qu'elle avait eu tant de peine à gravir. Ce qu'elle fit. Le camion bleu s'engagea sur le chemin derrière elle.

Cette fois, elle était sûre qu'il ne s'agissait pas d'une hallucination. Tout était bien réel. Ses connaissances professionnelles ne lui avaient servi qu'à nier la réalité. Elle n'avait jamais souffert d'hallucinations. Elle était bel et bien poursuivie par un être maléfique, rusé et cruel. Et il était en train de la forcer à regagner la case départ.

Le camion roulait derrière elle, tout près d'elle et, dans le bruit du moteur, elle croyait entendre le rire de l'homme – un rire aigu, démoniaque, un rire plutôt jeune, apparemment.

Le pare-chocs la heurta. Helen trébucha, puis tomba, projetée à terre. Elle s'écorcha les genoux, se griffa les seins dans les pierres, se blessa à l'épaule et au visage. Là où elle était nue, sa peau se couvrit d'égratignures. Là où elle ne l'était pas, ce sont les vêtements qui se déchirèrent.

Le camion bleu, qui s'était arrêté, démarra de nouveau dans le hurlement du moteur. Il allait lui passer dessus ! L'écraser sous ses roues. Sauf si elle arrivait à se relever et à se remettre à courir. À courir vite. Sans regarder en arrière. Sans s'occuper de la grille chromée et menaçante du radiateur. Sans prêter attention aux éclats de rire, ni au spectre dont l'ombre se découpait derrière le pare-brise.

Helen refit le parcours en sens inverse. Parmi les chants d'oiseaux et le bourdonnement affolant des insectes, dans la chaleur de l'été. Le camion l'avait laissée prendre un peu d'avance. Mais son moteur grondait toujours. Ses pneus dérapaient. Et le type au volant riait, riant comme un bienheureux, en donnant des coups de klaxon.

5

JOUR DE CHALEUR

Le désespoir opère doucement, par degrés. Peu à peu, il vous prive de toutes vos protections. Pour commencer, il vous empêche de prendre soin de vous-même. Vous devenez sale. Vous ne faites plus attention à vous. Ensuite, il s'attaque à la parole. Vous ne dites plus rien. Vous vous murez dans le silence. Enfin, il tue votre envie de vivre. L'existence perd toute forme, la vie toute couleur. L'étape suivante, c'est le renoncement absolu à vous-même, l'abandon total.

Quand le processus est rapide et brutal, la reddition s'opère généralement au terme d'une lutte. La femme qui comprend qu'elle va être violée, qu'elle n'a plus aucune chance d'échapper à son sort, subit un choc, et ce choc se traduit par un sursaut de volonté. En revanche, si elle est contrainte d'attendre, elle se trouve dans une toute autre configuration psychologique. Certaines femmes deviennent folles. D'autres finissent par consentir, comme on cède au désespoir. D'autres encore se battent et continuent à résister jusqu'au bout, sans que rien ne puisse les arrêter, pas même la certitude de s'épuiser dans des efforts inutiles et vains.

Helen se précipita dans la cabane, claqua la porte derrière elle et tira le verrou. Adossée au chambranle, elle connut alors un authentique instant de répit. Puis, au bruit du camion qui s'arrêtait, elle se mit à courir d'une fenêtre à l'autre pour les fermer. Un battant permettait de condamner la porte donnant sur la véranda : elle le rabattit. Elle vérifia également que toutes les issues étaient closes. Enfin, elle courut dans l'office empiler des provisions devant la porte donnant sur l'escalier de la cave : si le type voulait entrer par là, il serait obligé de faire du bruit. Il ne restait plus à Helen qu'à observer ce qui se passait dehors, en ce doux après-midi.

Près du camion garé au sommet de l'escalier bordé de soucis flottait un nuage d'insectes dorés. Un camion banalisé, dont la plaque était illisible. Helen s'aperçut que le chauffeur n'était plus dans la cabine. Dommage. Elle aurait aimé voir le visage de son ennemi.

Premier acte clinique : analyser l'apparence du patient. L'expression de son visage. A-t-il la peau moite ou sèche ? Les mains qui tremblent ? La voix hésitante ou assurée ? Les vêtements aussi ont leur importance. Le patient est-il débraillé ou soigné ? Sale ou propre ? De simples indices, mais sur lesquels reposera ensuite toute l'appréhension du cas.

Elle savait déjà que cet individu-là était parfaitement organisé. Mais jusqu'où allait cette faculté ? À quel point était-il capable d'anticiper les réactions de sa victime ? Il devait être fort, songea-t-elle, à en juger par la façon dont il l'avait laissée grimper jusqu'à la route pour la ramener ensuite à la cabane en la poussant avec le camion. D'un autre côté, il ne l'avait pas tuée, malgré toutes les occasions qui s'étaient déjà présentées. Pourquoi ? Il me veut vivante, pensa Helen. Elle pensa aussi qu'elle n'avait pas envie de vivre, si c'était dans un enfer pareil.

Quelque chose pourtant lui soufflait qu'il existait toujours une solution. Et dans sa volonté, dans son appétit de vivre, dans la conscience qu'elle avait de la valeur de son existence – à ses propres yeux et aux yeux des autres –, elle se sentait prête à puiser l'énergie de défendre chèrement sa peau.

De la chambre lui parvint un bruit – un bruit vague, pareil à un claquement. Elle se précipita. Mais il n'y avait rien dans la chambre. Elle fit glisser sur son rail la mince porte du placard. Rien non plus. Une veste. Ses deux sweaters, des jupes, des jeans... Les pantalons lui donnèrent une idée. Elle ôta sa jupe abîmée et enfila un jean. Son chemisier aussi était déchiré : elle le quitta pour un T-shirt.

Ces gestes étaient peu de chose : du moins Helen s'occupait-elle d'elle-même, et cela lui faisait du bien. Elle fouilla aussi dans le fond du placard, à la recherche de ce pistolet d'alarme auquel elle avait pensé tout à l'heure. Mais elle ne le trouva pas. Elle tomba en revanche sur une pile de vieux magazines. En d'autres circonstances, elle eût apprécié une pareille découverte.

Des exemplaires de *Collier's* et de *Life*, venus tout droit des années 50. Elle les repoussa du pied. Elle cherchait toujours un objet susceptible de devenir une arme.

Elle ouvrit les tiroirs mais ils étaient vides, à part ceux dans lesquels elle avait déjà rangé des affaires, ou qui contenaient des pièces de literie.

C'est alors que le claquement retentit de nouveau dans le séjour. De nouveau, Helen se précipita. De nouveau elle ne vit rien d'anormal. Elle décida de poursuivre ses recherches et fit des yeux le tour de la pièce. Peut-être, en fouillant dans la cheminée, allait-elle pouvoir détacher une grosse brique... Elle se pencha, essaya. En vain. Les briques de la cheminée tenaient solidement. Le tisonnier ! Oui ! Le tisonnier. Voilà une idée simple. Simple et formidable.

Helen, ayant tiré le tisonnier du petit râtelier, le fit tournoyer au-dessus de sa tête. C'était une arme solide. Pesante. Une arme en acier à même d'assommer un homme. À même de tuer.

Bravo, docteur ! Ça, c'est un résultat. Un résultat excellent pour quelqu'un qui se promettait de l'emporter par la voie thérapeutique ! Te voilà armée, maintenant. Et animée d'une féroce envie de massacrer l'ennemi.

Tenant le tisonnier à deux mains, Helen se dirigea vers la cuisine.

Le soleil tapait en plein sur la grande fenêtre. De l'eau gouttait dans l'évier. Du four, toujours allumé, s'échappaient de longs filets de fumée. Une odeur atroce de poil brûlé stagnait dans l'air.

Comme ce tisonnier semblait léger entre ses mains ! Mais elle commençait à douter de l'efficacité de cette arme. Et elle pouvait presque ressentir la joie qu'éprouvait le tueur à la torturer ainsi. Elle devinait même le délicieux battement qui faisait frémir son cœur d'assassin.

Ayant regagné le séjour, Helen se laissa tomber dans le fauteuil lacéré. Elle posa le tisonnier sur ses genoux et se demanda si ce n'était pas dans un but précis que le tueur l'avait laissé dans le râtelier. En effet, il aurait eu largement le temps de le faire disparaître. Les gens ne s'expriment jamais de façon simple, les actions humaines sont toujours déroutantes et complexes ; si elle avait découvert une vérité dans son métier, c'était bien celle-là. L'esprit de l'homme est la preuve la plus sûre, peut-être la seule, de l'existence d'un au-delà. L'esprit est une machine actionnée par un fantôme.

Consciemment, le tueur ne tenait pas à voir sa proie entrer en possession du tisonnier. Mais que lui dictait son inconscient ? Que lui dictait le fantôme ? Le fantôme avait décidé qu'Helen trouverait le tisonnier.

Helen était toujours assise sur le fauteuil, et des besoins physiques commençaient à se manifester. Elle n'avait jamais eu aussi soif. Elle avait besoin d'aller aux toilettes. Et elle commençait à avoir faim. Sans parler de ces égratignures qui lui brûlaient la peau. En outre, elle se sentait sale. Depuis qu'elle s'était couchée sous les pins, elle avait des démangeaisons. Ses os et ses muscles étaient fatigués. Si elle restait assise dans ce fauteuil, elle était sûre de s'endormir. Malgré la tension. Ou à cause d'elle.

Elle soupesa le tisonnier. Que ferait-elle si l'occasion se présentait de donner un coup mortel à son persécuteur ? Que ferait-elle vraiment ? Voilà un aspect d'elle-même qu'elle ne connaissait pas. Elle n'avait jamais tué personne, ni même, de sa vie, songé à tuer quiconque.

S'armer du tisonnier, c'était déjà se mettre en situation de tuer. Elle avait passé sa vie à soigner, à aimer, à faire des enfants, à s'occuper des autres, à les aider. Aider les autres était sa profession. Et voilà qu'elle se retrouvait avec cette saloperie entre les mains, une arme qui évoquait l'os dont le grand singe se sert en guise de massue. En la forçant à ce retour humiliant vers la cabane, ce type lui avait fait parcourir toute la route jusqu'aux origines de l'espèce. En un sens, c'était à un primitif qu'elle avait affaire. Voilà un point qu'elle ne devait pas oublier.

Cet homme-là appartenait à une autre forme d'humanité. Autrement dit, il était capable d'infliger à son semblable de terribles souffrances. Oui : il possédait une structure émotionnelle primitive. Hélas, cela ne voulait pas dire qu'il était idiot. Jusqu'ici, sa conduite évoquait l'association d'une psychose grave et d'une intelligence normale. Voire supérieure à la normale.

Et il n'existe pas de créature plus dangereuse, sur cette terre, qu'un psychopathe intelligent. Tisonnier ou pas, Helen se sentait désarmée, nue et sans défense.

Toute sa vie, elle avait considéré son propre corps comme un bien sacré, comme l'expression de sa liberté. Et brusquement, c'était fini. Ce à quoi elle devait s'attendre maintenant, c'était l'anéantissement, l'humiliation, des douleurs inimaginables. À petits coups de langue, elle humecta ses lèvres desséchées ; puis, de nouveau, elle serra les mâchoires.

Avec un grognement qui la surprit – elle avait peine à croire qu'un tel bruit pût venir d'elle-même –, elle bondit du fauteuil et courut vers la salle de bains. Ayant claqué la porte derrière elle, elle en ferma le pitoyable petit verrou. Puis elle s'accroupit, en bloquant la porte à l'aide du tisonnier.

Et, alors qu'elle jetait un coup d'œil à la cabine de douche, elle tressaillit à la vue d'une ombre derrière la paroi vitrée.

Il était là ! Elle venait de se jeter dans la gueule du loup. Il savait parfaitement qu'elle viendrait dans la salle de bains. Excellente déduction. Helen, lentement, se remit debout.

Comment allait-elle négocier ça ? En parlant ? En faisant exploser la paroi vitrée à coups de tisonnier ? Elle ne savait rien de ce genre de circonstances. Elle n'avait aucune idée de la conduite à suivre. Et pour cause. Il n'y avait tout simplement pas de conduite à suivre. Ce n'est pas avec quelques phrases que l'on attendrit un homme dans cet état. Ce genre de type, on commence par le boucler. On l'enferme. Alors, et alors seulement, on peut essayer d'entreprendre le lent processus thérapeutique.

Avec prudence, d'un geste hésitant, elle leva le tisonnier et l'abattit sur la vitre qui éclata en morceaux et retomba dans le bac de la douche. Même le support en acier céda sous la violence du choc. Et Helen vit que ce qu'elle avait pris pour son agresseur n'était rien d'autre qu'une grande serviette marron suspendue à un cintre, et qui se balançait. La serviette glissa et échoua dans les débris de verre. Le calme était revenu. Une idée absurde vint à Helen : combien les dégâts allaient-ils coûter à M. Matthias ? Plus que les cinquante dollars versés en caution.

Le piège, maintenant, c'était la salle de bains. Helen sentit que l'instinct de fuite était en train de l'emporter sur l'envie de se cacher. Elle ouvrit la porte et remarqua aussitôt que quelque chose avait changé sur le mur du couloir. Il y avait une photo, un Polaroid fixé avec une punaise. Helen s'en saisit, non sans s'abîmer l'ongle du pouce en arrachant la punaise.

Mais il faisait sombre dans ce couloir, et elle alla examiner le Polaroid sous la lumière du séjour, assise dans le fauteuil. Le cliché représentait une femme nue, attachée, montrant un pauvre visage épouvanté et une bouche béante. Elle avait l'air d'être étendue sur un sol de pierre, dans une pièce obscure, la chevelure en désordre, comme si on lui avait trempé les cheveux pour les laisser ensuite sécher tout seuls. Et elle présentait au bas de l'abdomen une trace rouge qui évoquait une cicatrice de césarienne. Mais ce n'était pas une cicatrice de césarienne.

Le visage était ravagé par les larmes ; les yeux gonflés ; les sourcils froncés. La bouche se tordait. Cette fille était en train de hurler.

Saisie d'effroi, Helen se demanda s'il s'agissait d'une photo posée. À New York, sur la Huitième Avenue, on vend des photos bien pires que celle-là. Des clichés à dix dollars, mettant en scène des modèles consentants.

Helen posa la photo sur la cheminée. Il n'y avait pas de raison de la détruire. Elle arriverait peut-être à échapper à un tel sort. À prévenir les flics. Dans ce cas, le cliché constituerait une preuve.

Se détournant, elle considéra l'arrière de la maison. C'était là qu'il se cachait. Tout près. Tremblant de plaisir.

Helen soupira. Quelquefois, on ne pouvait s'empêcher de penser que la testostérone était responsable de toutes les catastrophes du monde. Le salut nazi, par exemple, n'était-il pas une façon de dresser son pénis à la face du monde ? Et cette manière qu'ils avaient de marcher au pas de l'oie, raides comme des cierges ! Helen Myrer, protestante anglo-saxonne de race blanche, parfaitement informée en ce qui concernait Hitler et le nazisme, était entrée grâce à son mariage dans l'univers magique de la vie juive. Al lui avait permis de découvrir cet immense paysage spirituel, intellectuel et culturel qu'est le judaïsme, et elle avait tiré de l'expérience un merveilleux plaisir. Comme elle avait aimé la bar mitsva de son fils, et celle de sa fille ! Les danses, les vins, la nourriture. Elle avait ressenti une telle fierté à voir ses enfants entrer de cette façon dans l'âge adulte.

Pourquoi pensait-elle à tout cela ? Peut-être parce qu'au cœur de ce qui était en train de lui arriver se trouvait un sale gamin. Un sale gamin avec qui elle essayait d'entrer en contact, et qui éveillait en elle le souvenir de ses propres enfants. Il venait d'exhiber une photo troublante, et cette photo n'appelait qu'une réponse : le silence. Helen comprenait maintenant que la fille n'était pas un modèle, et que le Polaroid n'avait pas été pris dans un studio de Manhattan. La malheureuse était bel et bien étendue sur le sol, comme Helen le serait peut-être tout à l'heure. Quant à cette entaille qu'elle avait sur le ventre, Helen préférait ne pas y songer pour l'instant.

Pouvait-il exister, entre le bourreau et sa victime, relation plus intime que celle montrée par cette photo ? Comment s'appelait-il, déjà, ce récit de Kafka où l'on voit une machine graver sur le corps du criminel la liste de ses crimes ? Le supplicié meurt écorché vif, dans le suintement infini de son sang. *La Colonie pénitentiaire*. Voilà. Un livre sur les souffrances dénuées de sens. Sur la malédiction du monde. Sur ma propre situation aujourd'hui, pensa Helen.

Et encore ! Kafka n'avait pas connu les années décisives du milieu du siècle. Certains événements lui avaient échappé. Il était mort en ignorant que sa fameuse machine allait vraiment devenir un instrument de la volonté humaine. Un instrument qui, au lieu de graver le nom des crimes sur la peau du coupable, écorcherait vif le corps des innocents.

Un souffle frais et humide venu de la cheminée caressa la main qui étreignait le tisonnier, et Helen se rendit compte qu'il faisait chaud dans ce séjour, toutes fenêtres closes. D'ailleurs à quoi cela servait-il de les garder fermées ? Apparemment, il arrivait à entrer quand même. Et à la torturer avec ses photos.

Elle donna un violent coup de tisonnier sur la pierre de la cheminée, puis se précipita d'une fenêtre à l'autre pour les rouvrir. Elle ouvrit même la porte de la véranda. Pourquoi pas, après tout ?

Furieuse, elle observa les dégâts dans l'escalier.

— Il y aura du travail pour réparer tout ça, marmonna-t-elle.

Et, tournée face au séjour, elle lança :

— Eh bien ! voyons ce qu'il y a à la télé.

Elle avait parlé d'une voix sonore.

— D'accord, chéri ? Apparemment, pas question de songer à descendre faire un tour au bord du lac.

Elle perçut dans le silence qui lui répondit une sourde tension. Quelque part à l'arrière de la maison, sa voix avait dû l'atteindre. Et comme cette voix exprimait de la colère, il avait dû se raidir. Attention ! C'était tentant de le faire sortir de ses gonds à son tour. Mais il ne valait mieux pas. Ce n'était pas le genre de type à contrôler indéfiniment ses pulsions. D'un autre côté, il vaut mieux être hachée menu en quelques instants que mourir à petit feu pendant des heures.

— Dites-moi, qu'est-ce qui vous ferait plaisir ?

Elle avait prononcé ces mots en quittant la cheminée pour s'approcher du téléviseur qui se trouvait à l'autre bout de la pièce, près de la porte donnant sur l'arrière de la maison.

— Un match de baseball ? reprit-elle. Non ? Il y a peut-être un de ces films où l'on tue pour de bon, vous savez… Par exemple – comment s'appelle-t-il déjà ? Ah, oui : *Banzai Babe*. C'est ça ?

Il s'agissait d'un document dont elle avait entendu les médecins parler à voix basse dans les services. Trois filles que l'on torturait à mort sous l'œil de la caméra. La police de New York avait mené une enquête serrée. Ils étaient venus interroger le petit milieu des psychanalystes spécialisés dans les crimes pathologiques. Mais les auteurs du film n'avaient pu être identifiés. Et les flics n'étaient pas arrivés à identifier le studio. On n'avait même pas retrouvé les corps des malheureuses victimes. Nul ne savait qui elles étaient. Sans doute des toxicodépendantes. Des femmes assez vulnérables en tout cas pour se laisser entraîner par des inconnus dans l'espoir de gagner une poignée de dollars.

Helen s'accroupit devant le téléviseur et commença à zapper. Elle trouva un jeu du style « Questions pour un champion », puis un vieux débat entre des femmes qui avaient essayé de tuer leurs maris, puis un film dont le scénario semblait se résumer à des échanges de coups de feu, puis un reportage sur le bombardement d'un hôpital, puis un documentaire sur la pêche au loup… Elle était tombée au passage sur un film en noir et blanc. Elle y revint. Montgomery Clift parlait et Olivia De Havilland l'écoutait, bouleversée. N'était-ce pas ce film tiré d'un roman de Henry James ? *Washington Square*, peut-être… Oui ! Mais ils avaient changé le titre… Le film s'appelait *L'Héritière*. Il datait des années 30. Helen nota qu'on avait l'impression d'observer des événements survenus sur une autre planète. Quelle dégénérescence, depuis cette époque-là ! Comment le monde pouvait-il changer à ce point ? Que s'était-il passé entre l'époque de *l'Héritière* et celle d'un criminel comme Charles Manson ?

Il y eut un léger bruit dans l'entrée. Un faible craquement. Étreignant son tisonnier, Helen se mit lentement sur ses jambes. Maintenant. C'est pour maintenant.

Mais non. Ce n'était pas pour maintenant. Olivia De Havilland expliqua à son père qu'elle aimait Montgomery Clift, et le père le prit très mal. Ils eurent des mots. Helen se souvint que ce film avait été tourné au moment où toute communication avait cessé entre les Myrer de Russie et les Myrer d'Amérique. Le temps de réaliser *l'Héritière*, et soixante et une personnes disparaissaient dans les chambres à gaz. Toute la famille de son mari du côté russe.

Helen Myrer n'avait pas peur de la mort. Simplement, elle était déçue. Bien sûr, elle avait peur de souffrir. Mais ce qu'elle craignait le plus, c'étaient les souffrances dépourvues de sens. Les pires de toutes. Mourir pour satisfaire les envies d'un cinglé, d'une créature qui méritait à peine d'être appelée un homme.

— C'est stupide, dit-elle.

Et elle se tut aussitôt. *Arrête ! C'est toi qui es stupide. Voilà exactement ce qu'il ne faut pas faire...* Mais elle était hors d'elle. Impossible de se taire. Elle hurla :

— C'est stupide !

Boucle-la ! reprit la voix en elle.

— C'est stupide ! Espèce de salaud !

Après quoi elle serra les dents, décidée à se taire cette fois. Mais ce fut impossible. Elle reprit :

— Je suis un être humain. Vous comprenez ça ?

Voilà que tu te montres faible, à présent ! Tais-toi donc !

Bien sûr, qu'il comprenait. C'était là tout le problème. Mais il valait mieux arrêter de crier. Helen fit un effort pour se dominer. Pour cesser d'obéir à des forces inconscientes. Baissant le ton, elle continua cependant :

— J'ai une famille, monsieur. J'ai un métier. Des patients. Il y a pas mal de gens qui seront touchés. Vous croyez qu'ils vont rester sans réagir ?

Dieu que c'est bête ! C'est tout ce que tu as trouvé pour ouvrir cette fameuse thérapie ? Tu sais ce que tu es en train de faire ? Tu es en train de le menacer. Tu lui rappelles qu'il ferait bien de se dépêcher.

Helen tendit l'oreille. Un soupir. Un soupir de lassitude.

— Je suppose, dit-elle, que vous savez quel métier je fais. Psychanalyste. Autrement dit, je suis une amie. Amusant, non ?

Elle laissa échapper un faux éclat de rire – un cri rauque, en fait.

— Vous êtes tombé sur une psychanalyste, mon vieux. Vous croyez que c'est ce qu'il y a de mieux, comme… Enfin, pour ce que vous avez l'intention de faire ?

Tout en parlant, elle regardait la porte.

— Écoutez… Vous connaissez mon nom ? Je vous l'ai dit, peut-être. Bon, en tout cas, je m'appelle Helen. Je vous le redirai si vous voulez. Helen Myrer. Mon nom de jeune fille était Pennington.

De nouveau, ce faux rire lui jaillit de la gorge.

— Vous savez, la haute société protestante. Ça existe, oui.

Essayer de paraître ouverte, chaleureuse. Mais pas idiote, surtout.

— Et votre nom à vous ? C'est comment ?

Bien sûr, aucune réponse. À quelle autre réaction s'attendait-elle ? Helen décida de s'asseoir. Elle se laissa tomber sur une chaise devant la télévision.

— À mon avis, dit-elle, vous vous êtes foutu dans le pétrin. Je vous parle en toute franchise. Je ne veux pas dire que vous êtes foutu, non. Mais bon. Ça ne va pas. Et ce n'est pas facile d'essayer de s'en sortir tout seul. J'en sais quelque chose. Vous savez, j'ai compris deux ou trois trucs sur vous. Vous seriez surpris.

Elle se tut un instant et ferma les yeux. Elle avait besoin de marquer une pause. Mais il fallait reprendre. En se focalisant sur le problème. Et sur la solution.

— Je sais que vous souffrez, dit-elle. Oh ! moi aussi, bien sûr. Terriblement. Et croyez-moi ; c'est aussi douloureux que de se faire torturer…

Inutile d'exciter ses fantasmes ! Il les cultive bien assez lui-même.

Réfléchir. L'épreuve était difficile. Et Helen n'arrivait pas à retrouver son assurance professionnelle. Elle reprit :

— Vous vous êtes engagé sur une voie… Y avez-vous bien réfléchi ? Je me demande comment vous faites pour envisager de telles…

Mais les mots refusaient de sortir de sa gorge. Elle respirait avec peine. Elle se força à continuer.

— Je pense que je pourrais vous soulager de vos souffrances. De toutes sortes de façons. Si seulement vous vouliez bien entrer dans cette pièce, accepter le dialogue. Parler un peu avec moi. Oh! je sais ce que vous avez l'intention de faire. Je le sais très bien. J'accepte ce qui doit arriver. Mais si seulement vous vouliez…

Pas de réponse. Pas la moindre réaction. Rien. Est-ce qu'elle devait y aller? Aller jusqu'à lui? Elle décida de poursuivre, en essayant de parler d'un ton aussi assuré que possible.

— Bon, on pourrait commencer, après tout. Il faut bien attaquer par un bout. Par exemple, j'aimerais savoir… Quand avez-vous pris conscience d'être animé par… par des envies de ce genre? Ce n'est pas courant, vous en conviendrez. Tout le monde n'en est pas là. Bien sûr, vous, cela ne vous surprend pas. Vous vous considérez comme quelqu'un de spécial…

— Je suis quelqu'un de spécial.

Ces mots – prononcés doucement – restèrent comme suspendus dans l'air. Mon Dieu, pensa Helen, je suis aussi en sécurité qu'une boule de neige jetée dans un incendie.

— C'est certain, dit-elle. Vous êtes très brillant. Et vous avez le sens de l'humour. Tout à l'heure, quand vous donniez ces coups de klaxon derrière moi… Bon, j'avais très peur, bien sûr. Mais en même temps, je me disais que vous étiez très fort. C'est comme cette façon que vous avez eue de surgir au volant du camion. Impressionnant. Intelligent en tout cas. Remarquablement intelligent. Vous savez, j'ai un fils intelligent – pas autant que vous, mais intelligent tout de même. Bref, je reconnais que vous avez certains atouts…

Inutile de marchander ! Pas encore. Attendre qu'il y ait quelque chose sur la table ! Quelle idiote tu fais !

— Certains atouts, répéta-t-elle vaguement.

— Je pense avoir tous les atouts en main, docteur Myrer.

L'excitation était perceptible dans sa voix.

— Ce que j'aimerais, reprit-elle vivement, c'est vous voir. Je veux dire… Vous êtes là, comme une ombre. Je ne sais même pas si vous êtes jeune ou vieux. Votre voix est jeune.

Entre dix-huit et vingt-cinq ans, estima-t-elle. En tenant compte du fait qu'un homme dans cet état possède un timbre encore jeune. Quand la douleur mentale a atteint son plus haut degré, il a décidé de cesser de grandir, de cesser de mûrir…

— J'essaie de comprendre, dit-elle. D'abord vous m'avez fait peur. Ensuite je vous ai détesté. J'étais folle de rage. Enragée, vraiment. Mais à présent que j'ai entendu votre voix, je crois que je commence à me rendre compte que vous êtes un être humain. Comme nous tous. Un être humain, blessé. Mon ami… Oh ! je devrais peut-être vous appeler « Jeune homme » ? Jeune homme, vous n'allez pas bien. Quant à moi, j'ai fait avec vous ce que nous autres, psychanalystes, appelons un transfert. C'est fini. J'éprouve encore de la haine, mais plus pour vous. Je hais maintenant ceux qui vous ont fait du mal. Ceux qui vous ont obligé à vous conduire de cette façon.

Voilà qui était déjà plus raisonnable, comme tentative. Avec ce genre de propos, Helen avait une chance de le toucher. Elle se pencha en avant, songeant qu'elle pourrait peut-être se lever et aller dans la cuisine boire un peu d'eau. Comment prendrait-il la chose ?

— Je vous préviens, dit-elle, je vais me lever. Je vais aller dans la cuisine. Boire de l'eau. Je ne viendrai pas dans votre direction. Je ne chercherai pas à vous voir.

Lentement, elle se leva. Tous ses instincts lui ordonnaient de prendre garde, comme quand on doit passer près d'un serpent enroulé sur lui-même. Pourtant elle devait le faire. Elle avait besoin d'eau. Et besoin de marquer sa présence, maintenant que la communication était établie.

Dans la cuisine, rien n'avait été déplacé. Elle tira un verre du placard, au-dessus de l'évier. Puis elle tourna le robinet.

Elle buvait, avec un certain soulagement, quand le verre lui échappa pour tomber dans l'évier où il se brisa.

Stupéfaite, elle considéra les débris. C'est alors qu'un mouvement se produisit derrière elle. Elle fit un bond de côté.

Il avait toujours ce bas sur le visage, en guise de masque. Un masque de cauchemar. Et cette chose qu'il tenait à la main… Un nerf de bœuf ? C'est bien ainsi que cela s'appelle ?

Il leva le bras. Et pour Helen tout devint noir.

6

CRÉPUSCULE

D'abord lui parvint le chant des oiseaux, puis le contact de l'air froid sur sa peau nue. Elle se massa la tempe gauche, à l'endroit d'une douleur cuisante. La peau était enflée, tendue, extrêmement sensible.

Comment s'était-elle blessée ? Et comment avait-elle fini par se retrouver couchée… Au fait, où était-elle ? Elle ouvrit les yeux. Une peur confuse venait de la saisir. *Oh ! merci, mon Dieu !* Elle était dans sa chambre. Et tout allait bien.

Qu'était-il arrivé ? Elle eut beau fouiller dans sa mémoire, elle ne se souvenait plus de rien. Les souvenirs qui se rattachaient à la journée de la veille remontaient en lambeaux, comme des morceaux de rêve.

Amnésie traumatique. Perte de la mémoire récente, consécutive au coup reçu. Une chance qu'elle se soit retrouvée dans un lit. En principe, après un choc pareil, on s'écroule comme une masse.

Elle avait dû fournir aussi d'intenses efforts physiques, à en croire ces douleurs qui lui engourdissaient tous les membres. Elle n'avait pas seulement mal à la tête. Au fait, ce mal de tête, qu'est-ce que c'était ? Un traumatisme ?

— Comment ai-je fait pour me déshabiller ? murmura-t-elle en se dressant.

Avec lenteur, avec précaution, elle quitta le lit.

Dans la chambre, tout tournait. Le plancher avait l'air incliné. Et cette douleur cérébrale semblait relever d'une autre dimension, d'une autre réalité. La chambre lui était familière, mais elle avait l'impression que des restes de cauchemar étaient cachés partout.

Instinctivement, sans savoir pourquoi, elle se recroquevilla sur elle-même. Le soleil était bas. L'ombre recouvrait une grande partie de la maison. Tout semblait tranquille. Pourtant, quand elle tendait l'oreille, elle croyait surprendre des éclats de rire dans le ciel. S'adressant à elle-même, elle murmura :

— Tu as reçu un choc.

Puis, comme surprise tout à coup :

— Et même un choc sévère.

Et bien sûr, il ne s'agissait pas d'un accident. Dans les brumes de son esprit, quelque chose essayait de se faire jour. Quelque chose de monstrueux survenu la veille.

Quelqu'un s'était-il introduit dans la maison ? Un voleur ?

Avait-elle été violée ?

Aussi vite que possible, elle gagna la salle de bains. Il y faisait noir. Helen alluma. Puis, assise sur la cuvette, elle commença à s'examiner.

Pas de trace de viol. Mais cette légère ligne rouge sur son ventre ? Était-ce un trait au stylo à bille ? Les draps froissés avaient-ils laissé une marque sur sa peau ?

Une image lui traversa l'esprit. Une image confuse, rapide. Venue et disparue aussitôt. Rien de net. Helen se leva, prit un gant de toilette et, après l'avoir humecté dans le lavabo, se l'appliqua sur la tempe. Elle s'aperçut alors que l'ecchymose était énorme. Avec quelle brutalité on l'avait frappée !

Le sang avait séché. Helen, en nettoyant la blessure, fit apparaître une vilaine contusion. Un choc pareil pouvait avoir endommagé le cerveau. Et pas seulement la mémoire récente.

Ayant trouvé des comprimés d'aspirine, elle en prit trois. Elle les avala avec précaution, sans remuer la tête. Dieu qu'elle avait mal ! Elle regardait dans la glace son visage hagard. Qui pouvait l'avoir mise dans un état pareil ?

Elle avait couru. Oui… Elle se rappelait avoir couru. Mais pas pour s'enfuir. Elle avait couru pour revenir ici.

Il y avait eu des coups de klaxon. Ça n'arrêtait pas de klaxonner. Et elle, elle courait, essayant de se sauver, précipitée vers le désespoir… Quelque chose d'atroce lui était arrivé.

Puis, elle regarda la douche. La vitre était brisée ! Helen, épouvantée, considéra les éclats de verre… Elle se souvint alors du tisonnier. Son tisonnier ! Où était-il ? Elle en avait besoin !

Vite, elle ferma le verrou. S'adossa à la porte. Elle avait fermé les yeux. Pour recouvrer la mémoire, après un choc amnésique, il faut tout reconstituer en commençant par les petits détails.

Bon. Elle était arrivée en avion. Un vol de la New England Airlines. Puis elle avait rencontré ce M… M. Matthias ? Oui. Il avait fallu remplir sa connerie de formulaire. Payer. On lui avait remis les clés. Elle était venue ici. Et puis… Mon Dieu.

Mon Dieu.

Elle revoyait maintenant cette figure grotesque recouverte d'un bas. Le type tenait en main un objet. Quoi ? Elle ne se souvenait plus. Il avait eu un geste rapide…

Elle ressentit une profonde contraction dans ses intestins. Elle était affreusement mal, tout à coup. Elle venait de se souvenir : c'était lui qui l'avait retenue quand elle était tombée.

Elle sortait de son état de choc, maintenant. Et un état de choc peut être la conséquence de toutes sortes de violences. Avec l'aide de l'hypnose, elle arriverait sûrement à reconstituer les événements. Ce qui s'était passé après qu'on l'eut frappée. Mais elle ne connaissait presque rien à l'hypnose.

Un pincement sur son ventre. Elle frotta vivement la trace rouge. Et quand elle baissa les yeux, elle crut voir apparaître l'image d'une autre femme. Ses doigts coururent sur la marque de stylo pareille à une cicatrice de césarienne. Seigneur. Sa peau se hérissa.

Elle serra les mains sur son ventre, visitée par une vision d'horreur. Cette photo… La femme avait une cicatrice au même endroit. Et elle était ligotée, couchée sur un sol de pierre, les traits révulsés. Elle hurlait !

D'un geste furieux, Helen essaya d'effacer cette marque. Mais ce n'était pas du stylo-bille, plutôt… comme une encre indélébile.

Helen était en train de boire – elle avait si soif ! – lorsqu'il était apparu à côté d'elle. Vêtu d'une chemise blanche, l'air d'un gosse monté en graine. Et toujours ce bas sur la figure. Un monstre. Un monstre avec lequel il avait fallu négocier. Elle tomba assise sur le sol, adossée au meuble du lavabo, les pieds arc-boutés contre la porte. De cette façon, il ne pourrait pas entrer. À moins d'enfoncer la porte.

D'accord, il y avait la fenêtre. Mais c'était une petite fenêtre. Et elle était haute. Il essaierait d'abord de passer par la porte. Il ne restait plus qu'à attendre, sous cette ampoule électrique, en luttant contre le désespoir.

Il pouvait aussi être parti. La chose était possible. Elle était restée au lit pendant de longues heures. Toute la journée. Et Slim Goode ! Où était-il, celui-là ? S'il était venu réparer la barque, comme convenu, elle n'en serait pas là !

Elle revit le long nerf de bœuf serré dans la main rondelette, et ce visage bizarre, écrasé par le masque. Il avait cogné dur. Et pas à n'importe quel endroit. Helen, de ses doigts tremblants, effleura la blessure. Le salaud. Oh ! il ne l'avait pas violée, ni pénétrée. Du moins pas physiquement. Mais il lui avait dévasté l'esprit, c'était un viol psychique. Ce genre de choses existe. Elle en avait entendu parler à plus d'une reprise. Il avait passé toute la journée à s'emparer d'elle, à la dominer méthodiquement, précautionneusement. Il était en train de la briser en morceaux.

Helen luttait pour garder le contrôle d'elle-même, pour endiguer la marée qui menaçait de la submerger – une marée de panique, de fureur, de conduites irrationnelles et instinctives. De telles réactions ne servaient à rien. Elles n'avaient aucune chance de la tirer d'affaire.

Réfléchis, ma vieille. Essaie plutôt de rassembler tes souvenirs. Les Annales de psychologie pathologique, *par exemple. Cette revue n'a-t-elle pas publié jadis des articles sur la « guerre psychologique » ? Il faut les retrouver. Si tu n'arrives pas à comprendre ce qui est arrivé à cet homme, ce qui a fait de lui ce qu'il est, alors tu es morte…*

Des bribes de souvenirs lui revinrent en mémoire. Elle se souvenait maintenant de ce qui s'était passé jusqu'au moment où elle avait tenté de s'enfuir. Oui… Le camion bleu, au dernier moment. La descente vers l'escalier menant à la cabane. Une course atroce sur le chemin. Avec lui derrière, au volant du camion… Il klaxonnait ! Voilà pourquoi elle avait pensé à des coups de klaxon tout à l'heure. Il klaxonnait, et il prenait son pied…

La Gestapo avait quelquefois brisé des gens à coups de faux espoirs. On oubliait de refermer la porte d'une cellule – en fait, on faisait semblant d'oublier. Le prisonnier tentait sa chance. On lui laissait le temps de voir le ciel, après quoi on le ramenait.

Des pieds, elle donna une poussée contre la porte qui émit un craquement. Le craquement de la volonté… *Attends un peu, espèce de fumier. Tu vas voir si je manque de volonté…* Mais Helen se rendait compte qu'elle était assise nue, par terre, et que son visage était baigné de larmes. La peur déclencha de nouveau des spasmes dans ses intestins.

Elle se vit en femme soumise, les membres aussi dociles que ceux d'une catatonique, acceptant d'être attachée par lui, puis de le voir pointer sur elle, une fois de plus, son immense couteau, cette partie de lui-même qu'il lui avait présentée en premier lieu. Oui, la mémoire lui revenait à présent. Elle se souvenait de tout. Elle avait pénétré dans le cellier, portant son sac de provisions, heureuse – oh! si heureuse, si contente d'être là! C'est alors qu'elle avait jeté un coup d'œil dans l'ombre, et aperçu cette arme effrayante.

Mais pourquoi ne s'était-elle pas enfuie? Il suffisait de retourner à la voiture et de démarrer. Non... Ce n'était pas aussi facile. Elle avait essayé.

Elle donna un violent coup de pied contre la porte.

— Pauvre merde! cria-t-elle. Ordure!

Et elle pensa aussitôt qu'il devait bien se marrer, quand il entendait ce genre de choses. Chaque fois qu'elle se conduisait ainsi, elle ne faisait que lui donner encore plus de pouvoir sur elle. Chaque fois! Elle ne devait jamais oublier le risque du transfert...

Quel transfert? Il n'y avait plus rien à transférer. Tout était déjà transféré. Helen poussa un long soupir de colère. La seule chose à faire, maintenant, c'était de se lever, de sortir de cette salle de bains, et d'aller voir s'il était toujours là.

Bien sûr qu'il était toujours là! Elle qui était du métier, elle ne pouvait en douter. Cela ne servait à rien de s'imaginer qu'il pouvait être parti. D'ailleurs, elle ne l'avait pas vraiment cru. Repérer et piéger une docteur Helen Myrer ne représentait pas un exploit banal pour cet homme. À présent, le docteur Myrer était en sa possession, tel un objet de valeur. Et on n'abandonne pas un objet de valeur. Encore moins quand on a l'intention de s'en servir pour son plaisir.

Tout à coup lui parvint un bruit si ordinaire, si familier, qu'il lui parut irréel. Mais ce bruit n'était pas irréel. Cela venait du séjour. C'était la sonnerie du téléphone.

Est-ce qu'elle n'avait pas essayé de faire marcher le téléphone ? Si, sûrement… Pourtant non. Non ! puisqu'elle était convaincue que la ligne avait été coupée. Elle avait commis une erreur. Il ne lui restait plus qu'à se précipiter dans le séjour et à décrocher en prononçant ces simples mots : « Au secours ! » C'était suffisant. C'était la chose à faire. À faire tout de suite.

Mais aller décrocher, cela voulait dire quitter cette charmante salle de bains fermée à clé ! Et le fumier était toujours là…

Le téléphone sonnait toujours, à dix mètres d'elle.

S'il était encore dans la maison, où se cachait-il ? Était-il en train de surveiller l'entrée de la chambre ? Attendait-il dans le vestibule, armé de son énorme machin, prêt à l'égorger dès qu'elle montrerait le bout de son nez ?

Elle se dressa sur ses jambes. La sonnerie continuait de retentir dans la maison, tel un appel venu des anges. Helen ouvrit la porte.

Le vestibule était sombre. La sonnerie du téléphone bruyante. Et Helen avait si peur qu'elle arrivait à peine à mettre un pied devant l'autre. Mais elle ne pouvait pas rester là, à trembler comme une feuille. Il fallait agir vite. Elle avait déjà gaspillé trop de temps !

Helen gagna le séjour, puis le traversa dans un surprenant silence. En quelques secondes, elle atteignit le guéridon où se trouvait le téléphone. Elle fondit sur le combiné comme un oiseau de proie, et le mit contre son oreille.

— La propreté de vos tapis ! commença une voix enregistrée. Appuyez sur la touche dièse de votre appareil, et vous apprendrez comment profiter des prix exceptionnels offerts par la société *Clean Carpet* durant le temps de notre campagne promotionnelle…

Il doit y avoir une opératrice, songea Helen, et je vais finir par tomber sur elle. La touche dièse, vite. Elle s'aperçut alors qu'elle avait entre les mains un téléphone à cadran ! C'était ça, l'appareil tout neuf dont parlait l'agence ?

— Allô, murmura-t-elle.

Puis, ayant essayé de faire claquer sa langue, elle répéta :

— Allô ?

Elle composa le 1. Silence. Elle se taisait, attendant pour recommencer à parler d'être sûre qu'elle avait obtenu la bonne tonalité. La région était équipée du 911. Il suffisait de suivre les instructions. Sur la carte fournie par M. Matthias, la cabane était localisée par une cote à l'intention des pompiers. La cote K-142. Elle se souvenait.

Elle ouvrit la bouche… La bonne tonalité ne venait pas.

— Saloperie de téléphone, dit-elle en lui donnant un coup.

À cet instant, la société *Clean Carpet* raccrocha, et Helen se vit récompensée de ses efforts. Un son clair et continu lui parvint. La bonne tonalité, enfin ! Elle composa le 9 et attendit une éternité que le cadran fasse le tour. Comment faisions-nous, avant, pour vivre avec des appareils aussi poussifs ? Ça y est. Helen composa deux fois le 1. Voilà.

Une première sonnerie retentit à l'autre bout. Puis une deuxième. Décroche, abruti ! C'est important ! Troisième sonnerie.

Enfin le clic. On avait décroché.

— Allô, j'ai besoin d'aide. On m'a agressée. Je suis en danger…

Elle se tut. Elle venait de comprendre qu'elle parlait dans le vide.

— Allô ?

Silence. La ligne était coupée.

Helen étouffa un gémissement. Ce salaud était en train de faire joujou avec le téléphone. Comme un gosse ! Un sale gosse qui s'amusait à faire des farces. À lui faire des farces à elle, pour obtenir qu'on s'occupe de lui. Oh ! comme elle avait envie de s'occuper de lui ! Elle l'aurait volontiers traîné par les cheveux à travers ce putain de séjour ! Elle lui aurait bien cogné le crâne contre la cheminée de pierre jusqu'à ce qu'il pisse le sang dans les cendres !

Merde, merde, merde... Ce genre de pensées était non seulement inutile mais dangereux. Si elle espérait pouvoir garder un minimum de contrôle sur la situation, elle devait commencer par maîtriser ses émotions, comme une vraie professionnelle. Et s'y tenir.

Mais ses capacités professionnelles étaient d'ores et déjà saccagées. C'était désormais évident. Et ce salaud n'allait pas s'arrêter en si bon chemin. Le combiné qu'elle tenait toujours en main avait recommencé à émettre une tonalité.

— Je sais que vous m'entendez, dit-elle.

Ne pas parler d'une voix qui tremble ! Contrôle-toi. Elle répéta :

— Je sais que vous m'entendez.

C'était mieux. Une voix de ventre. Plus ferme. Pourtant, ce n'était pas encore une voix de psychanalyste clinicienne – cette voix douce, tranquille, où perce une autorité qui rassure le patient.

— C'est le moment ou jamais, vous savez. Vous avez une chance de vous en sortir. Saisissez-la. Je sais que vous avez envie de la saisir. Sans quoi vous ne m'auriez pas attirée ici. Vous avez voulu lancer un appel au secours. Peut-être l'ignorez-vous, mais c'est la vérité. Écoutez-moi bien. Je réponds à cet appel. Et ma réponse est celle d'une psychothérapeute. Je peux vous aider. Vous soigner. Et vous, vous pouvez guérir. J'ai les moyens de vous guérir. Je possède ce pouvoir, comprenez-vous ? Ce pouvoir magique. Je sais comment m'y prendre pour apaiser vos douleurs, pour vous soulager, pour vous délivrer de cette agonie...

Un claquement retentit à l'autre bout du fil. Et ce fut le silence. Il avait coupé.

— En parlant, dit-elle. Essayer de s'en sortir en parlant.

Et elle raccrocha le combiné.

D'abord elle devait s'habiller. Elle avait affreusement mal à la tête, mais tant pis. Tant pis si elle se sentait mal. Il fallait tout faire maintenant pour que leur prochaine rencontre se déroule sur un pied d'égalité – ou à peu près. En tout cas, une psychothérapeute ne se présente pas nue devant son patient. Non. Ou alors c'est toute l'opération qui vire à l'absurde. Et la thérapie est le contraire d'un jeu absurde. Si elle ne commençait pas par s'habiller, Helen n'arriverait nulle part. On ne ramène pas quelqu'un vers l'équilibre mental en restant dans la position de la victime nue et sans défense.

Mais où était-il à présent ? Elle aurait aimé le savoir. Peut-être en bas, sous la maison, là où était le branchement du téléphone. Ici, les hivers étaient rudes. Les compteurs électriques et autres installations, on ne se contentait pas de les accrocher à un mur extérieur.

D'un autre côté, il était peut-être décidé à en finir avec elle. Et il se trouvait encore en bas. N'avait-elle pas intérêt à en profiter pour essayer de sauver sa peau ? Pour fuir à travers bois ? Avec de la chance, qui sait si elle n'arriverait pas à trouver la maison de Kevin ? Bientôt, il allait faire nuit. Quitte à avancer à tâtons, autant qu'il fasse nuit. Mais partir sans vêtements était impossible. Sans vêtements, et surtout sans chaussures, elle n'irait pas loin.

Quand elle ouvrit le placard avec l'intention d'y prendre des habits, elle s'aperçut qu'il était vide. Tout avait disparu : jupes, jeans, T-shirts, chandails et chaussures.

Elle appuya la main contre le montant du placard. Il avait bien calculé son coup. À chaque étape, il plaçait un nouveau piège. Maintenant, elle était vraiment coincée. Sans même une corde pour se pendre. Elle baissa les yeux. Le sol était jonché de bouts de tissu. Ce qu'il restait de ses vêtements mis en pièces.

Elle s'agenouilla. Il avait tout déchiqueté à coups de couteau. En s'acharnant sur le buste, apparemment, quand il s'était attaqué à cette veste. Le tissu était tailladé avec rage. Il avait obéi à une pulsion sexuelle, selon toute probabilité.

Helen fouillait dans les recoins de son esprit. Existait-il, dans le cas du tueur pathologique, un symptôme plus révélateur que celui-ci ?

Dans l'ombre, au fond du placard, elle aperçut quelque chose. Un objet sur lequel elle se précipita. Une vieille sandale, une espèce de tong qui n'était pas à elle. Où était la deuxième ? Helen avait beau chercher dans les profondeurs du placard, elle ne trouvait rien. Elle continua à tâtonner dans le noir. Mon Dieu ! pourvu qu'il n'y ait pas posé un piège à loup... Ah ! La voilà. L'autre sandale.

Elle regarda un instant la paire, émerveillée, aussi heureuse que si elle avait découvert une armure à sa taille. Elle avait envie de les serrer contre son cœur, de les embrasser, de coller contre sa joue la paire de semelles bleues, et de les caresser. Elle s'en délectait. Comme ces sandales allaient lui être utiles !

Helen les examinait. Non, elles n'étaient même pas abîmées. On ne les avait détériorées en aucune manière. Bon, la pointure risquait d'être un peu juste, mais elles feraient l'affaire. Elles feraient même très bien l'affaire. Grâce à elles, Helen pourrait au moins marcher.

Mais s'enfuir ainsi n'était guère prudent… M.-le-Brillant-Psychopathe l'attendait peut-être déjà sur la route, au volant du camion. Prêt à faire joujou avec son klaxon, encore une fois.

Sur le milieu du chemin de notre vie
Je me trouvai dans une sombre forêt

Si, elle allait essayer. Mais pas toute nue ! Il lui fallait d'abord trouver quelque chose à se mettre, si elle ne voulait pas avoir la peau déchirée par les ronces.

Elle fouilla dans le tas de lambeaux, en vain.

— Salaud…

Pourquoi avait-il oublié les sandales ? À moins qu'il les ait au contraire déposées là à dessein… Elle ne les avait pas remarquées quand elle avait rangé ses affaires. Elle aurait dû, en principe. Ces sandales signifiaient-elles la fin de l'espoir ?

Habile stratagème. Encore une preuve de l'intelligence de ce fumier. Elle était tombée sur un psychopathe de génie. Helen s'était déjà trouvée dans la position de traiter avec un homme trop intelligent – un de ces hommes trop intelligents pour pouvoir demeurer sains d'esprit.

— Mais moi aussi, je suis intelligente, dit-elle en se redressant.

Le miroir accroché à la porte de la chambre lui renvoya son image. Elle n'avait pas souvent étudié l'effet de son apparence, mais cette fois elle eut le sentiment que sa beauté pourrait lui être utile. C'était peut-être parce qu'il la trouvait belle qu'il n'était pas encore passé à l'acte. Helen lui plaisait. Allait-elle devoir jouer le rôle de substitut maternel auprès de lui ? Elle doutait d'y parvenir avec un individu de ce genre. Il avait dû avoir une mère petite, robuste, abîmée par la vie – la vie d'une fille de fermier pauvre dans le New Hampshire des années 50.

Helen se détourna du miroir en rejetant la tête en arrière – un mouvement que son mari adorait, autrefois. D'ordinaire, il traduisait sa fierté d'être une belle femme, mais aujourd'hui, la fierté avait fait place à la colère.

Le moment était venu de lui sauver la vie, à cette belle femme ; le moment était venu de se lancer dans une ultime tentative désespérée… À moins que… Non ! Pas encore. Elle avait l'intention de fuir par la forêt. Est-ce qu'il ne valait pas mieux attendre la nuit noire ? Et encore une fois, n'était-il pas indispensable, pour partir, d'avoir quelque chose à se mettre sur le dos ?

Il y avait encore un peu de lumière. C'était une mauvaise heure pour s'enfuir, mais le moment idéal pour repérer le terrain. Helen s'approcha de la fenêtre. La pente, de ce côté, était raide. Était-elle praticable ? Oui, jugea-t-elle. Même s'il n'y avait apparemment aucun sentier en vue.

Dix minutes, avait dit Kevin. Mais il fallait compter avec ces arbres plantés serré. Tronc contre tronc. Elle serait forcée de tourner autour sans arrêt. Tout en grimpant la côte. Dix minutes ! Ce ne serait même pas suffisant pour atteindre le sommet.

Et l'autre, évidemment, se doutait qu'elle allait essayer de fuir à la faveur de la nuit. Il savait qu'elle voudrait tenter sa chance. Helen songeait à un film. Quel en était le titre déjà ? Ah, oui : *Les Chasses du comte Zaroff…*

Le fumier avait-il prévu cette poursuite à travers la forêt comme ultime divertissement ? Manifestement, il s'était débrouillé pour qu'elle parte avec un handicap, c'est-à-dire complètement nue, tout juste équipée d'une paire de sandales – pour protéger ses pieds sensibles, habitués à marcher en ville.

7

UNE FAIBLE LUMIÈRE BLANCHE

Ce qu'il fallait, c'était dresser un plan et s'y tenir. Lui donner du fil à retordre. Voilà à quoi elle s'emploierait désormais.

Elle gagna le séjour et songea à la façon dont cet imbécile avait lacéré ce superbe fauteuil. Comme un gosse. Un sale gosse destructeur.

Idéalement, Helen aurait préféré attendre le milieu de la nuit pour se mettre en route. Mais à tout moment, l'autre pouvait perdre patience, décider que son heure avait sonné. Alors elle ne devrait pas le laisser l'attacher. Étant donné qu'il ne l'avait pas fait quand c'était facile, lorsqu'elle gisait inconsciente dans la chambre, il y avait de fortes chances pour que le geste de ligoter sa victime marque le début de la phase finale.

Helen réfléchissait. Premier point, trouver quelque chose à se mettre. C'était absolument essentiel.

Elle regarda autour d'elle. Il y avait bien le tapis… Non. Et pourquoi pas les stores vénitiens ? Ou les journaux ? Il y en avait une pile près de la cheminée. Assez pour se confectionner une robe. Ce serait formidable, vraiment. Du dernier chic… Elle songea aux tissus déchirés du fauteuil. Il devait en rester assez pour fabriquer un maillot deux pièces…

Helen retourna dans la salle de bains. Le seul morceau de tissu-éponge qu'elle y trouva fut le gant avec lequel elle s'était humecté la tempe tout à l'heure. Comme ce salaud était prévenant ! Il avait pris soin d'enlever la serviette mais il avait laissé le gant. Vêtue d'un gant de toilette, elle ne risquait pas d'être gênée pour courir !

À moins que… Dans la chambre, est-ce qu'elle n'avait pas vu un couvre-lit ? Si. Helen revint dans la chambre. C'était un couvre-lit en coton. Parfait. Elle allait s'en faire une robe qu'elle serrerait à la taille avec un des lambeaux de tissu. Avec ça sur le dos, elle aurait l'air d'une nonne. Sœur Helen. Sainte Helen des Montagnes.

L'eau et la nourriture, maintenant. Pour cela, il fallait agir calmement, avec méthode. Allons-y. Helen gagna la cuisine. Le verre qu'elle avait brisé était toujours dans l'évier. Une idée idiote lui traversa l'esprit : nettoyer ça. Elle la chassa rapidement. Elle prit un autre verre dans le placard, tourna le robinet. Quelques secondes lui furent nécessaires pour admettre qu'il avait coupé l'eau. Un geste cruel. Cruel et mesquin. Pareil, sans doute, à tous les gestes qu'il avait accomplis dans sa vie.

Sa robe flottant autour d'elle, Helen retourna dans la salle de bains. Là, il y avait encore de l'eau.

— Vous n'êtes pas parfait, mon cher, murmura-t-elle.

Elle but un premier verre, puis un deuxième.

Après quoi, obéissant à la force de l'habitude, elle prit le gant dans le lavabo et le suspendit avec soin au porte-serviette.

Dans quelques minutes il ferait nuit. C'était le moment de se montrer efficace. Ne pas partir le ventre vide. Elle se rendit dans le cellier, prit sur l'étagère la boîte de céréales aux raisins secs, l'ouvrit et en versa dans un bol. Le Frigidaire, maintenant. Oui, il y avait du lait. Mais rien d'autre. *Ce misérable petit crétin à face de porc a volé les quatre oranges. Quelle tête peut-il avoir, ce fumier ? La tête de ses sales petites pensées mesquines, sûrement.* Helen songea à la fille du Polaroid. À son cri d'épouvante. Et au méchant sourire qui ornait la peau délicate de son ventre.

Elle versa un peu de lait sur les céréales et en avala une cuillerée. *Manger, oui, manger ! Et tant pis si ça me dérange l'estomac. Je dois manger. C'est arithmétique. Lui, il sera gavé de nourriture. Tandis que moi, je devrai subsister en puisant dans mes réserves de glucides. Qui ira le plus loin ? Qui ira le plus vite ? Après tout je ne connais pas son âge. Si ça se trouve, il n'a plus vingt ans. Une chose est sûre, il a encore la main leste.*

Ayant enfourné dans sa bouche une nouvelle cuillerée de céréales, elle recommença à mâcher. C'est alors qu'elle fit la grimace. Le lait était infect. La main sur la bouche, elle se leva brusquement et envoya le bol se fracasser contre le mur. Qu'avait-il fait, ce salaud ? Il avait pissé dans le lait ou quoi ?

De nouveau elle courut dans la salle de bains, et ce fut pour s'apercevoir qu'il avait coupé l'eau, là aussi. Tout ce qu'elle put recracher, elle le recracha. Puis il fallut se résigner à garder dans la bouche ce goût d'ordure. Elle n'avait pas le choix. Même à respirer, c'était infect. Était-ce de la pisse ou du vinaigre ? Geste puéril, dans les deux cas. Geste d'enfant très perturbé... Et ce gamin perturbé, en ce moment même, se cachait quelque part dans la maison.

Il faisait son petit théâtre amateur. Le fantôme de la cabane. Elle l'imaginait dissimulé derrière une porte, tendant l'oreille à l'écoute de ses misères, la suivant à pas de loup partout où elle allait, tel un marmot de treize ans collé à sa mère comme une ombre.

Elle sentit un frisson sillonner son cuir chevelu. Il lui sembla qu'elle commençait à y voir un peu plus clair dans l'esprit de ce type. C'était un enfant animé par une rage d'homme. Il ne se dominait pas lui-même, c'est pourquoi il voulait dominer sa victime. Derrière son fantasme se cachait sa propre impuissance à se maîtriser. Le fantasme consistait à posséder un être humain honnête et bon. Mais honnêteté et bonté continuaient de lui échapper. Il y avait de quoi vous pousser au meurtre...

D'abord il violait. Ensuite il tuait. Il brisait son jouet. Sa jouissance, il la tirait de la soumission de sa victime. Ce qu'il aimait, c'était voir la femme se coucher à ses

110

pieds et attendre son bon vouloir. Alors, il commençait à gravir les marches du plaisir. Un plaisir de plus en plus grand, tandis qu'elle était là, passive, prisonnière de son fantasme – son fantasme de domination, le fantasme d'un pauvre type incapable de se dominer lui-même. La vraie raison de toute cette attente, c'est qu'il ne pouvait jamais connaître l'orgasme. Il n'avait fait que s'en approcher. En un sens, il faisait la cour à sa victime. Une cour interminable et sauvage qui s'achevait dans une explosion de rage meurtrière.

Helen essayait de passer en revue, de mémoire, la liste des cas de psychopathes actuellement répertoriés. Mais elle n'en trouva aucun qui soit recherché dans le nord-est des États-Unis et ait déjà à son actif un chapelet de victimes. Pourtant, celui-là était un tueur, cela ne faisait aucun doute.

Il faut croire, pensa-t-elle, qu'il est assez malin pour faire disparaître les corps.

À chaque inspiration, le goût atroce du lait souillé lui imprégnait les narines. Il avait dû y verser du vinaigre. Elle essayait de se convaincre que ce n'était que du vinaigre. Malheureusement, elle sentait bien qu'elle avait affaire à un de ces êtres dont la sexualité, au lieu de se développer, s'est arrêtée à un niveau infantile. Il devait traîner avec lui pas mal de problèmes.

— *Fais attention ! Si tu salis les cabinets, maman te jettera dans la cuvette et tirera la chasse…*

Ce geste de souiller le lait ? Une perversion de type urologique. Sa mère devait le forcer à boire son urine quand il avait eu le malheur de salir les draps.

Helen serrait les dents. Certes, travailler sur un tel cas avec ses collègues aurait été intéressant. Mais être entraînée dans ce genre de fantasmes, elle n'en avait aucune envie !

Quant à savoir ce qu'il avait vraiment versé dans le lait, c'était difficile. Le goût aigre disparaissait derrière celui des céréales. Dommage. Comprendre cet homme, c'était avant tout comprendre ses fantasmes. C'était la seule voie à suivre pour retrouver le chemin de la liberté.

Autrefois, un individu de cette espèce aurait été forcé par la religion et les prescriptions morales à sublimer ses désirs, à les transférer dans une activité sociale, une carrière militaire, par exemple. Mais aujourd'hui, religion et morale ne jouaient plus leur rôle, et laissaient la société humaine se construire à sa façon. Ce qui primait, désormais, c'était la promesse d'une absolue liberté de conscience, d'une évolution vers toujours plus de liberté individuelle. Quel merveilleux acquis ! Sauf que, pour certains, il signifiait la permission de se montrer aussi immoral, aussi mauvais que possible.

La nuit était presque tombée maintenant. Helen se dit qu'il valait mieux attendre encore. Puis le contraire. À la campagne, les gens se couchent de bonne heure. Kevin devait se mettre au lit vers dix heures, dix heures et demie. Et s'il avait l'habitude d'éteindre toutes les lumières, elle risquait de ne plus pouvoir trouver sa maison.

Revenue dans la chambre, elle ouvrit la fenêtre. Elle se sentait assez confiante. Autant qu'on puisse l'être, en tout cas, quand votre premier geste, au moment de fuir, consiste à ouvrir une fenêtre qui grince abominablement ! Le loquet était pris dans une telle couche de peinture qu'il tournait avec difficulté. Helen crut qu'elle allait encore se casser un ongle. Elle pensa aussi à ce qu'elle éprouverait s'il venait à ce salaud l'idée de les lui arracher un par un.

Aidée par ces visions encourageantes, elle parvint à tourner le loquet. La fenêtre acceptait de rester ouverte. Helen grimpa sur le lit et, aussi furtivement que possible, enjamba le chambranle et pénétra dans la nuit d'été. L'air était imprégné de senteurs ; elle songea aux fleurs épanouies. Puis elle chassa cette idée. Elle aurait voulu que le monde fût aussi laid que les actions qui s'y déroulent. Elle allait essayer d'échapper à un maniaque. Et elle trouvait que c'était une punition particulièrement cruelle d'être obligée de le faire en sautillant parmi les fleurs, sous la clarté d'un croissant de lune.

— Saloperie d'aubépines, siffla-t-elle.

Et elle s'engagea sur la pente abrupte.

Le père d'Al avait un cousin, et ce cousin avait écrit un jour, à Buchenwald, une lettre sur ces fleurs obstinées qui poussent entre les traverses des chemins de fer. Quarante mots, même pas, griffonnés sur un formulaire de la Croix-Rouge.

De jolies aubépines ont brisé les liens du passé. Ici, c'est le printemps. Le même printemps qu'ailleurs, et cependant si différent. C'est le printemps à Central Park, et je suis loin de Central Park.

La suite avait été censurée.

Helen avançait, espérant de toutes ses forces qu'elle ne faisait pas trop de bruit.

Son bourreau aussi vivait dans une prison. Une prison dont on commençait à pouvoir espérer percer les murs. Ce progrès aurait-il été possible s'il n'y avait pas eu les camps ? Grâce à eux, nous avons appris de quoi l'homme est capable, et notre subconscient n'est pas près de l'oublier.

— Si les Allemands ont pu accomplir leur œuvre de mort, alors je dois pouvoir accomplir mon œuvre de vie…

Leur œuvre de mort… Les accuser ainsi, n'était-ce pas céder à une vue superficielle des choses ? Les tueurs ont besoin d'un motif pour déclencher leurs pulsions ; et ils inventent toujours des motifs nouveaux. Jack l'Éventreur était une anomalie parce qu'il était en avance sur son temps. Le genre de crimes qu'il affectionnait appartient typiquement au xxe siècle. Et même à la seconde moitié du xxe siècle.

Helen traversa le chemin. Comme elle devait paraître étrange dans cet accoutrement ! La robe qui flottait sur ses jambes lui donnait un air médiéval… Combien de femmes, dans le passé, avaient éprouvé ce qu'elle éprouvait en ce moment ? Combien avaient fui en pleine nuit, ainsi vêtues, chaussées de sandales, enveloppées dans une robe de fortune ? Femme-victime, femme-sorcière, femme en fuite dans la nuit épouvantable. Utérus qui tressaille. Jambes qui gonflent. Cerveau de guérisseuse tout empli de mystères…

Dans le noir, un bruit se fit entendre. Un cliquètement.

Mon Dieu ! Il était là. Déjà ! À ses trousses, cent pas derrière. En train de se frayer un chemin parmi les fleurs. Elle n'avait pas eu deux minutes de répit. On ne lui laisserait donc aucune chance…

Qu'avait-il l'intention de lui faire, maintenant ? Qu'avait-il en tête ? Et elle, aurait-elle la force de se battre ? Elle ne savait même pas comment s'y prendre pour se défendre.

Elle heurta un arbre. Si violemment qu'elle s'écorcha la peau du front. Elle sentait la déchirure, le sang qui lui coulait sur le visage et déjà atteignait l'œil droit. Sa tempe se mit à bourdonner. Une douleur sourde. Maintenant, Helen était salement commotionnée.

Et cette pente de plus en plus raide ! Une horreur… Chaque fois qu'elle faisait un pas en avant, elle dégringolait d'un demi-pas. Elle se retrouva bientôt en train de ramper sur un matelas d'épines de pin, de respirer toutes les poussières de la forêt. Et cette robe absurde qui s'accrochait aux branches ! Helen sentait l'autre, derrière elle, qui grimpait sans faiblir.

Elle se dit tout à coup qu'elle n'y arriverait jamais. Et, un instant plus tard, elle comprit qu'en fait il n'essayait pas de la rattraper.

C'était pire qu'un cauchemar. L'empêcher de fuir ? Pourquoi ? C'était inutile. Il lui suffisait de courir derrière elle. Jusqu'à ce qu'elle s'épuise toute seule. Quand elle n'aurait même plus la force de mettre un pied devant l'autre, elle s'écroulerait. Et lui, il n'aurait plus qu'à la ramasser.

Mais ce cliquètement ?

Il devait traîner une chaîne avec lui. Helen essaya de forcer l'allure, de gagner de la vitesse, en vain. Elle ne parvenait pas à faire de plus grandes enjambées, ni à glisser moins souvent. Soudain, sa robe se prit dans une branche et se déchira, comme arrachée brusquement par une main crochue et perverse.

Ayant dénoué le bout de tissu qui lui servait de ceinture, elle abandonna la robe, puis se remit en route, sans autre bouclier que sa peau nue pour affronter l'écorce des arbres et des branches. Elle parvint à progresser sensiblement. Mais bientôt, elle entendit un craquement derrière elle. C'était lui. Il devait essayer de se dépêtrer de la robe emmêlée dans les branches. Elle ne se retourna pas. Elle ne tenta pas d'en savoir plus. Qu'il s'étouffe dans ce couvre-lit !

Mais un instant plus tard, le bruit de chaîne lui parvint de nouveau. Plus proche qu'avant.

— Pourquoi ? dit-elle d'une voix haletante. Pourquoi…

Il existait une réponse. Mais Helen n'arrivait pas à mettre des mots dessus. Elle en percevait seulement l'écho, l'écume, le signe…

Vivement, il lui saisit la cuisse gauche, puis la lâcha. Il venait de rattraper sa proie. Il avait mis la main sur elle. Elle avait bien entendu qu'il se rapprochait ! Elle grogna et, avec effort, bondit en avant. De la main, il la toucha encore, en s'attardant un peu plus cette fois.

116

Puis il marqua une pause. Il respirait fort. *Il est comme toi, ma fille, à bout de souffle. Il te pelote les fesses parce que c'est tout ce qu'il est encore capable de faire ! Il ne peut pas aller plus loin. Ou il ne veut pas.*

Et il se dit que tu es en train de le battre. À cet instant, à cet instant même, il pense : « Elle m'a eu. » Il a compris que tu allais bientôt toucher au but. Quel que soit le but. Quelle que soit la maison sur laquelle tu vas tomber dans ce bois. Il n'a plus la force de suivre.

Oui, il avait essayé de l'arrêter. Et elle en découvrit bientôt la raison. La pente devenait moins raide, tout à coup. Helen était arrivée au sommet ! Encore quelques pas, et elle s'aperçut qu'elle titubait dans un grand pré. Une herbe pâle s'inclinait sous la brise ; on entendait le sifflement du vent dans les pins.

Étrange ; elle avait atteint le plateau, au sommet de la montagne. Elle l'avait surpris. Jamais il n'aurait cru qu'elle arriverait jusque-là.

Mais cela restait une victoire à la Pyrrhus. Elle chancela, telle une biche blessée. Elle cherchait sa respiration. Elle trébuchait à chaque pas, comme quelqu'un qui va perdre connaissance. Pourtant, elle avait bel et bien creusé la distance. Elle n'entendait presque plus ce bruit de chaînes – ou de menottes ? Lui parvenaient juste de faibles grognements, comme d'un homme à bout de forces.

La maison de Kevin – mon Dieu, faites qu'il n'ait pas éteint les lumières. Elle appela :

— Au secours…

La voix était pitoyable. Le croassement d'un oiseau épuisé. Le dernier gémissement d'un chien à l'agonie.

— Au secours !

C'était mieux. Légèrement mieux. Le souffle revenait.

Helen commença à descendre lentement le long pré en pente douce entouré d'arbres noirs. Puis, forçant l'allure, elle continua en sautant parmi les fleurs blafardes et les insectes nocturnes. Elle devait ressembler à un fantôme. Peut-être à une déesse.

Des milliers d'années auparavant, il y avait eu une nuit de pleine lune. Une nuit de fertilité. Une de ces nuits où le ventre s'emplit de semence. Et une mère, dans ses entrailles, avait conçu notre espèce – notre fragile espèce.

— Pourquoi me détestez-vous ? hurla-t-elle. Pourquoi ? Pourquoi ? Pourquoi les femmes sont-elles obligées de supporter toute cette merde ? Pourquoi ?

Elle aurait voulu crier encore, mais ce fut impossible. Plus rien ne sortait de ses poumons, hormis un mince filet d'air. Et c'est dans un murmure qu'elle ajouta :

— Fumier. Allez vous faire foutre…

C'est alors que… Non. Ce n'était pas possible ! Ce n'était pas réel. Là-bas scintillait une faible lumière blanche. Un porche, et une lampe suspendue au-dessus de la porte. docteuroit devant, au milieu du bosquet d'arbres. Oui… Quelle heure était-il ? Plus de neuf heures, sans doute. Mais il sera encore debout. Bien sûr…

Et s'il n'y avait personne ? Alors tant pis. Elle enfoncerait la porte. Elle trouverait un couteau. Une arme à feu ! Un téléphone, de toute façon.

— Au secours ! Au secours !

Une montée d'adrénaline. Helen allongeait la foulée, à présent. L'idée qu'elle courait nue dans la nuit pour la première fois de sa vie la visita soudain comme une pensée poétique.

C'était une de ces maisonnettes typiques de la Nouvelle-Angleterre. Jolie comme une boîte à sel, accueillante, merveilleuse. Un enchantement. Des rayons dorés filtraient à travers les fenêtres. À l'intérieur, une porte entrebâillée laissait entrevoir la cuisine baignée de lumière blanche. Sur le rebord des fenêtres s'alignaient des bacs à fleurs.

Kevin. Cher Kevin. Un garçon bien comme il faut. Propre sur lui.

Derrière elle, le cliquètement des menottes avait complètement cessé. Ce salaud hésitait. Il ne savait pas comment faire face à cette situation...

Mais ce n'était pas le moment de tout mélanger. Il allait falloir lancer une grande chasse à l'homme. Quand on l'aurait attrapé, il serait temps d'étudier son cas. Elle irait le visiter en prison, elle analyserait sa personnalité. Puis elle écrirait quelque chose sur cette monstrueuse créature. Un tueur. Il avait déjà des victimes à son actif, Helen en était sûre, à quatre-vingt dix pour cent.

Elle frappa à la porte. Pas de réponse. Elle tapa au carreau à plusieurs reprises. Rien. Elle revint à la porte, puis à la fenêtre. Puis de nouveau à la porte. Cet imbécile était à Tarleton. Soirée au grand théâtre Ritz ! Pas de doute. Ou alors il était allé faire une partie de cartes chez quelqu'un du coin. Ou bien on l'avait invité à dîner. Helen cogna plus fort contre la porte. Toujours en vain. Kevin ne venait pas. Il ne viendrait pas.

Elle essaya de tourner le bouton de la porte – et la porte s'ouvrit. Habitudes de province. C'est comme ça à la campagne : on ne ferme pas à clé. Quand la mésaventure du docteur Helen Myrer aurait fait la une des journaux, ils changeraient peut-être leurs habitudes.

Helen entra et referma la porte derrière elle. Elle s'aperçut alors qu'il n'y avait pas de verrou. Juste une serrure à double cylindre. Trouver un couteau, vite, une arme, n'importe quoi... Le téléphone ! Et tout ce qui lui tomberait sous la main pour se défendre. Dans une minute, il serait là, aucune illusion à se faire sur ce point. Plus vicieux que jamais. Fou de rage d'avoir vu s'effondrer tout son plan.

Helen avait le sentiment de s'être tout juste échappée d'une cave. D'être revenue d'un passé lointain, primordial. Elle était grande. Elle était nue. Elle se sentait bizarre – créature échouée soudainement dans cette gracieuse et douillette petite boîte à sel, dans cet intérieur confortable meublé de sièges rembourrés, équipé d'une vieille radio et... Tiens, ici aussi il y avait de vieux magazines...

— Kevin !

Silence. Elle appela de nouveau :

— Kevin !

Silence. Il n'y avait aucun bruit dans cette maison. Et dehors non plus. Helen se rendit dans la cuisine et commença à fouiller dans les tiroirs. Elle était sur le point de se décider pour un grand couperet, quand une voix la fit sursauter.

Il était là, le visage éclairé par un demi-sourire. Et il la menaçait d'un revolver.

— Kevin ?

Kevin approuva d'un air enthousiaste.

L'espace d'un instant, le cerveau d'Helen cessa de fonctionner. L'autre émit un petit bruit, une sorte de rire étouffé, comme un gosse qui a fait une bonne farce et se demande quelle punition il va récolter.

Kevin était donc ce... Oui, il était cette créature. Kevin, un être inoffensif. Un de ces êtres que l'on remarque à peine et que l'on oublie aussitôt. Alors ce petit homme... Oui, ce petit homme était mauvais. À quel point, elle ne le savait pas encore. Mais elle savait qu'il l'était.

Elle remarqua les menottes qui pendaient à sa ceinture. Elle avait horreur d'être entravée. Elle ne voulait pas de ça...

Il releva les sourcils et tourna légèrement la tête de côté.

— Je regrette, docteur Myrer.

Il avait prononcé ces mots d'une voix faible, en insistant sur le mot *docteur* avec dégoût, comme s'il avait eu dans la bouche quelque nourriture répugnante. Helen frissonna.

— Je ne suis pas docteur, dit-elle, mais psychanalyste.

Il vint plus près d'elle.

— Allons, dit-il, laissez-moi vous faire visiter la maison.

Il s'éloigna et commença à s'affairer dans le séjour.

— Là, dit-il, vous avez l'année 1958.

En apparence, il semblait indifférent au fait qu'elle pouvait tenter de s'échapper. Mais le canon du revolver ne s'éloignait jamais de sa cible. Et sa cible, c'était le ventre d'Helen.

Reprenant soudain conscience de sa nudité, elle se couvrit comme elle put.

— Vénus sortant des eaux, dit-il.

Il agita le revolver pour l'attirer à lui.

— À terre, dit-il.

De sa main libre, il indiquait le sol.

Helen s'accroupit, telles ces femmes qui autrefois cueillaient des racines dans la terre ; et elle poussa un gémissement, comme atteinte par une violente douleur.

— Ainsi commence le jour le plus important de votre vie, dit-il.

Et il ajouta :

— Chère dame toute nue.

Il se remit à tirer des magazines d'un panier, près d'une chaise recouverte d'un tissu à motif floral. Mai 1958. Mars 1958. Décembre 1957. C'étaient des exemplaires du *Saturday Evening Post*. Helen fut prise de sanglots. Des sanglots rapides comme les soubresauts d'un moteur, et qui se succédaient en faisant tressauter son corps – son corps déjà brisé.

Il renifla, puis dit :

— Oh! je suis vraiment un couillon. Un couillon sentimental, tiens. Pas du tout un bon maître de maison, n'est-ce pas? Oh! je le sais bien.

Il s'approcha d'elle et la força à se courber encore plus. Puis, ayant fait un pas en arrière, il l'examina avec attention. Et, d'un mouvement de sa main libre, il enveloppa ce décor où tout évoquait les lointaines années 50 – l'époque où il avait perdu le contrôle de lui-même.

— Vous êtes tout de même la bienvenue, lança-t-il.

Et il ajouta :

— Ce n'est pas grand-chose. Du moins c'est une maison.

8

LA TRAVERSÉE DE LA NUIT

— Vous m'avez attirée ici, dit-elle.

Il cligna des yeux et s'éloigna. De quelques pas seulement, mais comme si elle eût soudain représenté un danger. Il craignait peut-être de la voir risquer quelque chose, tendre brusquement les bras pour le frapper, par exemple. Helen regarda les menottes qu'il gardait accrochées à sa ceinture. C'étaient de vieilles menottes. De vieilles menottes qui avaient beaucoup servi.

Et les mots qu'elle venait de prononcer semblaient l'intriguer, tout à coup. Il avait l'air d'y réfléchir avec attention. De nouveau il tourna la tête de côté. Helen comprit que c'était un tic.

Maintenant qu'elle pouvait l'observer, elle lui trouvait vraiment un air étrange. Ses cheveux d'un noir de jais formaient contraste avec la peau de son visage qui semblait trop blanche, comme poudrée. Le front était large, lisse. Ses joues brillaient de transpiration. Il avait de grands yeux mouillés – des yeux de chien battu. C'est vrai qu'en le regardant, on pensait à une bête. Mais une bête acculée, dangereuse. Helen remarqua son nez, mal développé, un nez d'enfant. La moue de sa bouche en cul de poule. Le battement menaçant de ses cils quand il clignait des yeux.

Il eut un petit rire, l'air de signifier qu'il avait percé bien des secrets chez sa prisonnière.

Combien de temps était-elle restée près de lui, inconsciente, après qu'il l'eut frappée avec le nerf de bœuf ? Plusieurs heures. Deux ou trois heures peut-être.

— Laissez retomber vos mains, dit-il. Je veux vous regarder.

Se forçant à obéir, elle abaissa les bras. Et elle se tint immobile, avec la prudence désespérée des victimes. Elle savait pourtant qu'elle devait réfléchir vite. Vite et bien. Mais elle n'arrivait pas à réfléchir. D'ailleurs, réfléchir à quoi ? Il l'avait attirée ici, capturée comme on capture un gibier. Il avait prévu toutes les réactions de sa proie. Il était très fort. Comment faire pour se montrer plus fort que lui ?

Elle aurait pu fuir dans une autre direction, tout à l'heure, quand elle avait quitté la cabane. Comment savait-il qu'elle prendrait de ce côté ? Mon Dieu, tout cela était tellement évident ! La falaise qui surplombait le lac condamnait toute issue, et elle avait déjà essayé le chemin. Et puis, il y avait eu cette brève conversation à l'agence Matthias, sur la maison de Kevin située à dix minutes de la cabane… C'était plus qu'il n'en fallait pour se jeter dans la gueule du loup.

— Vous êtes fort, dit-elle.

Il approuva d'un hochement de tête. Elle voulait bien l'admettre et il en prenait acte poliment.

Helen comprit qu'elle allait devoir faire preuve de volonté. C'était son seul salut, maintenant. Aussi longtemps qu'elle arriverait à l'empêcher de la toucher, elle resterait en vie. Il n'avait pas seulement l'intention de la tuer. Il voulait aussi lui prouver sa supériorité sur elle. Si elle voulait rester vivante, elle allait devoir se battre – se battre jusqu'à ce qu'il perde patience, bien sûr.

Il semblait venir d'un autre monde, cet inquiétant petit homme, avec son short noir, ses bretelles, sa chemise à col ouvert et ses baskets montantes. Rien que dans cette façon de s'habiller, on sentait le petit garçon. Et ses magazines, c'était pareil. Tout cela parlait de l'enfance. Une enfance que l'on avait tuée.

Avec un geste qu'il voulait élégant, il se pencha vers le sol et saisit un anneau sur lequel il tira. Une trappe s'ouvrit en grinçant. Helen baissa les yeux vers un gouffre noir.

Agitant sa main grassouillette, il l'invitait maintenant à descendre. Le sourire qui s'étirait sur son visage exprimait des émotions violentes et secrètes. Horrifiée, Helen fit un pas en arrière.

— Allons, soupira-t-il d'un ton empreint de lassitude. Il le faudra bien.

Poussée par le courant d'air, la porte de la cuisine s'était ouverte derrière elle. Helen avait senti passer sur sa peau le souffle de la nuit.

D'un pas dansant, il s'approcha et, d'un doigt délicat, lui effleura la tempe.

— Je n'aimerais pas être contraint de vous frapper de nouveau, dit-il avec une voix traînante et sardonique. Cela risquerait d'occasionner des dégâts dans le cerveau…

À l'entendre, on aurait cru qu'il parlait d'un rhume, ou d'un début de grippe.

Helen n'arriverait jamais à descendre de son propre gré dans cet horrible trou. Trouver un moyen de détourner son attention, vite. Lui parler de lui ? L'amener à parler de lui.

— Quel âge avez-vous ? demanda-t-elle soudain.

— J'ai l'âge que j'ai, répondit-il. Descendez, maintenant. Ou préférez-vous que je vous montre pourquoi vous avez tout intérêt à obéir ?

Méthode clinique : répondre à une question par une autre question.

— Pourquoi ? dit-elle.

— Vous feriez mieux d'obéir, madame…

— Je m'appelle Helen.

— Je sais comment vous vous appelez, docteur Myrer. J'ai lu ce stupide formulaire.

Il la fixait d'un regard vif. Elle ne détourna pas les yeux.

Et, comme surpris de sa propre réaction, il laissa retomber la trappe.

Le bruit arracha un cri à Helen. Lui écarquilla les yeux, l'air satisfait. C'était inattendu. On eût dit, à voir sa tête, qu'il venait de réussir un coup formidable. Un rire jaillit de sa gorge. Le rire d'un gosse qui vient de surprendre quelqu'un dans son intimité.

Helen regarda la porte d'entrée. Une porte solide, en bois massif, percée d'une fenêtre en demi-lune ouverte sur la nuit. Y avait-il une route à proximité ? Des voitures ? Des gens susceptibles de lui porter secours ?

Elle savait comment la porte fermait – inutile de s'y attarder de nouveau. Serrure à double cylindre. Deux clés étaient nécessaires.

Elle cessa de réfléchir. La porte de derrière, plutôt. Celle qui donnait sur la cuisine. C'était une porte presque entièrement vitrée. On devait pouvoir la briser facilement. Elle nota que toutes les fenêtres étaient équipées de verrous.

Puis elle considéra sa prison. Une petite maison. À gauche, c'était le séjour. Kevin venait d'aller s'y asseoir tranquillement. Il avait pris place dans un canapé crasseux jadis couleur bordeaux. Il semblait indifférent, comme d'habitude, au fait que la prisonnière puisse tenter de s'enfuir. Combien de fois avait-il déjà accompli ce genre de choses ? se demanda-t-elle.

Se détournant, elle se dirigea vers la cuisine, où flottait une odeur de bacon frit et de jus d'orange. Elle traversa vivement la pièce, et se jeta les poings en avant dans la porte vitrée. Mais le verre était renforcé par une armature en fil de fer et, au lieu de se briser en morceaux, il s'enfonça sous les poings d'Helen.

Et le sang coula. Elle recula, blessée à l'avant-bras d'où jaillissaient de fines gouttelettes pourpres. Elle n'avait pas cassé la porte. Juste fait un petit trou dans le verre. Et elle saignait. De plus en plus. Impossible de s'attaquer de nouveau à cette porte ! Elle risquait de se couper une artère, et d'aggraver encore sa situation.

Elle s'approcha de l'évier. Sur la paillasse reposait un gant épais qui devait servir à ouvrir le four. Elle le prit et le posa sur sa blessure pour étancher le sang.

Mais Kevin avait déjà accouru. Il ouvrit le robinet, saisit le bras d'Helen et le plaça sous le filet d'eau. Helen ressentit une brûlure. Il la regarda en plissant les yeux.

— C'est raté, dit-il.

Après lui avoir enroulé des serviettes en papier autour du bras, il la prit par les épaules et l'entraîna dans le vestibule, puis le long d'un couloir. Il la poussa alors dans une salle de bains carrelée de bleu et de blanc.

— Il faut du Mercurochrome, dit-il. Je vais vous soigner. Et vous allez avoir besoin d'une piqûre antitétanique.

Tout en parlant, il lui tapotait les fesses. Sa main s'attarda même un moment à cet endroit. Une main onctueuse, comme gantée de peau. Puis il s'empara d'un vieux flacon d'antiseptique. Il l'ouvrit et, à l'aide de la petite canule, répandit du produit sur la blessure ombrée de noir.

— Vous avez de la chance, dit-il.

Elle sursauta. La porte de la salle de bains s'était refermée bruyamment. C'est lui qui l'avait claquée d'un coup de pied. Il se tourna vivement vers la porte, lui aussi, comme embarrassé par son propre geste. Puis il s'employa à panser la plaie, en expert, en serrant bien le bandage de façon à faire le plus mal possible, et en lui écorchant au passage la peau avec ses ongles. Helen en profita pour observer les lieux. Désespérée, elle vit que même la petite fenêtre de cette pièce était munie d'un verrou.

Il croisa les bras. Maintenant il la regardait fixement, l'air de la tenir à sa merci.

— Quoi ? dit-elle.

— Vous avez besoin d'un piqûre antitétanique.

— Écoutez, vous n'avez pas de sérum. De toute façon, je ne me laisserai pas piquer par vous. Même si ma vie en dépendait. Ce qui est le cas d'ailleurs…

— Vous ne savez pas ce que j'ai ici ! Et si je possédais un produit anticancéreux, hein ? Vous voulez essayer ?

Dix ans d'âge mental, pensa-t-elle. Jamais elle n'avait eu affaire à un cas pareil. Ce n'était pas un débile. Mais il avait dix ans d'âge mental…

Il leva le bras et la frappa de sa main fermée, pareille à une tête de serpent. Helen tomba à la renverse par-dessus le bord de la baignoire. Il lui donna alors un autre coup sur la cuisse droite – un coup de pied vicieux, du bout de sa chaussure. Helen haleta. Elle cherchait à la fois de l'air et la force de se remettre sur ses jambes. Dieu qu'il lui avait fait mal ! Oh, Seigneur !

Il était en train de la piquer à la cuisse !

Ce fut sans doute le plus affreux instant de sa vie. Tout en poussant un grondement de rage, elle parvint à se remettre debout. Elle se prit la cuisse à deux mains.

— Qu'est-ce que c'est ?

— Peu importe. C'est pour m'aider à mieux vous connaître…

— Qu'est-ce que vous m'avez injecté, espèce de sale con ?

Elle s'approcha de lui, le saisit par le gras du cou et le repoussa contre la porte. Il répliqua par un coup à la gorge. Ce fut soudain. Helen se mit à tousser. Elle n'arrivait plus à redresser la tête. Comme elle se recroquevillait, elle reçut un coup de genou dans la mâchoire. Un coup si dur qu'elle sentit sa gouttière se briser dans sa bouche. Elle la cracha. Les morceaux de plastique sanglants tombèrent sur le sol.

Il eut une réaction de surprise quasi enfantine.

— Qu'est-ce que c'est ?

— C'est un appareil dentaire. C'était, je devrais dire…

— Un appareil dentaire ? Pour quoi faire ?

— Une gouttière antistress…

— Ici, vous n'en aurez pas besoin.

Elle sentait que son rythme cardiaque commençait à changer. Elle s'était remise debout mais elle avait les jambes lourdes. La peur déferlait dans ses veines. Il l'avait droguée.

— Mon Dieu, je vais mourir. Mourir…

Sa propre voix lui semblait lointaine, comme venue du fond de sa mémoire.

Des deux mains, il la saisit par les joues et l'obligea à relever la tête.

— Où sommes-nous ? dit-il. Dans le Vermont ?

Il la testait. Il voulait estimer les effets de sa piqûre.

— Non, dans le New Hampshire, répondit-elle, méfiante, et avec difficulté tant sa langue était lourde.

— Bravo, chérie. Vous êtes encore en mesure de marcher ?

Elle sentit qu'il l'emmenait. Et elle le suivait. C'était comme être tenue en laisse. Elle pensa vaguement que ce salaud avait décidément la main leste, puis elle s'écroula.

Quand elle reprit conscience, elle s'aperçut qu'elle avait le visage enfoui dans un drap. Pas vraiment propre, le drap. Elle aurait voulu crier, protester, mais les cordes vocales ne répondaient plus. Elle n'arrivait même pas à gémir. Elle était assommée. docteuroguée.

Mais tout allait bien. Tout était chaud…

Non ! Tout n'allait pas bien !

— Espèce de salaud… Qu'est-ce que vous m'avez…

Elle se parlait à elle-même. Et seulement dans sa tête. Elle n'aurait pu articuler un seul mot. *Quel produit m'a-t-il refilé, ce fumier ?* Mais ses efforts ne servaient à rien. Et cette couverture grise était douce.

Surtout ne t'endors pas !

Il lui sembla que quelqu'un lui parlait. Quelqu'un récitait un poème. Un poème qu'elle ne connaissait pas. Elle n'arrivait pas à suivre l'enchaînement des mots, des sons… C'était une voix hypnotique. Et cette voix l'entraînait vers certain recoin de son esprit. Un recoin où brillait un peu de lumière. La lumière grandit, et c'était la lune, la pleine lune en train de fondre sur la terre. Une lune au visage rieur qui s'apprêtait à engloutir le monde et à l'emmener, elle, Helen Myrer, avec l'intention de lui faire traverser la sombre rivière.

Surtout ne t'endors pas !

— De la pleine lune tomba Nokomis, disait la voix…

Nokomis ? Qui était Nokomis ? Un vague souvenir s'agita dans son esprit. Oui ! bien sûr, Nokomis. La lune-mère. C'est dans une chanson. « La Ballade de Hiawatha. » Mais cet effort de mémoire était trop épuisant pour le cerveau d'Helen. Nokomis fut engloutie dans la nuit bleue, ses rayons se mêlant aux cheveux d'Helen…

Une douleur, soudain, lui opprima la poitrine. Elle avait besoin de lui dire que sa saloperie de drogue était en train de lui provoquer une paralysie du diaphragme. Mais elle ne pouvait toujours pas parler ! Les mots se coinçaient dans sa gorge. Ils n'arrivaient plus à sortir. Helen se sentait de plus en plus oppressée. Elle étouffait ! Quelque chose en elle s'était brisé. La lune apparut de nouveau. Mais maintenant, c'était sa face de lune à lui qu'elle voyait, et cette face montait, descendait, et sa peau à lui claquait contre sa peau à elle ! Est-ce que Face-de-Lune s'amusait à sauter sur le lit ? Elle aussi jouait à ça autrefois, quand elle était petite…

Il se transforma soudain en gros nuage, et s'abattit sur elle. Elle crut être écrasée par une forme immense. Le crash d'un avion en flammes. Il était sur elle. Elle respirait son odeur.

— *Au revoir, bébé…*

Était-ce sa mère ? Était-ce sa mère qui lui chantait une comptine ?

— *Au revoir, bébé. La nuit est tombée…*

Helen n'avait pas entendu cette comptine depuis si longtemps ! Elle était toute petite alors…

C'est la fin, pensa-t-elle. Les derniers instants d'Helen Myrer. Al ! Oh, Al… Je ne pleure pas, tu vois. D'ailleurs, ce n'est pas mon genre de pleurer. Tu le sais bien. Ta mère était assez choquée de voir que j'arrivais à garder les yeux secs même devant ton cercueil d'acajou ! Mais je t'aimais, Al, c'est sûr. Vous aussi, les enfants, je vous aime. Votre maman est en train de mourir.

Tu te rappelles, Al, comme je te retenais la tête, quand elle tombait ? Tu ne pouvais plus garder la tête droite. Et je faisais tout ce que je pouvais pour t'aider à conserver ta dignité.

— Respire !

Vraiment je ne vous comprends pas. Moi, je ne pourrais pas piquer quelqu'un sans le connaître. Sans rien savoir de lui…

Helen se mit à respirer mieux. De l'air chaud s'écoulait dans sa gorge. Des confins brumeux de sa conscience, elle comprit que des doigts s'étaient introduits entre ses lèvres, et qu'ils lui tenaient la bouche ouverte… Hé ! Est-ce qu'il était en train de lui faire du bouche-à-bouche ? Il n'avait plus l'intention de la tuer, alors ?

Oui, il lui faisait le bouche-à-bouche. Respiration artificielle ! Pendant ce temps, deux religieuses vêtues de noir gravissaient une montagne. L'une d'elles prononça ces mots :

— Voici l'Arche de l'Alliance.

L'Arche de l'Alliance… Helen n'arrivait pas à suivre les pensées déclenchées par ces mots. Elle ferma les yeux et remercia les deux nonnes pour leur miséricorde. L'Arche de l'Alliance… Une alliance, peut-être, s'était nouée avec cet homme. Cet homme qui voulait la tuer et en même temps la garder en vie.

Elle ignorait que la dose avait été calculée pour ne pas être mortelle. Presque mortelle, mais pas complètement. Et maintenant il jouait les sauveteurs. Respiration artificielle.

Mais pour Helen, c'était le noir complet. Elle ne se rendit compte de rien quand il s'étendit auprès d'elle. Pourtant, la respiration redevenait normale. Il cala sa tête contre l'épaule d'Helen. Des doigts, il lui palpait légèrement le sein. Il cherchait à percevoir les battements du cœur. En même temps, il priait son dieu diabolique. Il priait pour que sa proie reste en vie.

De cette nuit, elle ne garda d'autre souvenir que celui d'un parfum familier, le parfum d'un chandail en laine épaisse orange et marron que portait Al. Elle crut sentir aussi l'odeur qui émanait de son mari. Belle, agréable, puissante. L'odeur de l'homme qu'elle avait accueilli en son âme, en lui ouvrant tout grand la porte.

Il restait blotti contre elle, tel un petit chien.

— Oh, Al, murmura-t-elle.

Et elle poussa un profond soupir pareil aux soupirs d'autrefois, quand elle s'éveillait dans la douceur d'un dimanche matin, et qu'elle se faufilait entre les draps pour aller enlacer son homme.

Mais c'est une voix coupante qui lui répondit.

— Salut, Helen.

Elle s'aperçut que l'odeur qu'elle respirait n'était pas celle du chandail mais celle d'une vieille couverture. Puis elle se rappela qu'Al était mort. Depuis plusieurs années. Elle voulut écarter la couverture mais, au moindre mouvement des bras, elle sentait craquer ses articulations.

C'est alors que le désespoir s'abattit de nouveau sur elle. Avec la même puissance. Ce désordre... Elle était là. Et lui aussi, le salaud ! Il lui avait même passé les menottes ! Donc, c'était le début de la fin. Elle devinait déjà les commentaires des collègues : « Helen Myrer, mourir de cette façon ! Quelle ironie du destin... »

Elle essaya de remuer les poignets, en vain. Puis les chevilles ; et elle fut presque soulagée de découvrir qu'elle avait les jambes libres.

— Une magnifique journée, s'exclama-t-il en traînant sur la fin du mot *journée* – ce qui donna à Helen envie de hurler.

Il reprit :

— Je crois que nous avons besoin d'un petit déjeuner.

Il la scrutait en battant des paupières.

— Ma chère et tendre.

— Qu'est-ce que vous dites ?

— Tu as besoin d'un bon café. Un café *mucho grande* !

Il lui fit signe de se lever, et elle obéit aussitôt. Un autre mouvement de la tête – sec, froid – et elle se mit debout.

C'était absurde de se dépêcher ainsi, mais elle n'avait pu faire autrement. Elle était en train de devenir soumise. *Attention, ma fille ! Attention ! Ce que tu dois faire, c'est te battre pour rester en vie. Tu ne dois pas – j'insiste : tu ne dois en aucun cas entrer dans son jeu et te mettre à ramper...*

La psychanalyste clinicienne était toujours là. Quelque part en elle. Elle n'était pas vaincue, oh ! non. Helen rejeta la tête en arrière. Aussitôt, il réagit d'un regard. Elle savait exactement ce qu'il attendait d'elle. Or, par ce mouvement de la tête, elle venait de lui montrer qu'elle n'avait pas encore accepté de se plier à sa loi.

Voilà qui était d'une morne banalité. Les rares femmes qui avaient eu la chance d'échapper à un tueur pathologique racontaient toutes la même chose. Et les tueurs pathologiques aussi disaient toujours la même chose :

— Tout d'un coup, j'ai senti que mon couteau s'enfonçait dans quelque chose de mou, vous voyez. Et elle s'est écroulée. Comme un sac.

— Et qu'avez-vous ressenti à cet instant ?

— Une impression... L'impression que j'étais en train de la tuer.

Sur cette impression, on avait créé des œuvres d'art.

Helen, les mains menottées dans le dos, se laissa pousser par Kevin dans le vestibule, puis vers le séjour. Il la poussait comme on pousse une charrette... Mais l'art, c'était quoi ? Rien d'autre qu'un reflet de l'être. Ce qui lui arrivait en ce moment, c'était de l'art. Une forme d'art entièrement nouvelle, dans laquelle se reflétait un degré de violence que l'homme avait découvert en lui au cours d'une période récente. Raison pour laquelle, peut-être, les crimes de ce genre avaient conservé leur fraîcheur : ils étaient d'une facture moderne, ils portaient encore la marque de leur époque.

Helen se tourna vers Kevin et vit que ses yeux scintillaient. Seuls des yeux d'artistes peuvent s'exprimer avec une telle clarté, pensa-t-elle.

— Qu'est-ce qui ne va pas, chérie ? Qu'est-ce que tu veux ?

Essayant de surmonter le dégoût qu'il lui inspirait, elle fit cliqueter ses menottes.

— Je veux… Je pourrais peut-être vous préparer votre déjeuner…

— Ah ! tu réfléchis encore à un moyen de te débarrasser de ces bracelets ! Allons, allons. Il ne faut pas réfléchir. Quand tu arrêteras de réfléchir, tout ira beaucoup mieux.

Sur quoi il éclata de rire, à pleins poumons, et son rire mourut bientôt en un long ricanement.

— Qu'est-ce que tu dirais d'un bol de céréales ? demanda-t-il. Des céréales aux raisins secs, par exemple. Je sais que tu aimes ça.

Sa voix descendait vers les tons graves, maintenant, comme s'il cherchait une sonorité plus profonde.

— Tu es une jolie poupée, tu sais.

— Je me sens très mal…

Il répondit d'un haussement d'épaule. Il s'en foutait qu'elle se sente mal. Il la tenait en son pouvoir.

Et la psychanalyste ? Tu as oublié la psychanalyste ?
Tu es psychanalyste, ma fille ! Ne laisse pas ce pauvre
type, ce malade mental te déposséder de ça ! Vas-y.
Comment réagit la professionnelle devant un pareil
cas ?

— Vous savez qui je suis ? Ce que je fais ?

— Et comment ! Tu es une psy. C'est pour ça que je
t'ai amenée ici.

— Ici ?

— Oui, ici. D'habitude, on reste en bas. Au Vieux
Secret. Le gardien du Vieux Secret, c'est moi. Alors forcément. On reste à la cabane.

Tout en parlant, il s'était mis à disposer des bols et
des verres sur la table.

— Tu sais, Helen, c'est formidable d'avoir quelqu'un avec qui parler. En général, elles ne disent rien.
Elles n'ont pas le cœur à ça…

— En général ?

— Au fait, ton surnom, c'est comment ?

— Je n'ai pas de surnom. Je suis Helen. Seulement
Helen.

Il n'avait pas besoin de savoir que ses intimes l'ap-
pelaient Lena.

— Foutaises, reprit-il avec l'assurance teintée d'ennui d'un morveux satisfait.

Il versait des céréales dans les bols.

— Tu as un surnom. Quand on s'appelle Helen, on
a forcément un surnom.

Elle s'assit devant un bol. Il répandit du lait sur les
céréales, puis s'arrêta en secouant la tête comme pour

dire : « Ça suffit. » Ayant plongé la cuillère dans le bol, il la lui présenta.

— Vous l'avez assaisonné aussi ? demanda-t-elle.

Il sourit.

— Oh ! c'était juste pour que tu me connaisses un peu mieux…

— Vous pouvez vous vanter d'avoir réussi votre coup.

Il poussa la cuillère entre les lèvres d'Helen.

— Mais tu recraches tout !

Il mit la cuillère dans sa propre bouche et mâcha.

— Évidemment, dit-il, c'est moins bon. C'est moins bon parce que je ne suis pas dedans. Si j'étais dedans, tu te régalerais.

Il lui présenta de nouveau la cuillère. Elle s'efforça de surmonter son dégoût. Il reprit :

— Tu penses qu'il y en avait beaucoup ?

— De céréales ?

— Non, d'urine.

— C'était une farce. Rien qu'une farce…

— Et maintenant, c'est une farce ?

Helen avait détourné la tête. Kevin la considéra en plissant ses yeux bizarres.

— Je sens que je vais avoir du boulot, avec toi.

— Avant de me trucider, vous voulez dire ? Pourquoi vous ne vous contentez pas de me tuer ?

Il se mit à manger rapidement. Puis il s'arrêta pour dire :

— J'ai été élevé par une louve.

Il rejeta la tête en arrière et poussa un long hurlement qui mourut dans un gargouillement stupide accompagné de projections de céréales.

— Ça m'a pas mal perturbé. Tu ne vas pas trouver ça surprenant, j'imagine. La mère ! Tout est là...

— On pourrait essayer de comprendre la vôtre, si vous voulez.

— Parce que tu crois vraiment qu'il y a quelque chose à comprendre !

— Oui. Ce qu'elle a fait. Ce qu'elle vous a fait.

Il lui lança un regard dur, puis revint à son bol de céréales. Helen reprit :

— Pourrais-je savoir ce qui m'a rendue malade comme ça, Kevin ? Quel produit m'avez-vous inoculé cette nuit ?

— À qui crois-tu avoir affaire ? À un sale type ?

— J'ai peur. Ce n'est pas normal ?

— Ça te va bien d'avoir peur. Mais c'était rien. Juste un peu de saloperie. Du phénobarbital.

En fait, il pouvait lui faire tout ce qui lui plaisait. Telle était la situation. Elle leva les yeux vers lui. Il sourit.

— Tu te sens déprimée, hein ? C'est dur d'attendre. Pas vrai ?

— Qu'est-ce qui m'attend ? Je peux savoir ?

— C'est moi qui décide, chérie. Toi, tu découvres.

Il se pencha, lui attrapa le poignet, glissa la cuillère sous le bandage serré et appuya. Helen garda les mâchoires fermées. Kevin appuya plus fort. Et tout en appuyant, il grognait. Bientôt il appuya et grogna encore plus fort. Helen serrait le poing. Ses doigts lui faisaient mal, à cause de cette blessure sous l'ongle qu'elle s'était faite avec la clé. Avec un cri perçant,

142

Kevin donna une violente poussée. Helen hurla à son tour.

— Tais-toi !

Elle obéit aussitôt.

— Tais-toi. Mange ! Tu manges trop lentement. Tu n'as pas entendu parler de l'Inquisition ? Tu sais qu'ils brûlaient les gens...

— Oui...

— Et juste avant le bûcher, ils faisaient quoi ?

Il enfourna une bouchée de céréales qu'il mâcha longuement. Il avait l'air d'un rat.

— Juste avant de les tuer, ils les forçaient à s'habiller. Et ils les emmenaient dîner. Un grand dîner, avec des jongleurs et toutes sortes d'amusements. Après quoi ils les conduisaient au bûcher.

Helen nota qu'il reprenait sa voix d'enfant chaque fois qu'il parlait de tortures.

— Elle vous brûlait ?

— Ma mère était quelqu'un de formidable. Et j'apprécierais beaucoup que tu t'abstiennes de me faire le coup de la maman-qui-a-rendu-fou-son-petit-garçon, vu ? Vu, espèce de pauvre merde ? Il y a des enfants qui ont de bons parents, figure-toi ! Des parents qui les aiment ! Tout le monde n'est pas comme toi. Tout le monde n'a pas eu des parents malades et cinglés comme les tiens !

— Elle vous torturait ?

— Non !

Si. Il avait même eu une sacrée mère. C'était évident. Voilà pourquoi il réagissait avec une telle hargne. Mais le père ? Il n'en parlait pas. Helen ne pouvait s'empêcher de penser que ce silence aussi devait signifier quelque chose.

— Et votre père ? C'était aussi quelqu'un de formidable ?

— Il était fermier, ici. Trente ans passés à cultiver la terre. Il est mort dans un champ de blé. En douceur.

— Il devait faire bon vivre ici, dans les années 50, non ?

— Dans le New Hampshire ? Avec cinq hectares de terre ? Qu'est-ce que tu racontes ? C'était la misère, oui ! Une misère infecte. On vivait comme des rats.

— Pourtant votre famille est restée…

— Les subventions de l'État, tu connais ?

Il la regardait fixement, comme pour la jauger. Elle en ressentit une brûlure à l'estomac. Et ses blessures se réveillèrent.

— Qu'y a-t-il ? demanda-t-elle.

— Je réfléchis.

— À quoi ?

Il eut un mouvement de la tête en direction de la cuisine.

— À cette trappe, là-bas.

Mon Dieu. La cave. Cette maudite cave. Elle l'avait presque oubliée.

Et elle sentait qu'il n'avait pas envie de la descendre lui-même dans ce trou. Ce qu'il voulait, c'est qu'elle y aille toute seule. De son plein gré.

— Votre maman vous enfermait dans la cave ?

— Qui ?

— Votre mère…

Il cligna des yeux.

— Non, dit-il en la regardant en face.

— Je pense que si.

— Écoute, je sais exactement ce que tu essaies de faire. Tu essaies de pénétrer dans mon esprit. Et c'est vraiment lamentable, pour une professionnelle, si tout ce que tu es capable d'imaginer, c'est que ma mère était une pute et mon père un homo, et qu'ils me tabassaient ou ce genre de conneries. Tu te trompes.

— Vraiment ?

— J'ai été élevé par des anges, docteur.

— Alors pourquoi êtes-vous comme ça ?

Il secoua la tête.

— Peut-être que ça me plairait d'apprendre pourquoi je suis un être à ce point singulier, à ce point gâté par le sort. J'étais un gosse si intelligent ! Pourquoi ça ne marchait pas à l'école ? Là, j'étais nul. Aussi loin qu'il m'en souvienne, j'étais toujours dans les derniers.

— On dirait que vous êtes enragé contre le monde, mais que vous n'en voulez pas à vos parents.

— Tu es tombée sur un os, chérie. Un putain de mystère. Mets-toi bien ça dans le crâne. Tu penses avoir compris des trucs sur moi ? Pourquoi je suis comme ça ?

Il agitait la cuillère devant elle.

— Allons, madame la psychothérapeute. Vous n'êtes pas si forte que ça.

— Quelqu'un vous a mis dans une rage folle. Et cette rage, vous ne savez pas la contrôler.

— D'accord ! D'accord ! Je ne sais pas me contrôler. D'accord. En tout cas, je prends mon pied avec toi. Pas mal, pour un type qui ne sait pas se contrôler, non ?

Est-ce qu'il l'avait violée ? Non. Dieu merci. Il en était incapable, sans doute. Elle reprit :

— Vous êtes très… très méthodique, je trouve. Elle était comme ça, elle ? Quand elle vous frappait ? Ça faisait partie d'un rituel ?

— Bon. Je crois que je ferais mieux de te prévenir. Je suis une énigme. Une énigme pour la science. Tu vois, ma mère était une femme vraiment chouette. Et mon père était du genre vieux fermier anglais. Adorable et tranquille. Jamais ils n'ont levé la main sur moi. Je te le jure. Ils n'élevaient même pas la voix…

— Quelle dose de phénobarbital m'avez-vous injectée ?

— Un demi-baril !

— C'est pour ça que je me sens aussi calme ? J'ai envie de tout laisser tomber…

Il se pencha vers elle et lui fit une grimace, index enfoncés dans les joues et lèvres retroussées.

Mon journal
« Cette fois, je la tiens »

Voilà. Je finis par reposer ma plume sur la page, dans le carnet vert que tu as choisi pour moi. Je te regarde. Que tu es jolie !

Tu connais le plus gros secret de Tarleton Corners. Et ce secret, c'est que je suis moi.

J'ai préparé tellement de surprises !

Maman, tu portais des chaussures à talon. Un air magique flottait autour de toi. Cet air magique, et toi en blanc, en train de sourire. Et moi, maintenant, abandonné au Pays Sans Amour. Ce pays où vivent les enfants au cœur vide.

Docteur Helen, savez-vous seulement pourquoi vous êtes ici ? Vous avez tout inscrit sur ce formulaire, le formulaire de l'État du New Hampshire. Vous allez me guérir. Si je peux l'être en quelque manière.

Je suis seul. Pourquoi ? Pourquoi suis-je ce que je suis ? Pourquoi suis-je tombé dans ce trou ?

Et je vous regarde. Vous si pathétique, vous qui essayez de me comprendre, alors que j'ai des milliers de kilomètres d'avance sur vous ! Ô chers docteurs en psychologie !

Écarte les bras. Ferme les yeux. Il y a peut-être ici quelqu'un qui est venu pour toi. Chère Helen. Toi qui lis dans les âmes. Espèce de salope. Espèce de putain.

Voyez-vous, chère madame, j'ai l'habitude d'ouvrir les bras et de dire : « Voici le château du Pays Sans Amour. »

La nuit dernière, j'ai examiné les photos. Et celle en particulier où je me tiens debout contre le pilier de pierre, avec mon petit pipeau en balsa. J'avais déjà connu la cave, quand ils ont pris cette photo. Et ce jour-là, je sentais une odeur de cheveux brûlés.

9

AU-DELÀ DES DIAGNOSTICS ET
DES STATISTIQUES

Helen avait le plus grand mal à comprendre le problème de ce type. Son affectivité était immature. Pire que ça même. Et pourtant il était assez bien construit, mentalement. D'ailleurs il maîtrisait complètement la situation, tellement bien, même, que c'en était affreux.

Elle poussa un grognement.

Il l'enveloppa d'un regard satisfait.

Saloperies de drogues. Elles la fichaient à plat au moment où elle avait besoin de toutes ses facultés. Étouffant un halètement, elle essaya de se dominer. Jusqu'ici, chaque fois qu'elle avait perdu le contrôle d'elle-même, fût-ce un tout petit peu, les choses avaient empiré.

Le peu de rage qui lui restait fut bientôt remplacé par une peur glacée, humide, étouffante. Helen le savait : on venait d'entrer dans la dernière phase.

— J'ai besoin d'un médecin, dit-elle.

Elle parlait d'un ton pitoyable. Le ton d'une femme vaincue. Elle en fut surprise.

Il continuait à manger.

— Il est possible que tu aies besoin d'un médecin, dit-il. Mais ce n'est pas mon problème. En fait, tu es dans le coaltar. Normal, vu la dose que je t'ai collée dans les fesses. Et un produit vétérinaire, encore…

— Vétérinaire ?

— Eh oui… De quoi assommer un cheval…

Narquois, il leva un sourcil, et elle examina ce visage aux traits puérils. L'expression qui s'y peignait était infiniment plus riche et subtile que celle de bien des humains ordinaires. Non, ce n'était pas à un individu doté d'une intelligence moyenne qu'elle avait affaire. Ce type était *très intelligent*. Et la situation n'en était que plus dangereuse.

Pourtant quelque chose ne collait pas. D'habitude, les gens très doués se débrouillent pour trouver une solution à leurs problèmes. Lui, il avait sombré. Il s'était laissé emporter par son principe de plaisir et, en route, il avait perdu toute compassion envers ses victimes.

Il semblait à Helen qu'elle arrivait à comprendre son mécanisme mental : l'ego de Kevin avait fini par se transformer en forteresse. À l'intérieur de lui-même, il était hypersensible. Bien souvent, les gens qui torturent ou qui tuent présentent une forte réceptivité à la douleur, comme si toute leur sensibilité était tournée vers leur propre personne. Ils sont capables d'infliger à autrui de terribles souffrances, et souffrent eux-mêmes terriblement lorsqu'on les agresse.

En d'autres termes, ce qu'Helen endurait ne faisait qu'augmenter son propre plaisir. Mais il y avait plus important encore : le *pourquoi* de tout cela. Un *pourquoi* qui renvoyait au profond mystère du genre humain, et que le *DSM-IV*, la bible des psychiatres, n'avait même pas commencé à approcher. Ici, on n'était plus dans l'univers de la maladie mentale : chez Kevin, c'est la notion même d'être humain qui était profondément atteinte.

Penché sur son bol, il puisait la nourriture à coups de cuillère bien pleine qu'il engloutissait à la hâte. Ensuite, il mastiquait comme un rongeur. Avait-il souffert de la faim, lorsqu'il était enfant ? Avait-il reçu des coups ? Il tenait sa cuillère comme on tient une matraque. Dans quelle mesure ce comportement évoquait-il le petit garçon qu'il avait été ?

— Kevin ? dit Helen, s'exprimant avec peine.

Elle avait la langue épaisse, et un goût de cendre dans la bouche.

— Kevin, quel âge aviez-vous en 1958 ?

— Tu as une voix de canard, répondit-il. On dirait Donald Duck…

— Laissez-moi deviner… Douze ans, je dirais…

Il lui lança une cuillerée de céréales. Elle n'eut pas le réflexe de s'écarter, et les céréales s'étalèrent sur son front. Elle parvint à s'essuyer un peu puis, s'efforçant de rire :

— Eh bien ! Nous serons puni pour avoir fait ça.

— Et quelle sera notre punition? Une paire de claques?

— Vous savez ce que nous devrions faire, Kevin? Chercher ce qui ne va pas chez vous. Travailler ensemble. Je suis sûre de pouvoir vous aider.

Il cessa de manger. Son visage était lisse, ses joues onctueuses. Pauvre créature imberbe. On avait envie de lui prescrire un bilan hormonal.

— *Et il y avait sur la montagne un troupeau de petits cochons,* dit-elle. *Et un homme s'approchait. Les petits cochons supplièrent cet homme: Ne nous apporte pas le mal! Mais l'homme approchait toujours…*

Kevin se renversa sur sa chaise et considéra le plafond. Helen continua:

— *Soudain les démons surgirent de cet homme. Et le mal entra dans les petits cochons. Et le troupeau fut précipité du haut de la falaise, et il tomba dans le lac…*

Helen eut l'impression qu'il riait, ou qu'il pleurait, elle ne savait pas. Son corps était secoué de soubresauts. Mais à présent, il lui cachait son visage. Dans un souffle, il se mit à chantonner:

— *Ô que l'aurore est belle…*

Les mots sortaient murmurés de ses lèvres, en un soupir lourd de sens.

— *… quand les étoiles, une à une, s'éteignent dans le ciel…*

— Pourquoi m'avez-vous enlevée?

— Parce que tu es une enfoirée de psy.

Elle sentit le rythme de son cœur s'accélérer.

— Autrement dit, vous avez besoin d'une thérapeute.

Les yeux de Kevin roulèrent au fond de leurs orbites.

— Vous savez, Kevin, vous êtes très adroit dans tout ce que vous faites. Et je suis sûre que vous n'auriez jamais pris un tel risque s'il n'existait pas une bonne raison de le faire. Amener quelqu'un ici, je veux dire. Au lieu de rester au Vieux Secret…

— En bas ? Il y a du monde. Ils fouillent les bois autour du lac…

— Pourquoi ?

— Tu ne devines pas ?

— Vous avez besoin d'aide. Voilà ce que je devine. Vous avez besoin d'aide et vous le savez.

Il avait formé avec ses doigts une petite tente.

— Pour moi, dit-il, tout est jeu. Tu es un jeu. Un jouet. Rien qu'un nouveau petit jouet anonyme. Un jouet de rien du tout. Qu'est-ce que tu en penses ? Ça te plaît ?

— Je ne suis pas un jouet, Kevin. Je suis un être humain. J'éprouve des sensations. Si vous me coupez, je saigne. J'ai une famille. Des gens qui m'aiment, qui ont besoin de moi. Mes patients aussi ont besoin de moi…

Il se leva en raclant bruyamment sa chaise sur le lino usé de la cuisine, puis se mit à fouiller dans un tiroir. Il en sortit un instrument qu'elle ne reconnut pas tout de suite, et qui lui parut avoir plus ou moins la forme d'une arme. Kevin brancha l'instrument à une prise et l'abandonna sur la paillasse, près de l'évier. Puis il alla chercher une chaise qu'il ramena en la traînant à terre pour faire du bruit. Enfin, d'un signe de la tête, il ordonna à Helen de s'approcher.

Helen croisa les jambes et resta assise.

— Qu'est-ce que c'est ? demanda-t-elle.

Il souleva l'instrument, procéda à un réglage.

Helen sentit une odeur de brûlé.

— Viens, Helen. Approche.

Elle secoua la tête. C'était une espèce de fer à souder auquel étaient encore accrochés des morceaux de matière calcinée.

— Tu es vraiment un bébé, Helen.

— Ça fait mal…

— Quoi ?

Il secoua la tête.

— J'ai trop peur !

Jamais elle ne se serait cru capable de trembler ainsi. La peur grelottait littéralement en elle. Elle qui toute sa vie avait fait preuve de sang-froid, d'équilibre, d'aptitude à franchir les obstacles…

— Très bien, dit-il d'une voix chargée d'ennui.

Il vint derrière elle, lui saisit les cheveux comme pour les relever. Mais il se mit soudain à les tirer et à les tordre d'une façon si violente qu'Helen glissa de la chaise en hurlant, tomba sur les genoux et fut prise d'une agitation frénétique. Après quoi elle alla heurter le buffet vert. Kevin la tenait toujours par les cheveux. Quand il voulut l'entraîner vers la chaise, elle obéit instantanément.

De nouveau Helen était assise. Et Kevin, de ses mains étrangement douces, lui écartait les jambes. Le fer à souder produisait une odeur de plastique chaud ; la fumée qui s'en échappait montait en longues volutes dans la lumière matinale... Détourner son attention, vite ! L'obliger à penser à autre chose qu'à cet horrible instrument de torture ! Une idée lui vint subitement. Elle lança :

— Et s'ils ont des chiens ?

— Oh, les chiens...

Il agitait doucement son fer à souder.

— Les chiens, dit-il, on s'en fout.

Elle serra les chevilles. Kevin releva le fer.

— Tu préfères que je m'attaque à ton joli minois, chérie ?

Son visage à lui était vide de la moindre expression.

Une telle chose n'était pas supportable. Et elle ne la supporterait pas une minute de plus. Avant même d'avoir compris ce qu'elle était en train de faire, elle se retrouva debout. Un instant plus tard, elle l'attaquait d'un coup d'épaule. Un coup aussi violent que possible.

Kevin atterrit contre la paillasse. Il chancela sans même changer d'expression, se pencha. Helen de nouveau était sur lui, frappant sa tête à coups de poing – cette tête de démon où les menottes, en s'abattant, cliquetaient et craquaient d'une façon sinistre. Mais elle éprouva soudain une violente douleur à la cuisse. À son tour elle chancela. Puis elle se sentit partir en arrière. Un instant plus tard, elle était étendue sur le sol. Elle se recroquevilla sur elle-même, comme pour se lover dans la peur et l'angoisse.

Kevin tenait toujours en main l'instrument de torture dont l'extrémité fumait, le visage aussi expressif que celui d'une poupée. Sur ses lèvres, un sourire qui semblait peint.

Helen avait de plus en plus mal au côté gauche. C'était une douleur lancinante, mortelle. Elle parvint à s'accroupir. Elle regarda la blessure. Une longue trace de brûlure lui parcourait le flanc et le haut de la cuisse – une trace rouge vif bordée de sombre.

— C'est le fer à souder, dit-il en montrant l'instrument. Un outil à moi. Je m'en sers dans mon travail.

Il cligna des yeux, puis regarda Helen comme on regarde quelqu'un à qui l'on a quelque chose à demander.

— Une partie de cartes, ça te dirait ?

— Merde ! Ça fait mal !

— Je te demande si tu veux jouer aux cartes !

Elle se battait pour refouler la rage que la douleur drainait jusqu'à son cerveau, pour retrouver la maîtrise d'elle-même, pour faire taire l'instinct de survie qui lui commandait de bondir sur ses jambes et de tenter de s'enfuir. Jusqu'où aurait-elle pu aller, cette fois ? Nue, pieds nus et menottée. La partie rationnelle de son cerveau lui répétait sans cesse : *Chaque tentative de fuite ne fait qu'accélérer le processus. À chaque fois, tu en reviens battue. Plus affaiblie encore. Presque brisée.*

— Jouer aux cartes… balbutia-t-elle. Ah, oui…

Elle essaya de produire un sourire, mais y renonça. Ce serait un faux sourire. Une erreur.

Il la prit par la main pour l'aider à se remettre debout.

— Allez, dit-il, va dans le séjour. C'est le bon moment pour une partie de cartes. D'habitude, je veux dire. Une partie de *poker cruel*, évidemment.

Cet homme dont elle essayait de pénétrer l'esprit, cet homme qu'elle essayait de guérir était en train de lui proposer quelque chose : une forme de relation sociale. C'était une ouverture. Une ouverture à saisir. Certes, elle n'avait toujours aucune idée de la façon dont on pouvait venir à bout d'une pathologie aussi monstrueuse, mais son seul espoir était d'atteindre l'esprit de cet homme. Soit elle le guérissait, soit elle mourait.

— Va pour une partie de poker cruel, lança-t-elle.

Oui, même si elle n'en pouvait plus d'avoir mal. Elle prit place sur la chaise qu'il avait tirée pour elle devant la table de jeu. Et comment jouait-on au poker cruel ? Elle avait agi comme si elle en connaissait les règles. Avait-elle bien fait ? Oui. Autrement, il aurait laissé tomber la partie de cartes. Et Helen voulait saisir tout ce qui pouvait retarder l'instant où il rouvrirait la trappe de la cave.

Il était assis en face d'elle, maintenant. Il plongea la main dans le tiroir et en sortit un jeu.

— Arrête de gémir !
— Je n'y arrive pas !
— Arrête !

Il se pencha au-dessus de la table et la gifla. Helen en eut la tête projetée en arrière, mais elle s'obligea à ne pas crier. Il fallait absolument rester silencieuse...

— Ah ! Enfin !

Toute cette histoire était stupide, inutile, absurde. Elle résultait d'un enchaînement de hasards. D'abord, il y avait eu la décision de partir en vacances. Puis ce souvenir agréable : le Vieux Secret. Et le numéro de téléphone de M. Matthias, qui était reparu après tant d'années. Pourquoi n'était-elle pas allée se reposer en Jamaïque ? À Paris ? À Londres ? Pourquoi avoir choisi ce misérable trou perdu, cette location de troisième ordre ? Pourquoi avoir voulu remettre les pieds dans cet endroit hideux et glacé ? Comment peut-on tenir si fort à faire soi-même ses courses et sa cuisine ?

Kevin avait distribué les cartes. Malgré les menottes, elle essayait de les tenir en main. Soudain il se leva. Elle le vit se diriger vers le buffet en teck aux tiroirs sculptés, puis revenir avec une cartouche de Benson & Hedges. Helen regarda les cigarettes. Elle avait envie de fumer. Il y avait longtemps qu'elle n'avait pas fumé une cigarette, mais aujourd'hui, elle aurait volontiers tiré une bouffée. Elle se retint d'en parler.

Kevin, lui, s'en alluma une. Il la tenait entre deux doigts de la main gauche. Il reprit ses cartes, fixa les yeux sur Helen, et leva les sourcils. Il eut un mouvement de la tête en direction de la table.

— Tu as déjà porté des pantalons d'homme ?

— Non.

— Ça te plairait d'essayer ?

— Je n'y ai jamais pensé.

Elle s'efforçait tant bien que mal de garder ses cartes en mains, et de les déchiffrer, mais elle était irradiée par de longues vagues de douleur. À cause de sa blessure à la cuisse, la position assise lui était un supplice. Ses intestins lui faisaient mal. Elle respirait avec peine.

Elle avait un as. Un as de quelque chose. Une paire de quatre, aussi. Une massue. Une épée.

— Bon, c'est moi qui ai donné, chérie. Alors à toi d'ouvrir.

Ouvrir. Ça veut dire quoi, ouvrir ? Elle prit l'as dans son jeu et le déposa au milieu de la table. Lui joua un deux, puis un trois. Les cartes s'étalaient. Le jeu prenait forme. Autant qu'il pouvait prendre forme, du moins, étant donné qu'un des joueurs en ignorait les règles. Helen songea qu'un individu affligé d'un dysfonctionnement aussi énorme ne devait pas aimer perdre.

— Mais tu joues en plein dans mon jeu, espèce d'idiote !

D'un geste triomphal, il abattit sa meilleure carte sur le 4 qu'Helen venait de jouer.

— En plus, dit-il, tu oublies de piocher de nouvelles cartes !

Helen décida de tenter quelque chose.

— À propos de ce qui s'est passé tout à l'heure, dans la cuisine… Je m'excuse. Je ne sais pas ce qui m'a pris.

Il répondit d'un petit rire.

— Vraiment, chérie, je te trouve courageuse. Les autres, elles me forcent à les attacher serré. De vraies momies ! Sinon elles n'arrêtent pas de gigoter, de se tortiller. Il faut les voir se débattre ! Ah ! j'en ai entendu, des insultes. À chaque fois je suis obligé de les bâillonner.

Il tira quelques rapides bouffées de cigarette. Un gosse, pensa Helen. Il a l'air d'un gosse qui crapote.

— Vous pensez encore à elles, après ?

— Et comment ! Je me souviens d'elles…

— Certaines vous ont laissé un souvenir particulier ?

Le visage de Kevin se fit plus sévère. La réponse était oui. Et cette réponse avait la valeur d'une indication. Il était capable de percevoir des différences entre les êtres qui habitaient sa mémoire. Cela non plus, ce n'était pas très bon signe. Car ce qu'elle cherchait, elle, c'étaient les symptômes de la psychose. Et Kevin, sur ce point, avait un comportement normal. Elle voulut savoir dans quelle mesure il était capable d'enregistrer des détails.

— Quelles sont celles dont vous vous souvenez le plus ? demanda-t-elle.

— Oh ! doucement, chérie. Je ne suis pas un sentimental. Je ne passe pas mon temps à me repasser des films. C'est plutôt du genre : tiens, celle-là, elle était pas mal. Ou : qu'est-ce qu'elle a pu chialer, cette conne ! Ou encore : allez, je l'aimais bien, cette raclure, cette putain qui saignait comme un cochon… Vu ?

— Vu.

Il était fou de rage. Cette partie de cartes, c'était encore une façon de se protéger. En ce moment précis, c'est à peine s'il était capable de distinguer une victime d'une autre. Cela signifiait qu'il pouvait se permettre à chaque fois de regarder sa nouvelle victime comme si elle était sa mère.

— Je ne voulais pas vous blesser, reprit Helen. C'était juste pour savoir. Curiosité professionnelle, c'est tout…

— Tu sais quoi ? J'ai envie de te faire encore plus de mal qu'aux autres. Et ça va durer plus longtemps. Encore plus longtemps qu'avec ces putes. Tu veux savoir pourquoi ? Parce que tu es une salope de psy.

Les choses prenaient une nouvelle tournure. Pas vraiment brillante. Helen fit rapidement l'inventaire des possibilités qui s'offraient à elle.

— Une psychanalyste vous a-t-elle fait du mal ?

— Si une psychanalyste m'a fait du mal ? Si une salope de psy m'a fait du mal ? Et comment ! Une fois, il y en a une qui a décidé que je n'étais pas malade ! C'était pour que je rentre chez moi. Elle estimait que ça coûterait trop cher, de me soigner. Résultat, un beau jour, ce chapeau a atterri au milieu de mon séjour. Ce chapeau, là... Je l'ai regardé, et je me suis dit : à qui appartient ce chapeau ? Il avait une odeur de sang. Une sacrée odeur, crois-moi.

— Je ne connais pas cette odeur.

— Bientôt, tu la connaîtras. Bon. Là-dessus, je descends dans ma cave. Et qu'est-ce que je découvre ? Un de ces bordels ! Une dame en train de crever. Salement amochée. Tailladée. Elle chialait. Elle crevait et elle chialait. Oh ! putain...

La femme comme victime sacrificielle. Depuis la nuit des temps...

— Et cette dame, c'était votre psy ?

— J'étais plus fort qu'elle.

— Comment cela ?

Au-dessus des cartes, les yeux de Kevin se troublèrent.

— Je suis plus fort que toi, dit-il.

— Je n'arrive pas à vous suivre, Kevin. C'est votre psychiatre que vous tuez? Ou c'est n'importe quelle pauvre femme? Je ne comprends pas…

— Et moi je ne comprends pas pourquoi tu joues un 6 quand j'ai retourné un 7 sur mes plis! Tu es idiote! Espèce de conne! Face de pute!

Il lui jeta son jeu à la figure. Helen baissa les yeux. Elle essayait de ne pas se mettre à trembler. Elle ne devait pas l'exaspérer davantage. Ou alors, il recommencerait à lui faire mal…

— Règle du jeu officielle! dit-il. Le vainqueur est le joueur qui arrive le premier à éliminer les plis de l'adversaire. Voilà la règle du jeu. Telle que définie par l'État du New Hampshire. Tu travailles pour l'État, que je sache!

— Pour l'État de New York.

— Je ne t'aurais jamais crue aussi conne. Tes patients, ils doivent ressortir de chez toi encore plus dingues. Sûr. Comme moi quand je suis sorti de chez ce docteur Sylvia Tête-de-Conne. Elle aussi, comme imbécile, elle se posait là! Une sacrée putain d'imbécile prétentieuse!

Il avait prononcé ces mots d'une voix rauque, en crachant vers Helen une haleine où se mélangeaient des odeurs de tabac et de dents abîmées. Elle ne put s'empêcher de tressaillir. Kevin se leva, contourna la table et l'embrassa à pleine bouche. Dans l'état d'excitation où il était, la moindre réaction de sa victime pouvait lui être insupportable. Le plus léger battement de paupière. Le moindre geste. Helen décida d'endurer le baiser jusqu'au bout. Elle se força à ravaler son écœurement. Enfin il se releva. Ce fut pour croiser les bras. Avec ce hochement de tête qui lui était familier.

— J'ai toujours su embrasser, dit-il. Ça, c'est clair. C'est ma mère qui m'a appris. Comme elle disait, un homme, ça doit savoir embrasser.

Le regard ailleurs, il agitait les doigts.

— *Viens, chéri, viens embrasser ta mère.*

Il avait fermé les yeux, comme soudain pénétré de bonheur. Il mit les mains sur son cœur. Et il commença à se balancer en sifflant d'un air admiratif, à l'adresse de l'être élégant qui venait de lui apparaître.

— *Vas-y, embrasse-la…*

Son visage était plus que jamais celui d'un enfant. Dans le visage de l'enfant, se souvint Helen, se révèle la beauté du genre humain. Mais ce visage-là offrait une beauté corrompue. Ce qu'il révélait, c'était la sauvagerie du genre humain.

— *Vas-y, vas-y. Embrasse-la sur la bouche…*

Enfin un élément de pathologie. Enfin un symptôme. Conflit œdipien non résolu menant à des troubles d'opposition caractériels. Et même à des conduites antisociales.

Pourtant non. En principe ce genre de personnes est incapable de s'entendre avec ses semblables. Or, Kevin était employé à l'agence immobilière Matthias. Et à l'agence, son comportement paraissait normal.

Bon, il avait un psychisme compartimenté. Une conduite le plus souvent ordinaire, et dans cette conduite une zone obscure, profonde, fangeuse.

Tout à l'heure, tandis qu'elle luttait pour ne pas fermer les lèvres à cet odieux et répugnant baiser, elle avait senti son estomac se révulser. Mais son cerveau n'avait pas cessé de fonctionner. Elle savait sur quoi devaient maintenant porter tous ses efforts : il fallait éviter à tout prix d'entrer dans la phase finale. À un certain moment, c'était sûr, il allait effectuer toute une série d'actions rituelles. Elles lui étaient nécessaires. Il en avait besoin pour quitter la réalité, pour entrer dans son fantasme, et pour faire subir à sa victime le châtiment prévu.

À un certain moment, elle allait devenir sa mère. Alors, pour elle, tout serait fini. Donc, il fallait gagner du temps. Une minute. Dix secondes. Chaque seconde gagnée serait un point marqué par son camp.

Pendant ce temps, dehors, quelque part, inévitablement, un processus allait s'enclencher. Il y aurait une urgence au bureau, on aurait soudain besoin d'elle, on l'appellerait au Vieux Secret. Mais le Vieux Secret ne répondrait pas. Alors on appellerait l'agence, et on demanderait à M. Matthias d'aller prévenir sa locataire… Ou bien ce seraient les enfants qui allaient avoir quelque chose à demander, ou à annoncer. Un succès, par exemple. On ne tarderait pas à avoir besoin du patron. Ou de la maman. Alors, ils viendraient.

Helen se surprit à tendre l'oreille dans le silence… Et à cet instant, une idée lui vint. Dans ce baiser, il y avait quelque chose comme une piste, qui menait peut-être au psychisme de Kevin. C'était un baiser ardent, peut-être passionné. Oui, tout à l'heure, il l'avait aimée, *elle*, Helen.

— Oh, Kevin… dit-elle.

Elle essaya de sourire. Puis, entrouvrant les lèvres, elle leva les yeux vers lui – et fit tout son possible pour que ce regard passe pour une invitation.

Un éclair passa dans les yeux de Kevin. Il lui lança :

— Quel pied, hein, de se sentir perdue et sans défense ?

Helen approuva d'un signe de la tête. Elle essayait de dominer la détresse qui grandissait en elle – sans vraiment y parvenir.

— Qu'est-ce que vous allez faire, maintenant ?

— Attendre mon heure, chérie.

— Pour que ce soit encore plus dur ? C'est ça ?

Il lui effleura la joue.

— Oui, ma chérie. C'est attendre qui fait le plus mal.

— Je ne suis pas votre chérie, souffla-t-elle.

Helen ! Tu es folle, ou quoi ? Tais-toi ! Par pitié, tais-toi !
Elle serra les mâchoires à les faire craquer.

— Non, bien sûr, reprit-il. Mais tout de même, je sais ce que tu éprouves. Je sais que tu as peur. C'est dur… Mais c'est bon, aussi, pas vrai ?

Il lui caressait la joue du bout des doigts – des doigts qui semblaient de gros vers. Elle ferma les yeux. Les larmes allaient bientôt venir.

— Un autre baiser, chérie ?

Une seule pensée lui traversa l'esprit : « Sexe et violence sont frères. »

Il l'enveloppait de son haleine aigre et fétide.

— Je vais te faire la totale, docteur. Tu vas souffrir. Souffrir pour moi. Jusqu'à ce que je sois à point. Fin

prêt. Et quand je serai prêt, je t'ôterai la vie. Doucement. Par tout petits morceaux.

Il s'était reculé de quelques centimètres, comme
pour mieux se nourrir de son angoisse à elle. Comme
s'il fût un être surnaturel. Nous en savons si peu sur le
fonctionnement de l'esprit humain, se dit-elle.

— Et ce ne sera pas un jeu…

— Je sais, Kevin. Je n'ai jamais eu affaire à ce genre
de…

— Ce genre de quoi ?

— Ce genre de souffrance, dit-elle dans un sanglot.
Vous souffrez, vous aussi. Et mon Dieu, je ne sais même
pas comment je pourrais nous venir en aide, à l'un ou
à l'autre…

Il pointa un doigt vers elle.

— Tu es une femme intelligente. Et une excellente
actrice.

Il lui saisit les bras.

— Viens…

— Où ?

— Pas de questions !

Il avait levé la main, l'air furieux.

— Mets-toi ça dans la tête une fois pour toutes !

— D'accord, dit-elle en essayant de se protéger.

— Bien. Alors allons-y.

La trappe ! Elle n'arrivait pas à chasser de ses pensées cette trappe qui l'attendait dans la cuisine.

Il la poussa par les épaules.

— Tout ce que je veux, dit-il, c'est nettoyer cette
putain de brûlure.

Il l'entraîna dans la salle de bains, et elle ne lui opposa pas de résistance quand, après lui avoir ordonné de se mettre à genoux dans la baignoire, il entreprit de la laver à l'aide d'un gant de toilette blanc décoré d'oursons. Elle ne réagit pas non plus quand il lui versa de l'eau sur les seins.

— Il faut supprimer ces mauvaises odeurs, dit-il. Si on ne s'occupe pas de vos blessures, vous vous mettez à puer comme un vieux fromage. Tu le sais, ça ? Il faut que je m'occupe de leur toilette, sinon c'est à vomir. On t'a déjà fait ta toilette, chérie ?

Elle était révulsée. Il devait s'en rendre compte.

— Ah ! je crois qu'on commence à l'adorer, son grand fou, pas vrai ?

Acquiescer ? De toute façon, elle en aurait été incapable.

Il lui souleva le menton et l'examina de haut en bas.

— Étrange dame, dit-il. Vous m'emplissez de trouble.

Ravalant sa fierté, elle essaya de prendre une attitude désinvolte.

— L'étrange dame est-elle autorisée à se relever ?

— Relève-toi. De toute façon, tu me déplais.

— J'avais compris.

— Mais tu ne sais pas encore à quel point tu me déplais…

— Peut-être pas tant que ça…

— Peut-être beaucoup plus que ça ! Saloperie de psy. Tu te crois intelligente mais tu n'as rien dans la tête ! Dis-le !

— Dire quoi?

— Dis-le moi, que tu n'as rien dans la tête.

— Je n'ai rien dans la tête.

— Je suis une salope, je suis à poil et je pue. Répète ça.

— Je suis une salope, je suis à poil et je pue…

— Plus fort.

— Je suis une salope, je suis à poil et je pue!

— Et moi, je te plais?

Helen ne savait que répondre. Elle fit oui de la tête.

— Je te plais? C'est ça? Je te plais? Oh! voilà qui ressemble à un sacré putain de mensonge, pas vrai! Un mensonge de psy, hein?

— Non!

— Je ne te plais pas! Tu me prends pour un crétin, ou quoi?

— Sûrement pas!

— Tu ne me prends pas pour un crétin mais tu penses que je vais gober tes saloperies de mensonges? Tes mensonges de sale gamine merdeuse?

— Vous me plaisez…

— Arrête! Je suis en train de te tuer! De t'arracher la vie. Et je fais ça pour prendre mon pied. La voilà, la putain de vérité. Un type est en train de te détruire. Si tu lui dis qu'il te plaît, c'est que tu es encore plus folle que lui! Plus folle qu'il ne le sera jamais!

Il se mit soudain à remuer les hanches. Exhibitionnisme? Symptôme d'immaturité?

— Et ça, ça te plaît? dit-il en ouvrant le zip de sa braguette.

— Oh ! je…

Jusque-là, elle ne l'avait pas cru capable de commettre un viol.

— Alors ? Tu en as envie ?

Elle secoua la tête.

— Quoi ? Il n'est pas assez bon pour toi ? Qu'est-ce qu'il te faut ? La trique du diable ?

Non, il n'avait pas l'intention de s'exhiber. Inutile de le lui faire remarquer. L'immaturité n'était pas seulement affective mais sexuelle. Et c'était un élément essentiel dans la rage qui l'habitait. Pauvre type.

Il perdait la tête. Chaque seconde un peu plus. Et elle ne pouvait rien faire pour empêcher ça. Elle ne pouvait pas l'aider.

— Tu me hais ! cria-t-il. Tu me détestes ! Tu me méprises !

Les mots cognaient contre les murs de la salle de bains. Soudain, il dit :

— Attends…

Il reprit le gant de toilette et lui essuya le visage avec soin. Il lui essuyait les larmes. Il jeta le gant dans le lavabo.

— Arrête de pleurer ! Arrête d'inonder ce putain de plancher !

D'un coup violent, il la poussa. Helen faillit basculer dans la baignoire.

— Tu es une chienne malade, dit-il. Voilà ce que j'ai récupéré ! Une chienne malade !

Les choses étaient véritablement en train de mal tourner. Mais quelle erreur avait-elle pu commettre ? Comment expliquer le comportement de ce type ?

— Tu ne sais pas comme c'est dur de vous régler votre compte. Je n'ai pu en faire que deux, depuis le mois de mai.

Dieu tout-puissant ! Quelle activité ! Une par mois… mais les corps ? Où étaient-ils, les corps ? Aucun tueur en série n'avait été signalé dans toute la Nouvelle-Angleterre !

— Il fallait que je tombe sur une pute malade dans ton genre. C'est parce que tu es docteur que tu es là ! Mais c'est toi qui as besoin d'un docteur, merde !

— Pourquoi dites-vous que je suis malade ?

— Pourquoi ? Seigneur ! Mais tu essaies de me pousser à te baiser ! Voilà ce que je pense ! Tout à l'heure, je vais lever les bras au ciel et demander : Oh ! mon Dieu ! Regardez, j'ai là, devant moi, une pute en chaleur. Qu'est-ce que je fais ? Je la baise ou je la tue ? Oh ! merde ! Tu veux crever dans le sexe, ou quoi ?

— Dans le sexe ?

— Tu acceptes mes baisers ! Tu me regardes !

Il pointa le doigt vers son propre bas-ventre.

— Ça me fait quelque chose, là !

— J'en suis désolée.

Il la frappa de nouveau. Tout en cherchant refuge dans la baignoire, elle essaya d'éviter les coups qui maintenant pleuvaient de partout. C'étaient des gifles, des coups de poing, des coups de genoux…

Mais même pendant cet assaut, une petite partie d'elle-même s'efforçait d'analyser ce qui était en train d'arriver. De comprendre quelles erreurs avaient été commises. Pourquoi il en était venu à perdre les pédales. Elle avait voulu élargir jusqu'à son cas le champ de la psychothérapie. Était-ce une erreur ? Une façon de se condamner à une mort plus horrible encore ?

Elle commença à pleurer. Elle ne pouvait plus s'arrêter à présent. Il avait beau l'engueuler, rien n'y faisait. Et à la fin, quand il lui prit la tête pour l'attirer contre son épaule, elle pleura de plus belle, comme une mère qui a perdu son enfant.

pédies. Elle avait voulu l'avoir jusqu'au bout, le
champ de la psychologie... frappée une autre... une
façon de se consumer... plus émouvlas, plus terrible
encore.

Elle commença à pleurer, elle ne pleurait plus à...
avec émerveillement, Il avait... Et à sa façon, elle pleurait
lui, à la quand il aimait la rien por... l'avere son...
son souffle, elle pleurait de plus belle, comme une larme
que ça n'en soit comme.

Mon journal
« La Chaudière »

Ça me rend fou, quand elles paniquent. Et dès que je m'affole, je me rapproche encore plus du moment critique. Je sue sang et eau, à m'occuper d'elles. Elles sont tellement confuses. Elles ravalent leurs cris. Celle-ci, elle a encore englouti ma langue dans sa bouche. C'était froid.

Le problème, c'est qu'il était une fois un petit garçon qui n'avait jamais fait l'amour. Sinon, pourquoi les tourmenter, pourquoi les tuer ?

J'écris. Elle a l'air de se demander ce que j'écris dans ce cahier que j'ai acheté avec elle, là-bas. Tu vois, pauvre pute, je savais déjà ce que j'allais faire de toi. Je l'ai su dès que j'ai entendu Henry dire qu'une psychanalyste avait loué le Vieux Secret.

Oh ! j'en ai vu se tordre de douleur sous mon couteau. Mais là, c'est différent.

Devant la souffrance, nous sommes nus. C'est la vérité. Nous sommes si nus, si démunis. Elles étaient toutes si nues. J'ai l'impression d'être sur un voilier avec un équipage de filles aux mains douces, aux seins délicats. Avec leurs culottes, j'adresse des signaux aux autres bateaux. Je suis le père du monde. Chaque fois que j'en ai tué une nouvelle, je hisse sa culotte au mât de mon bateau.

Pourquoi a-t-elle si peur, elle qui est docteur ? Quand elle a peur, elle attrape la chair de poule. Elle pleurniche. Et ça me donne envie de la battre. Je suis une vraie chaudière, et je brûle à plein régime, maintenant. Comme si on y avait jeté de l'huile. Une chaudière en acier. Et dans cette chaudière, il y a mon cœur.

Ce sera bientôt l'heure. On va avoir une sacrée belle journée. Même si cette putain de pleurnicheuse n'est même pas foutue de jouer convenablement aux cartes.

10

SLIM

Il l'avait entraînée hors de la salle de bains, puis dans le séjour où elle se retrouva assise sur le canapé crasseux.

Il s'était mis à gribouiller dans un cahier vert qui ressemblait beaucoup à celui qu'il avait acheté au supermarché. Helen avait songé à Selena. Combien Selena avait encore besoin de sa mère. Lui, pendant ce temps, il écrivait. Soudain, il avait laissé tomber à terre son stylo en plastique, et il s'était levé avec un rugissement furieux, tandis qu'elle regardait fixement la main qui allait s'abattre sur elle.

Maintenant il la frappait. Il la giflait à toute volée. Elle commença à hurler. Elle ne pouvait plus s'en empêcher. Résultat : les coups redoublèrent.

Des coups impersonnels, mécaniques. Anonymes, pour ainsi dire. Une grêle de coups tombée du ciel, une pluie d'obus venue des lignes ennemies, au loin. Helen essayait de se protéger, mais elle n'y arrivait pas. Elle s'affaiblissait à force d'être battue. L'idée la traversa qu'elle pourrait être battue à mort. Elle s'entendit gémir :

— Dites-moi ce que j'ai fait...

Mais cela n'empêcha pas les coups de pleuvoir encore. Elle s'aperçut alors qu'ils étaient dosés avec soin. Il n'avait pas l'intention de la tuer de cette façon. Il voulait seulement continuer à lui faire peur. Et il y parvenait. Comme il parvenait toujours à obtenir la douleur désirée. C'est pour ça qu'il répartissait ses coups sur le crâne, les bras, la mâchoire, les épaules. Il travaillait avec méthode, comme s'il accomplissait des gestes de pure routine.

Puis il cessa.

— Voilà ! cria-t-il d'une voix essoufflée. Tu en as assez ?

Il marmonna :

— Tu avais encore allumé la chaudière, ma vieille.

— Pardon si je vous ai mis en colère !

Il l'avait frappée à la tempe, sur cette blessure qui déjà lui faisait si mal. Sans compter les autres blessures qu'il venait de lui occasionner – autant de nouvelles et lancinantes douleurs.

— Et maintenant, dit-il, tu vas y passer. Compris ?

Helen ne put produire d'autre réponse qu'une plainte misérable. La plainte de la victime. C'est d'ailleurs ce qu'elle était en train de devenir, inexorablement.

Il secoua la tête.

— Quoi ? dit-il. Je n'ai pas compris. Je t'ai posé une question, il me semble. Réponds, sale pute !

Mais elle n'avait plus de voix. Elle était comme bâillonnée. C'est à peine si elle remarqua le coup d'œil qu'il jeta à sa montre.

— Tu n'as plus de langue ? Tant pis. C'est l'heure, de toute façon.

Il disparut dans la cuisine. Helen se pencha. Si violent était son désir de fuir cet enfer qu'elle ne pouvait détacher ses pensées de la fenêtre. Mais Kevin fut bientôt de retour. Elle poussa un grognement et essuya avec sa langue le sang qui lui souillait les lèvres.

Il ramenait du matériel. Une corde. Et un gros rouleau de ruban adhésif.

— Oh ! non, dit-elle. Je vous en supplie. Donnez-moi une chance…

— Tu as allumé la chaudière !

— Écoutez, je pense vraiment pouvoir vous aider. Je sais que vous souffrez…

D'un coup de rouleau, il la frappa sur la bouche.

— *Je sais que vous souffrez*, dit-il en l'imitant d'une façon grotesque. Sale pute.

Helen essaya d'étouffer un sanglot puis émit une plainte qui s'étrangla dans sa gorge. Il ne s'en aperçut même pas. Il était déjà occupé à lui attacher les poignets avec la corde. Il lui fit aussi une ceinture serrée, à laquelle il relia les poignets. De cette façon elle ne pouvait plus relever les mains.

— Allez, dit-il. On retourne dans la salle de bains.

Elle se laissa pousser le long du couloir. Elle avait peur, à présent, de lui opposer une résistance. Elle était choquée. Elle marchait devant lui. Parfois elle trébuchait.

Elle tombait. Comment faire pour l'arrêter ? Elle n'en savait rien.

Après l'avoir forcée à s'étendre dans la baignoire, il lui souleva les jambes pour lui attacher aussi les chevilles. Puis il lui enroula du ruban adhésif autour de la bouche et du nez jusqu'à ce qu'elle ne puisse plus émettre d'autre son qu'un grognement sourd. Elle respirait avec difficulté.

Il lui ôta les menottes. Puis il la poussa dans le fond de la baignoire.

— Chaque fois que tu bougeras, dit-il, tu en prendras pour une heure de plus. Vu ?

Elle approuva. Sa tête heurta avec un bruit sourd la porcelaine grise.

— Pas un bruit, tu m'entends ?

Il enfonça les doigts dans la plaie qu'elle avait à la cuisse. Aussi fort qu'elle le put, elle fit oui de la tête. Mais il la pinça. Longtemps. Si longtemps qu'elle crut en devenir folle.

— Un bruit, reprit-il. Si j'entends un seul bruit, je t'arrache le cœur. C'est pigé ?

Depuis les profondeurs de sa souffrance, elle essaya de lui faire comprendre qu'elle avait parfaitement compris. Il se leva brusquement et tira du rouleau un nouveau bout de ruban argenté. Elle vit le bandeau s'approcher de son visage. Kevin le lui mit sur les yeux. Maintenant, elle était dans le noir.

La peur, littéralement, la transperça et atteignit les régions les plus profondes de son inconscient. Elle souffrait, et de sa souffrance naissaient de nouvelles craintes. Des visions d'outils chauffés à blanc lui traversaient l'esprit. Sa douleur était si cruelle qu'elle commença à gémir – pour cesser presque aussitôt. Elle resta étendue au fond de cette baignoire, aveugle, ligotée, aussi immobile qu'un cadavre, respirant à peine.

Il ne lui avait laissé que ses oreilles pour communiquer avec le monde. Elle commença à écouter chaque bruit avec le fanatisme des désespérés. Elle l'entendait respirer. Il respirait en rythme, régulièrement. Il y eut un craquement. Ou un cliquetis. Des clés ?

Elle pensait : soit il est sorti, soit il veut me faire croire qu'il est sorti. Elle écouta. Rien. Rien d'autre que le faible gargouillis des toilettes. Et, au loin, les cris des oiseaux. De temps en temps, un bruit se faisait entendre dans la maison. Un bruit sourd. Ou un craquement de plancher.

Helen essaya de faire le point. Aussi vite que possible. La plus grande partie du chemin est accomplie, pensa-t-elle. Voilà comment ça va finir. Je vais mourir aussi nue et écrasée qu'un être humain peut l'être. Elle savait exactement ce qu'il lui avait infligé comme coups et comme blessures, mais curieusement, c'est leur signification qui la préoccupait. Et leur signification était précise. Le corps d'Helen Myrer avait cessé d'appartenir à Helen Myrer.

Jamais encore on ne l'avait attachée. Jamais, de toute sa vie, on ne l'avait empêchée de parler. Jamais son être physique n'avait été placé d'une façon aussi absolue sous le contrôle d'une autre personne. Et cette réalité nouvelle était en train de provoquer en elle de considérables métamorphoses. Elle l'obligeait à se retirer d'elle-même. Comme si cet homme l'avait infectée avec sa propre substance, comme s'il obligeait l'esprit d'Helen à quitter un corps désormais aliéné et soumis, pour l'abandonner entre des mains détestables.

Consciente d'être aux prises avec un processus de dissociation mentale, Helen s'obligea à reprendre possession d'elle-même ; pourtant, une voix intérieure lui conseillait déjà de renoncer à tout espoir de survie, et de se préparer plutôt à mourir.

Et comment se prépare-t-on à mourir ? demanda-telle à cette voix intérieure. Devait-elle embrasser à nouveau la religion de son enfance ? Décider qu'il existait bien, finalement, une âme immortelle ? Devait-elle se mettre à prier, ou simplement se replier sur elle-même dans l'attente de la fin ? Même à présent, même parvenue à cette extrémité, elle n'arrivait pas à se résoudre à choisir l'une de ces deux directions. Elle s'était toujours imaginé qu'au moment ultime, un instinct profond s'éveillerait pour lui venir en aide et lui dire ce qu'elle avait à faire. Or, cet instinct ne s'était pas éveillé. Ses doutes quant aux origines de l'esprit étaient bien vivants. Elle n'avait pas encore envie de les balayer d'un revers. Ou alors c'était le courage qui lui manquait – le genre de courage dont nous avons besoin pour accepter l'existence d'un phénomène appelé oubli absolu.

Un son lui parvint. Un son lointain mais perceptible. Une voix. Une voix qui appelait… Est-ce qu'elle n'avait pas entendu également deux coups de klaxon ? Si. Elle en était sûre. Donc, il y avait une route à proximité. Une route, ça veut dire des gens… Il y avait des gens tout près d'ici !

Elle suspendit son souffle et écouta. Ses oreilles étaient comme des instruments scientifiques. De nouveau cet appel lui parvint. Elle reconnut un crissement de pneus sur du gravier.

La salle de bains longeait le mur extérieur de la maison. Elle ouvrait sur un dégagement qui permettait d'accéder à deux chambres. Donc, derrière ce mur, se trouvait l'allée. Et sur cette allée, un véhicule venait de s'arrêter. Ce même véhicule qui, un instant plus tôt, avait donné deux coups de klaxon.

Une visite ? Cela y ressemblait beaucoup. Oui ! une visite. Il n'y avait pas de doute. Helen entendit se refermer une portière. Une portière de camion. Ou de vieille bagnole. Et c'était le bourdonnement d'une voix, maintenant, qui lui parvenait ! Et des pas ! On marchait sur le gravier.

C'est la petite fille, en elle, qui se mit à crier. Elle avait obéi à un réflexe. L'enfant d'autrefois avait produit un son. Un gémissement. Une plainte douce…

Aussitôt, la porte de la salle de bains s'ouvrit. Elle sut qu'il était là.

À la porte d'entrée, le carillon retentit.

Kevin ne prononça pas un mot. Mais un bruit se rapprocha, qui ressemblait au grattement d'un doigt au fond d'une boîte. Et soudain un craquement retentit tout près d'elle, juste devant son visage. Puis un sifflement. Quelque chose s'embrasa avec une odeur âcre – elle reconnut une de ces grosses allumettes de cuisine…

Elle essayait de ravaler ses petits cris de terreur, mais sans y parvenir. Tout son corps était électrisé. Elle entendait la flamme crépiter faiblement.

On sonnait de nouveau à la porte. Deux coups qui lui parurent résonner très fort dans la maison.

La main de Kevin lui souleva le sein gauche. Un souffle chaud passa sous elle. Elle comprit qu'il promenait l'allumette le long de son corps. Elle ressentit une brève douleur. Une brûlure. Une plainte lui avait échappé. Elle se cabra, comme pour essayer de se relever. La douleur cessa aussitôt.

— On peut faire mourir quelqu'un par le feu, dit-il. Sur le bûcher, ça dure dix minutes. Dix minutes atroces. Mais on peut aussi y aller tout doucement. Centimètre par centimètre…

Il agita sa boîte d'allumettes.

— Et là, ça peut prendre dix heures.

Sur ces mots, il s'en alla. Il tira la porte derrière lui – mais sans la refermer complètement, sembla-t-il à Helen. Quelqu'un était là. Oui. Quelqu'un était venu de l'extérieur – l'extérieur : ce paradis étrange, irréel.

Non ! il n'avait pas refermé complètement la porte ! Maintenant elle en était sûre. Il y avait peut-être une chance à saisir. La voix de Kevin lui parvenait. Il était loin dans la maison. Du côté de la porte d'entrée.

— Salut, Slim. Entre.

Il parlait très fort ! Était-ce pour couvrir des bruits éventuels venus de la salle de bains ?

— Tu m'as l'air un peu plus en forme, dit l'autre voix, plus bas.

— Ça va mieux, ça va mieux.

Il avait dû appeler à l'agence pour dire qu'il était malade. C'est comme ça qu'il avait expliqué son absence. Helen était si énervée qu'elle n'arrivait plus à se contrôler. Slim Goode ! Le légendaire Slim Goode. Il était là. Et la seule chose qu'elle avait à faire – la seule chose qui fût vraiment nécessaire – était de déclencher un vacarme du diable. Tout de suite. À ce moment précis. Après quoi elle serait libre, et sauve. Elle pourrait rentrer chez elle. Merci mon Dieu, merci. Elle n'avait plus de doutes, à présent : il y avait bien un Dieu. Elle sentait Sa présence dans ses veines. Il l'appelait, et Sa voix parvenait à Helen du plus profond de son inconscient. Helen eut le sentiment de comprendre, soudain et pour toujours, pourquoi la foi existait, pourquoi le culte de Dieu existait, et pourquoi la foi se moquait de la raison.

Elle était sauvée. Résurrection ! Alléluia ! Quant à ce pauvre déséquilibré, elle était prête à l'aider. Sûr, qu'elle l'aiderait. Elle déposerait en faveur de l'irresponsabilité. Maladie mentale. Grâce à elle, il n'irait pas croupir en cellule jusqu'à la fin de sa vie. Elle ferait en sorte qu'il soit protégé, qu'on lui permette de poursuivre son existence dans un milieu décent, et non derrière les barreaux d'une prison infecte. Résurrection ! Certes, le malheureux Kevin ne comprendrait pas, mais elle ne pouvait laisser passer l'occasion. Ni commettre la moindre erreur tactique.

Oh, bien sûr, elle était ligotée comme une oie qu'on va vendre au marché ! Mais cela n'allait pas l'empêcher de faire un boucan terrible. De cogner les parois de cette baignoire. De rugir à travers le ruban adhésif. De remuer ciel et terre pour attirer l'attention de toute personne se trouvant dans cette maison !

— Alors ? demanda Slim. C'est où ?

Douze ans qu'elle ne l'avait pas vu. Et qu'elle n'avait pas entendu cette voix. Laquelle semblait avoir vieilli. Elle était plus profonde. Mais pas de doute, c'était bien la voix de Slim Goode. Ils étaient dans la maison, maintenant. Elle entendait leurs pieds claquer sur le sol, mais les voix s'étaient affaiblies. Apparemment, Slim fourrageait dans une boîte à outils.

— Au fait, dit-il, j'aurais besoin d'un coup de main.

— Pour quoi faire ? demanda Kevin.

— Un escalier qui s'est effondré. Dans la cabane de Matthias. Plus moyen de descendre à l'embarcadère. Ou alors il faut faire le tour par le chemin. Tu vois les locataires être obligés de faire le tour pour descendre au bord du lac ?

Il riait.

— Il y a quelqu'un à la cabane, non ? dit Kevin. Cette femme…

— Quoi ? J'entends rien. Regarde-moi quand tu me parles…

— Cette femme. Ce docteur.

Helen sentit combien la voix de Kevin était nerveuse. Il avait peur.

Mais Slim, lui, ne se rendait compte de rien.

— Ah ! oui. Cette nana. Elle a laissé un mot. Elle a dit qu'elle partait camper en pleine nature. D'après Matthias, elle est déjà venue, il y a des années, avec son mari et ses gosses. Cette fois, elle est toute seule. Encore un divorce, je parie ! Les couples finissent tous par y passer, de nos jours.

— Je suis allé ramasser les ordures à la cabane, reprit Kevin. Je n'ai pas vu de mot.

Helen à cet instant perçut un frottement sur le sol. Puis c'est une truffe froide qui entra en contact avec son genoux – celui qui dépassait du bord de la baignoire. Un chien. Slim avait un chien avec lui ! Une bouffée d'angoisse la saisit. *Venez chercher votre chien ! Il est ici ! Slim, votre chien ! Il est là. Avec moi...* Elle essayait de remuer les doigts, espérant toucher le cou de l'animal peut-être, mais c'était en vain. Elle ne pouvait l'atteindre. Et le chien avait cessé de la renifler. *Votre chien, Slim ! Il va s'en aller. S'il vous plaît, venez... Oh ! Slim, Slim ! Venez le chercher ! J'ai besoin de vous. Je suis au désespoir. Slim, s'il vous plaît...*

Elle émit un son. Un long gémissement remonté des profondeurs d'elle-même, auquel elle essaya de donner la puissance d'un vrai cri. Elle frappa aussi contre la baignoire. À plusieurs reprises. En même temps, elle luttait pour soulever son corps. Puis elle le laissait retomber. Et elle recommençait.

Le chien avait dû avoir peur. En tout cas il était parti. *Non, non ! Non, petit chien. Reviens. Reviens, s'il te plaît. C'est Slim qui doit venir te chercher. Il faut que Slim te trouve ici, tu comprends ?*

— On dirait que c'est le joint du robinet, dit Slim.

— Qu'est-ce qu'il y a comme fuites dans cette maison !

— M'étonne pas. Tu as vu comme elle est foutue ?

Il ne comprenait pas ce que signifiaient les bruits venus de la salle de bains ! Mais les entendait-il seulement ? Il fallait qu'il perçoive quelque chose. Même un bruit léger. Et qu'il réagisse...

Mais il était dit que Slim Goode ne réagirait pas aux appels du docteur Helen Myrer. Ce docteur Helen Myrer qui avait fréquenté les allées du pouvoir ; qui était en charge de la santé de milliers de patients démunis... et qui allait mourir comme un rat de laboratoire.

Elle devait absolument faire revenir ce chien ici, rassembler toute la volonté dont elle disposait encore. Toute sa force d'attraction. Et jusqu'au dernier mouvement susceptible d'exprimer un appel au secours. Elle devait déclencher le bruit qui ramènerait le chien dans la salle de bains... Elle reprit son souffle, réunit ses forces et tenta dans un effort ultime de faire jaillir un son adressé au chien – ce son amical, caressant, que les animaux domestiques affectionnent.

— Mm...

Essaie encore.

— Mmum... Mmuuum...

Quelle signification de pareils messages peuvent-ils avoir pour un chien ? Aucune, il faut croire.

La voix de Kevin s'éleva de nouveau, plus forte à présent.

— Alors, ça va me coûter combien ?

— Dix dollars, ça ira ?

— Cinq.

— Allez, six dollars et on n'en parle plus. Et tu me donnes un coup de main pour cet escalier.

Ils étaient sûrement tombés d'accord car Slim se mit à faire du bruit avec ses outils.

Le chien ne revenait pas. Helen eut une autre idée. Quand Slim aurait fini de remplacer le joint, il s'en irait. Et il repasserait par le centre de la maison. C'est-à-dire non loin de cette salle de bains. À ce moment-là, elle ferait tout ce qu'elle pourrait pour provoquer une vraie cacophonie de grognements et de coups donnés contre la baignoire. Slim serait obligé de s'arrêter. Obligé de prêter attention à ce qui se passait. Évidemment, si jamais il lui prenait l'idée de sortir en passant par derrière, par la cuisine… Mais non ! Il n'y avait pas de raison. Il était entré par devant, et son camion était de ce côté-ci de la maison. *N'est-ce pas, Slim ? Vous n'allez pas sortir par derrière ? Vous ne* pouvez *pas sortir par derrière. Il y a ici un être humain dont la vie dépend de vous. Un être humain qui a besoin de vous. Désespérément.*

Les griffes du chien cliquetaient sur le plancher, près de la salle de bains. Une meilleure idée traversa l'esprit d'Helen. Pourquoi ne pas essayer de sortir de cette baignoire et d'attraper le chien ? C'était peut-être possible après tout.

— Mm…

Le chien ne bougeait plus, apparemment.

— Mmmm ? Mmm…

Elle parvint à se déplacer vers l'arrière, et sa tête finit par toucher le bouton qui commandait la vidange de la baignoire. En prenant appui sur ce bouton, elle allait peut-être arriver à s'asseoir. Puis à saisir le collier du chien. À condition bien sûr que le chien accepte d'entrer de nouveau ici…

— Ffff ! Ffff ! Mmm…

Mon Dieu, elle avait l'impression de faire un de ces bruits ! Kevin risquait de l'entendre. Et de venir refermer la porte de la salle de bains. Helen verrait alors s'évanouir sa seule chance de s'en sortir.

Avec peine, elle essaya encore de s'asseoir en se cramponnant comme elle pouvait au bouton de vidange.

— Ffff ! Mmmm !

De nouveau les pattes du chien sur le plancher. Il revient ! Helen tenta de lever les mains, mais c'était impossible : elles étaient attachées trop solidement à la ceinture de corde. Elle étendit les doigts, les remua…

C'est alors qu'elle eut sa récompense. Un museau froid lui reniflait le bout des doigts ! *Viens, viens plus près mon toutou. Renifle encore. Laisse-moi attraper ton joli collier*. Le chien s'approcha. Il reniflait toujours : les cordes, certaines parties du corps. L'odeur inhabituelle du corps humain devait commencer à l'intéresser. *Oui, oui, continue…*

Mais ce chien ne portait pas de collier. Tout ce qu'Helen parvint à saisir, fut une touffe de poils. En la serrant entre ses doigts, elle pourrait peut-être se hisser… Mais le chien comprit qu'on cherchait à l'attraper. Il essaya de se dégager.

— Mmmmm ?

Je le tiens. Oui, cette fois je le tiens pour de bon. Elle se cramponnait des deux mains à la touffe de poils. *Je le tiens !*

Rappelez-le, maintenant, Slim. Rappelez votre chien ! Vous allez vous rendre compte qu'il ne vient pas. Qu'il ne peut pas venir. Alors c'est vous qui viendrez le chercher. Et vous tomberez sur une femme attachée et bâillonnée dans la baignoire... Mon Dieu, aidez-moi !

Mais cette réparation dans la cuisine n'en finissait plus. Il en avait encore pour combien de temps ? Une heure ? Un mois ? Un siècle ?

Elle eut l'impression de passer dix heures cramponnées à ce chien – ce chien qui commençait à devenir nerveux. Enfin, Slim Goode se décida à ranger ses outils.

Des murmures parvinrent jusqu'à elle. Puis elle entendit de l'eau qui coulait d'un robinet. Ils font des essais. Normal. Ça veut dire que c'est fini. Bientôt s'achèverait le chapitre le plus horrible de toute sa vie. Elle s'agrippa plus fort aux poils du chien qui se raidit. Il essayait de s'échapper.

— Mm...

— Chappie ! Tu viens, ma chienne ?

Brusquement Chappie fit un écart mais Helen tint bon. Elle la tenait toujours par les poils.

— Où est-elle passée, cette sacrée chienne ? dit Slim.

— Sous mon lit, j'imagine.

— Chappie !

Les outils résonnaient en tombant dans la caisse. Puis ce furent les craquements du plancher sous les pas des deux hommes.

Maintenant. C'est maintenant qu'il faut agir.

— Mmmmmmm !

Elle heurta la baignoire avec ses pieds. Aussi fort qu'elle put – assez fort pour ressentir le choc irradier en elle des talons jusqu'au crâne.

— Mmmm !

Elle cognait et cognait encore. Chappie en profita pour s'échapper en grognant… Aucune importance. Slim n'était pas loin. Il allait bientôt passer près de la salle de bains.

— Ah, Chappie ! Tu étais dans la salle de bains, c'est ça ? Tu cherchais à boire, hein ? Elle a toujours soif.

Slim gloussait. Helen essaya de faire tout le vacarme dont elle était capable.

Mais Slim s'éloignait. Indubitablement. Inexorablement. Sa voix mourait peu à peu. Il devait être dans le vestibule, maintenant.

— Cet escalier, dit Kevin, quand est-ce qu'on s'y met ?

— La nana a prévu de faire du camping sauvage jusqu'à mardi… Disons lundi. Ça irait, lundi ?

— Va pour lundi.

La porte d'entrée claqua. Helen, un instant plus tard, entendit Slim jeter la caisse à outils dans son camion. Puis il y eut un bruit de portière que l'on referme. Le moteur se mit à tourner. Le camion démarra.

Il ne restait plus à Helen qu'à pleurer de désespoir.

Kevin ne tarda pas à revenir. Et Dieu sait ce qui allait arriver maintenant. Il commença par lui arracher le ruban adhésif des paupières. De nouveau elle put y voir clair dans la demi-pénombre de la salle de bains.

— J'aurais peut-être dû te prévenir, chérie. Slim est sourd comme un pot. Il lit sur les lèvres.

Ayant croisé les bras, il la considéra un moment d'un air pensif.

— Tu es vraiment une vilaine fille, Helen. Une très vilaine fille.

Mon journal
« Beauté tragique »

*Ce sera mon meilleur coup. Ça va être tellement
bon que c'en est à peine croyable. Vraiment, on arrive
à lui faire peur si facilement ! Une fillette. Jamais vu
ça. Elle ne passe pas son temps à se défendre ou à
essayer de fuir. C'est mieux. C'est quand même moins
ennuyeux.*

*Tu essaies de me faire comprendre à quel point
tout cela est sauvage, hein ? Tant mieux. Je veux que tu
le fasses. Maman me comprenait, elle.* Tu es comme tu
es, *disait-elle. Et cela me faisait du bien. Elle ne se montrait jamais dure avec les hommes.*

*Je prends vraiment mon pied avec toi. C'est marrant
que tu sois à la fois si intelligente et si bête ! Je crois que
je vais t'inviter à danser. Je crois que je vais mettre mes
vieux disques. Comme avec Gloria. Elle dansait, Gloria.
Et elle s'est bien battue. Elle avait du cran.*

*Marrant que la plupart des gens ne sachent pas à
quel point on prend son pied de cette façon. Tu sors, tu*

te mets en chasse, tu en attrapes une. Et ton désir est scellé avec du sang. Pour toujours. Et ça continue. Et tout ça, c'est de l'art. Je suis un artiste. Comme Dieu. Lui aussi, il a mêlé la mort à son œuvre. La mort et toutes sortes de choses.

Elle est vraiment belle. Si seulement je pouvais appuyer ma tête sur ses genoux et regarder le ciel. Et voir dans le ciel les serpents en train d'escalader les nuages.

Mais elle ne veut pas, cette pute. À croire qu'elle s'en fout, du mal que je lui fais ! Salope.

Même nue, même couverte de sang, elle conserve de la dignité. Même quand elle pleure. Elle essaie de ne pas hurler. C'est seulement quand je lui fais mal qu'elle crie.

Mais elle va avoir la trouille. Quand elle va comprendre qu'elle est entre les mains du maître. Elle essaie de s'en sortir avec de belles paroles. Mais elle ne s'en sortira pas. C'est sans issue. Rien à faire.

C'est un peu comme à la pêche. C'est mieux quand on tombe sur un poisson qui a envie de se défendre. Et le docteur Psy-de-Merde a envie de se défendre. C'est pour ça que c'est si triste, en un sens. Elle se bat vraiment bien. Et pourtant elle va perdre. C'est le côté tragique de la beauté. La beauté finit toujours par s'éteindre. Par s'en aller en poussière.

Tout de même, essayons de passer une soirée. Dansons ! Elle sera si belle dans la vieille robe, dans le linceul. Ah ! si elle savait combien de femmes l'ont portée avant elle, cette robe ! Cinquante, peut-être. Et pourtant, à chaque fois, c'est une expérience nouvelle.

Elle a bien cru que j'allais la tuer en la brûlant avec les allumettes. Mais on ne peut pas tuer quelqu'un avec des allumettes. Le feu exige un bûcher. Beaucoup de bois. Et si tu tiens absolument à laisser un squelette derrière toi, il y a toujours l'électricité.

11

DANCING

Elle s'attendait à mourir brûlée vive mais ce n'est pas ce qui arriva. En fait, le processus paraissait suspendu. Curieusement, Kevin avait l'air de vouloir marquer une pause. C'est presque avec gentillesse qu'il lui ôta de la bouche son bâillon en ruban adhésif.

— C'est affreux, hein ? dit-il.

Il lui essuyait les lèvres avec un bout de tissu qu'il jeta quand il eut fini.

— Il est devenu sourd il y a à peu près cinq ans. Les oreilles ne fonctionnent plus, mais il reste le meilleur plombier du pays.

Tout en parlant, il lui détachait les pieds.

— Bon, je crois que tu as compris la leçon, cette fois. Pas la peine de recommencer à faire du bruit. Ça ne sert à rien.

Il défit la ceinture de corde à laquelle il lui avait relié les poignets, puis il libéra les poignets eux-mêmes ;

mais ce fut pour lui remettre aussitôt les menottes. Il eut un rire.

— Tu n'aurais pas pu retenir Chappie de toute façon. Avec tes pattes attachées ! Chappie est forte, tu sais.

Il soupira.

— Mais il fallait que tu essaies, naturellement…

Il secoua la tête.

— Ainsi va le monde. Tu as perdu ta langue ou quoi ?

Il la força à se lever.

— Excusez-moi…

— Non, non. Pas d'excuses. Ce qui est fait est fait.

Il l'entraîna dans le séjour où il la fit s'agenouiller à terre, près de lui, tandis qu'il prenait place dans un fauteuil vert sombre. Helen obéit en silence. Maintenant elle s'attendait au pire. Les yeux clos, elle essaya de penser à Al, où qu'il fût à cet instant. D'une façon ou d'une autre, elle devait s'efforcer de résister aux vagues de désespoir qu'elle sentait monter en elle.

C'est avec ce désespoir qu'il allait falloir compter désormais. Deux solutions s'offraient à elle. La première consistait à céder à la peur, autrement dit à se mettre à hurler et à se débattre dès que Kevin recommencerait à lui faire mal. La deuxième possibilité consistait à tenter de garder la maîtrise de la seule arme qu'elle eût à sa disposition : son esprit, son expérience, sa capacité à analyser cet homme.

Kevin s'était enfoncé dans son fauteuil. Il fumait, absorbé dans de profondes pensées. De temps en temps, il griffonnait quelque chose dans son cahier.

Helen tenta de récapituler les issues offertes par la maison. Mais elle n'arrivait à rien. Voyant qu'elle jetait un coup d'œil vers le téléphone, il dit :

— Il est coupé.

— Vous êtes observateur, répondit-elle.

Il n'ajouta rien de plus. Mais quand Helen remua, essayant de savoir s'il l'autoriserait à se relever, il l'en empêcha en lui appuyant sur l'épaule.

— Tu es en train de devenir ennuyeuse, dit-il. Et ce n'est pas la bonne méthode avec moi. Tu ferais mieux de continuer à te montrer intéressante.

— Comme un poisson qui se débat au bout de la ligne, c'est ça ?

Un éclair de gaieté traversa le regard de Kevin.

— C'est exactement ça ! dit-il. Oui, ça me plaît quand tu me donnes du fil à retordre.

Du fil à retordre, elle pouvait lui en donner. Elle pouvait réfléchir, analyser la situation, estimer ses chances. Elle pouvait observer les lieux et les observer encore... De nouveau elle regarda les fenêtres. Les verrous étaient discrets, mais ils étaient bien là. Menottes ou pas, cette maison était une prison parfaite.

Les minutes s'écoulaient lentement. Helen accueillait ce répit tantôt avec soulagement, tantôt avec une bouffée d'horreur à l'idée de ce qui l'attendait. Et rien ne pouvait réconcilier ces vagues de sentiments contraires. Elle avait envie de supplier Kevin mais elle savait qu'elle ne devait pas le faire. Puisque c'était ce que faisaient toutes les autres. Non. Mieux valait continuer à se montrer intéressante. Aussi différente des autres que possible. C'était sa seule arme.

Les douleurs laissées par les coups, peu à peu, lui faisaient moins mal. En revanche, sa blessure à la cuisse avait commencé à se refermer et la tourmentait de plus en plus – cette souffrance, en réalité, effaçait les autres. Helen songea que si elle s'en sortait vivante – et elle n'avait pas encore renoncé à cette éventualité –, elle garderait une cicatrice de cinq centimètres…

Est-ce qu'il allait rester des heures dans ce fauteuil, à l'observer en gribouillant des notes ?

— Qu'est-ce que vous écrivez ?

— Des trucs à moi.

— Vous tenez un journal ?

— Oh ! depuis peu. Je suis doué pour la poésie, mais de là à écrire quelque chose de personnel…

Ce journal était-il susceptible de révéler quelque chose ? Kevin écrivait-il mécaniquement, comme une espèce de robot détraqué, ou s'agissait-il chez lui d'une activité consciente, maîtrisée ? Il présentait des troubles du développement et sans doute des dérèglements physiques, mais Helen continuait de penser qu'elle n'avait pas affaire à un tableau clinique ordinaire.

En tout cas, ce symptôme-là n'était pas ordinaire.

— Je pourrais le lire, votre cahier ?

— Bien sûr que non. Et boucle-la, hein ! Tu parleras quand ce sera le moment. L'envie pourrait me prendre de me servir de toi comme d'une cuvette de chiotte, tu sais. Madame la psychanalyste toute-puissante !

Elle devait absolument essayer de se rappeler tous les articles et ouvrages qu'elle avait lus concernant le sadisme – chaque conférence entendue, chaque détail de chacun de ses entretiens en prison avec les tueurs pathologiques.

L'expérience finissait par prendre une tournure bizarre. Elle avait maintenant la tonalité d'un rêve, d'un cauchemar, d'un événement qui n'aurait jamais dû se produire dans la vie d'Helen Myrer. Ce n'était pas possible. Helen Myrer ne pouvait pas être à genoux à côté de ce fauteuil, nue, battue, menottée, à demi-anéantie, prisonnière d'un fou enragé obsédé par le seul projet de son crime.

Mentalement, elle passait en revue les articles qu'elle avait lus sur la question. *Le Dieu noir du sadique*, d'Ellman, par exemple, qui contient une excellente discussion sur l'hyperdéveloppement de l'ego. Elle pensa aussi à *Échecs dans le développement de la conscience chez l'enfant*, où Klein analyse la façon dont se sont effacés, chez certains sujets, les critères du bien et du mal. Il y avait aussi l'article de Dupree, *Libido et réalité chez le sujet masochiste*, qui décrivait exactement le genre d'agression à caractère sexuel présenté par Kevin McCallum.

Lui revinrent également en mémoire les paroles de ces types qu'elle avait interrogés en prison. La conversation avec Guy Cobb, notamment.

— Et vous seriez capable de refaire de telles choses, Guy ?

— Ces choses-là, vous ne décidez pas de les faire. C'est elles qui décident. Vous, vous obéissez.

Et T. T. Fair ! Presque un gosse. Un jour, il avait dit à Helen :

— Je n'arrivais pas à croire qu'ils étaient morts. Je me disais : c'est pas possible ! Ils me font un plan, ou quoi ! Ils essaient encore de m'avoir !

Quand ces pensées lui étaient venues, il avait encore le revolver fumant à la main, et ses parents gisaient dans leur sang sur la moquette du salon.

Helen leva les yeux vers son ravisseur. Où pouvait bien se cacher le libre arbitre, chez cet homme ? Dans quelle région secrète de son moi les décisions se prenaient-elles ? En d'autres circonstances, elle aurait pu broder sur ce thème de la plus élégante façon. Mais ici, pas question de broder. Il y avait urgence. Elle devait se dépêcher de résoudre l'énigme de la volonté chez cet homme, sinon elle était morte.

Les critères du bien et du mal peuvent-ils être anéantis chez un individu donné ? Peut-on les empêcher d'éclore ? Qui séquestrait vraiment Helen Myrer ? Était-ce un être humain authentique ou une entité reptilienne, primitive, jaillie implacablement des profondeurs obscures de notre espèce ?

C'était la mi-journée. La lumière commençait à changer.

Puis les heures continuèrent de s'écouler lentement, durant lesquelles Helen demeura aussi calme que possible. Peut-être allait-il s'endormir. Si c'était le cas, aurait-elle le cran de se lever et de rassembler toutes les forces qu'elle possédait encore pour s'abattre sur lui à coups de menottes ?

La maison était tranquille. On n'entendait même pas le tic-tac d'une horloge. Kevin posa la main sur la tête d'Helen. Il avait les yeux ouverts mais il ressemblait à un lézard en train de rôtir sur une pierre par un bel après-midi de soleil. Elle se demanda s'il n'était pas enfermé dans une sorte d'hypnose… Non. C'est comme ça qu'il prenait son plaisir. Il se délectait de ce qu'il allait faire à sa victime. Voilà pourquoi il avait accepté de perdre tellement de temps au début, en bas, à la cabane. Attendre ! Attendre l'excitait.

Et qu'y avait-il d'autre dans cette tête ? Quelles pensées s'agitaient sous ce crâne, dans ce labyrinthe, avant d'habiter son regard ?

L'action du pervers est toujours une parodie. Et c'était bien d'une parodie qu'il s'agissait – une parodie de cour d'amour. Il lui faisait la cour. Non pas en essayant de la séduire, mais en la torturant, non pas en lui adressant des compliments ou des fleurs, mais en lui passant les menottes et en lui faisant peur. Tout à l'heure viendraient les noces. Mais ce ne serait pas une nuit de plaisir. Le mariage serait consommé de la plus effroyable manière.

Qu'est-ce que la mort ? se demanda soudain Helen. Et aussitôt : *Non ! ne te laisse pas entraîner vers ce genre de pensées. Concentre-toi sur lui. Cet homme est une issue pour toi. Il n'est pas la mort. La mort est une chose à laquelle tu dois refuser de réfléchir. Quoi qu'il advienne.*

Et les souffrances ? Elle savait qu'elle allait devoir en endurer de plus atroces encore. Des souffrances inimaginables, des blessures qui vous dévastent de façon irréparable. Dans ce cas, le choc ne vous délivre-t-il pas de la douleur ?

Elle se tortillait, elle gémissait, et à chaque fois elle le sentait peser sur elle avec sa main, s'enfoncer plus profond dans ses cheveux. Il donnait aussi des coups de talon contre les pieds du fauteuil. Mais son visage demeurait aussi impénétrable qu'une pierre.

Doucement, il se mit à balancer le pied d'avant en arrière, en produisant un bruit sec chaque fois que sa chaussure cognait contre le bois. Elle l'observa à travers la fumée de la cigarette, mais sans avoir l'air de lui lancer un défi. Elle essayait au contraire de lui adresser de brefs regards ; puis elle baissait les yeux aussitôt, à la façon d'une geisha.

Toutes les fenêtres étaient fermées. De lourdes nappes grisâtres stagnaient dans l'air. Helen n'avait plus envie de fumer. Elle se demanda même comment la cigarette avait pu être à ce point présente dans sa vie, autrefois.

L'idéal aurait été de pouvoir dénicher, dans la partie la plus professionnelle d'elle-même, une attitude modèle – le composé d'ouverture et de neutralité bienveillante qui eût permis d'établir enfin la communication avec cet homme.

Il commença à la dévisager d'une façon qu'elle n'aima pas du tout. Le moment était-il venu ? Le début du processus de mort ? Une étincelle de plaisir brillait dans le regard de Kevin ; sa peau grise et sans vie s'était légèrement colorée.

— Viens ici, dit-il.

Il était silencieux depuis des heures, et ces mots, bien que prononcés à voix basse, retentirent dans la tête d'Helen comme une explosion.

Elle se redressa avec peine et vint se placer devant le fauteuil. Mais Kevin, de l'index, montra de nouveau le plancher, et elle dut reprendre sa position. Il se tapota le genou et dit :

— Allez, viens.

— Vous voulez que je vienne m'asseoir sur vos genoux ?

Il gloussa, sans paraître vouloir s'expliquer davantage. Il essayait de lui suggérer quelque chose, semblat-il à Helen, quelque chose qu'il n'était pas capable d'exprimer clairement. Cela le faisait ressembler à un gamin lubrique. Un être tout juste bon à bégayer et à balbutier.

Helen, finalement, resta à genoux à ses pieds, et il se mit à lui effleurer les cheveux d'une main légère – si légère qu'elle paraissait un souffle paisible et tendre. Incroyable comme cette main était douce…

— Tu as envie de savoir ? demanda-t-il.

— Savoir quoi ?

Elle avait ressenti une légère nausée. Elle n'aimait pas du tout la tournure que prenaient les choses.

— J'aurais pu te dire… Je pensais que tu préférerais savoir.

Elle voulut répondre qu'elle ne comprenait absolument pas à quoi il faisait allusion, mais elle comprenait. Elle comprenait même trop bien. Elle se contenta de secouer la tête, l'air de ne pas saisir. Surtout qu'il n'aille pas commencer à exprimer ses fantasmes ! C'était excessivement dangereux.

Il lui caressa la joue, et du bout des doigts lui dessina le bord des lèvres. Elle dut se retenir pour ne pas le mordre.

— Après le dîner, dit-il.

Il faisait trop chaud dans cette pièce. Et ça sentait mauvais. Si elle ne sortait pas, elle allait vomir.

— Quoi ? demanda-t-elle.

Comme devinant ce qu'elle éprouvait, il se pencha vers elle et lui fouilla les yeux du regard. *Personne ne m'a jamais regardée comme ça. Pas même Al. Ni la nuit de notre mariage, ni la première fois que j'ai donné devant lui la tétée à notre bébé, ni même à l'heure de sa mort.* Ce Kevin était un être humain d'une espèce tout à fait remarquable. Une sorte de saint. Le pervers parfait. L'individu était fou, mais il y avait en lui un héros, un homme qui relève un défi. Tuer, pour lui, c'était affronter la mort, embrasser ce qu'il redoutait le plus au monde.

En ce sens, il était humain. Authentiquement et réellement humain. En ce sens, il n'avait rien d'exceptionnel.

D'un geste vif et brutal, il l'attira contre lui. Puis il recommença à lui caresser les cheveux. Elle se laissa faire, en s'abandonnant avec raideur. Les menottes lui vrillaient les poignets. Et ses pensées s'enfuirent sur des routes qui semblaient ne conduire nulle part. Bien sûr, elle aurait toujours la possibilité de se précipiter vers une fenêtre, de la faire voler en éclats… Mais elle serait rattrapée avant d'avoir pu mettre un pied dehors. Quant aux portes, il n'y avait aucun espoir de ce côté-là non plus. De toute façon, il ne la lâchait pas d'une semelle. Et il était trop vigilant pour lui laisser saisir sa chance, au cas où elle se présenterait.

Il l'attira plus près de lui encore, l'obligeant à se soulever et à venir se blottir contre son buste. Le cœur de Kevin battait dans une poitrine caverneuse ; son souffle triste et court semblait l'écho de râles anciens. Il a eu une pneumonie, songea-t-elle. Une pneumonie mal soignée.

Et peu à peu l'image d'un enfant brutalisé, abandonné, victime de violences sexuelles se précisait. À quoi étaient venues s'ajouter les souffrances de la puberté… Elle devina le petit être fuyant parmi les ombres, expédié en ville, à l'école, dans une ferme, partout abusé, partout ignoré, seul durant de longues périodes, livré à sa propre colère, au désespoir, à des craintes qui, toutes, finissaient un jour par devenir réalité…

Elle songea à ce qu'il venait de lui dire. Est-ce qu'elle ne devait pas saisir cette occasion pour établir la relation ? En exprimant le désir de lui révéler ses projets la concernant, il lui avait peut-être tendu une perche.

— Kevin, murmura-t-elle, j'aimerais savoir…

— Désolé, chérie. J'ai changé d'avis. Je crois qu'il vaut mieux que nous n'en parlions pas. Pour ton bien. Ce qui t'attend doit rester enfermé dans le secret de mes pensées. Kevin sait très bien ce qu'il a à faire. Mais ce n'est pas encore le moment. Kevin doit attendre. Attendre et garder ses intentions pour lui.

À la façon qu'il eut de remuer dans son fauteuil, Helen le soupçonna d'éprouver une excitation sexuelle à l'idée qu'il tenait une victime entièrement à sa merci. Il jouissait du désespoir de sa proie. Une part de son plaisir consistait à cannibaliser l'ego d'autrui.

— Kevin ?

Après un temps, il répondit d'un air las :

— Oui ?

— Je crois que j'aimerais savoir. Au moins un peu.

Il soupira.

— Écoute, docteur… Tout ce que je peux te dire, c'est que je n'arrive plus à m'arrêter. Je crois que je ne sais pas vraiment comment ça se passe. C'est… C'est soudain, disons. La fille est là. Et puis elle n'est plus là. Alors tout est fini. Vraiment fini.

De nouveau le silence.

— Amnésie ? dit Helen.

— Non. Je me souviens…

Il éleva la voix :

— Je me souviens de toutes !

Ce n'était pas lui qui mettait en scène le fantasme, c'était le dieu noir. Ce que l'homme n'osait faire, le dieu noir l'accomplissait.

Helen glissa et se remit à genoux.

— Vous êtes innocent, dit-elle.

Il tendit la main, tel un jeune prince la donnant à baiser. Mais Helen n'alla pas plus loin. Elle n'avait pas l'intention d'embrasser cette main – cette patte puante.

— Tout cela te fascine. Pas vrai, Helen ?

Le ton employé suggérait qu'une forme de complicité s'était établie entre eux. Mais pouvaient-ils être complices dans une entreprise dont lui seul avait la connaissance et la maîtrise ? Un tueur avait-il donc le pouvoir d'entraîner sa victime vers des régions d'elle-même dont elle n'aurait jamais soupçonné l'existence ?

— Ça me... ça me change, répondit-elle.

Elle essayait de trouver les mots susceptibles d'exprimer à la fois la crainte, le dédain, la peur d'être bâillonnée... mais d'autres émotions aussi, plus insaisissables, qui semblaient la pousser non seulement à sauver sa propre peau, mais à lui tendre – à lui, oui ! – une main secourable.

— Kevin, reprit-elle. Vous savez ce que je pense ? Je pense que ma vie n'est pas terminée. Je n'en ai pas fini. Ni avec ma famille, ni avec mon passé. Ni même avec l'amour.

Il enfonça les doigts dans la chevelure d'Helen qui ressentit une pulsion subite lui ordonnant de fuir – mais elle se retint.

Ensemble, ils commençaient à descendre vers les profondeurs de son esprit à lui. Elle avait conscience d'éprouver maintenant des sensations nouvelles, impossibles à décrire, et qui n'appartenaient pas à son moi – tel, du moins, qu'elle le connaissait. C'étaient des sensations au goût étrange, teintées de nostalgie – la nostalgie furieuse de cette vie qui pourtant ne lui avait pas encore été arrachée. Était-ce son âme qui protestait ? Cette âme qui avait vécu si longtemps dans une douceur trompeuse et qui allait bientôt mourir ?

Il l'avait arrachée à son innocence fondamentale, à l'illusion basique et primitive d'une confiance qui régnerait entre les sexes. Dans chaque homme désormais elle retrouverait l'ombre de Kevin McCallum – et cela resterait vrai jusqu'à la fin de ses jours, si par miracle elle survivait à cette épreuve.

Oui, elle ressentait de la colère. Mais cette colère n'était pas dirigée contre Kevin. C'était une rage plus profonde, qui visait le mystère de la situation elle-même – et ces ténèbres immémoriales, peut-être, jaillies des grandes souffrances humaines, à présent répandues dans son cœur à elle.

Car sa haine couvrait un champ plus vaste que cet homme – cet homme qui pourtant la lui inspirait. Elle se sentait capable, maintenant, de demeurer couchée sur ses genoux. De lui offrir cette soumission dont il tirait sa jouissance. Autrement dit, elle se sentait capable de servir la perversion de Kevin ! Elle était en train de s'attacher à son ravisseur. Elle était pareille à ces sorcières qui finissaient par allumer elles-mêmes le bûcher auquel l'Inquisiteur les avait promises. À ces juifs accablés d'injustes accusations, et qui les supportaient passivement, comme s'ils se fussent regardés eux-mêmes comme d'authentiques coupables.

L'esprit essaie toujours de donner un sens à ses propres douleurs. Innocence perdue ? Non. Volée plutôt. Toujours volée.

Helen Myrer avait tellement étudié ce genre de choses ! Et voilà que tout cela lui arrivait à elle, voilà qu'à son tour elle devait vivre des épreuves dont le pouvoir

210

l'effrayait et la plongeait dans la stupeur. Elle était en train de s'attacher à un maniaque, à un pervers. Ici. Maintenant. Voilà dans quel mystère elle était précipitée. Elle avait commencé à se soumettre, en dépit de son intelligence et de sa compétence professionnelle.

Il la flattait d'une main lente. L'on n'entendait rien d'autre, dans la pièce, que le glissement de sa paume sur les longs cheveux d'Helen ; et c'était comme si la mort, à ce contact, se fût approchée d'elle à petits pas.

Helen s'aperçut qu'elle avait recommencé à parler avec Al en pensée. S'attendait-elle à le revoir ? C'était le début du voyage.

— Allez, chérie. C'est le moment.

Kevin avait dit ces mots dans un soupir, avec la gravité d'un employé des pompes funèbres.

Elle se leva. Elle sentit qu'il la prenait par la taille. Il la guidait. Il la contrôlait… Non !

Comme s'il eût conscience des pensées qui la visitaient, il lui fit prendre un autre chemin et la poussa vers un banc qui se trouvait dans le vestibule, près de la porte. Un « banc des fiancés », comme on appelle ce genre de sièges. Là, il lui mit les mains sur les épaules en disant :

— Je t'en prie, Helen. Assieds-toi.

Elle obéit et baissa les yeux dans l'attitude de l'accusée. Kevin prit place à côté d'elle et lui releva la tête.

— Tu es adorable, dit-il. La plus adorable de toutes.

Elle se rendit compte qu'il n'avait pas les yeux noirs mais bruns – d'un brun profond comme de l'acajou. Des yeux humains, après tout.

Il lui donna un baiser nerveux. Elle lui montra les menottes en l'interrogeant du regard. Accepterait-il de les lui enlever ? Il fit attendre sa réponse.

— J'aimerais bien te laisser partir, dit-il. Mais c'est impossible.

— Ne vous forcez pas à agir contre votre gré, Kevin.

Par pitié, laisse-le décider tout seul ! Contente-toi d'un conseil subtil, indirect ! Il doit être convaincu qu'il a le choix…

— Tu ne comprends pas, chérie. Même les plus petites choses, tu ne les comprends pas…

— Je comprends que je vous fais du bien, Kevin ! Croyez-moi, je le comprends !

Dans un cliquetis, elle lui montra encore les bracelets d'acier. Cette fois, peut-être… Elle avait réussi à l'amener tout près du bord… Non. Il s'éloignait de nouveau. Elle insista.

— C'est le dieu noir, dit-elle. Mais on peut en venir à bout, si vous voulez ! Ensemble. J'ai tous les outils à ma disposition. C'est vrai, vous pouvez me croire. Tout ce que vous avez à faire, c'est me laisser m'en servir.

— Je suis le serviteur du dieu noir, répondit-il. Et le dieu noir a déployé ses ailes. Il est remonté des profondeurs. C'est lui qui décide. Moi, je n'ai pas plus de volonté qu'une feuille d'automne détachée de la branche.

Elle s'approcha jusqu'à venir contre lui. Puis elle lui baisa les lèvres. Et elle se laissa glisser jusqu'à ce que sa joue vienne reposer sur les genoux de Kevin. Entretemps, elle avait réussi à se composer un sourire.

— Vous êtes unique ! dit-elle.

Il releva la tête, puis s'écria en frappant dans son cahier :

— *Regarde mon œuvre et désespère !*

— *Dit Osymandias, le roi des rois*, enchaîna Helen.

— *Comme sur une plaine obscure, la nuit, où s'affrontent d'ignorantes armées…*

— Qu'est-ce que c'est, déjà ? demanda Helen.

Ses connaissances, en poésie, étaient limitées.

— *La Plage de Douvres*, répondit-il. De Matthew Arnold. *Ô mon amour ! Soyons vrais ! Car ce passé qui s'étend derrière nous, pareil à un pays de rêve…*

Sa grosse tête retomba. Il ferma les yeux.

— Où l'avez-vous appris ? dit Helen.

Voilà qui ne correspondait pas à l'image qu'elle s'était faite de lui – un être trop perturbé pour avoir bénéficié d'une éducation décente.

— *Une vie sans joie, sans amour, sans lumière*, dit-il. J'aurais voulu être un poète, Helen. J'ai envoyé mes vers à des revues. Mais on me les a retournés.

Il rouvrit les yeux et son regard se perdit, mélancolique.

— C'était dans une vie antérieure, dit-il. Dans une de mes cinquante vies antérieures.

Agitant son cahier, il lança :

— J'écris comme un enfant !

Cinquante vies, songeait Helen. Cela signifiait-il cinquante victimes ? Sans doute.

En termes statistiques, un phénomène tel que Kevin ne représentait rien. Comme entité sociale, il était nul.

C'était un danger public, voilà tout. Il n'y avait pas d'autre solution que de l'incarcérer. Pourtant, il suffisait de se pencher sur son existence individuelle pour comprendre que cette entité nulle recelait en fait une richesse profonde, étouffée et brisée, certes, mais bien réelle. Comme l'avait montré de façon si évidente un autre cas dont elle se souvenait parfaitement : Ted Bundy.

— Helen, reprit Kevin. Rien qu'un prénom, alors ? Jamais de surnom ? Ce n'est pas possible. Tu dois bien avoir un surnom…

Maintenant elle pouvait le lui dire. Cela avait une chance d'être utile.

— On m'appelle Lena.

— Lena ?

Il éclata d'un rire nasal, puis se pencha vers elle. Il avait l'air d'un homme normal en train de passer un bon moment. Elle eut alors le sentiment très vif de saisir la nature d'un long processus – le processus même qui donnait naissance à de tels hommes.

— Lena-la-Colombe, précisa-t-elle. C'est le surnom complet.

— Pourquoi t'a-t-on affublée d'un pareil sobriquet ?

— Il paraît que je sais roucouler. Une vraie colombe, quoi… Quand j'étais petite, j'avais une colombe. Un mâle en fait. Je l'appelais le Roi de Russie.

— Moi, un jour, j'ai pris une bonne raclée sur les fesses pour avoir plumé le canari de ma mère. Bouton d'or.

Le souvenir doit remonter à longtemps, songea Helen. Il correspond sans doute à l'apparition des premiers symptômes. Arriverait-elle à l'entraîner plus loin encore, à lui faire revivre les violences passées ?

— Ces fessées, dit-elle, ça arrivait souvent ?

— Qu'est-ce que tu cherches à savoir ?

Du pied, il lui frappa le genoux. Elle détestait être touchée par lui. Pourtant elle parvint à fermer les yeux, comme si elle eût éprouvé du plaisir. Elle réfléchissait. Elle tentait d'analyser ces éléments.

— Qu'est-ce qu'on vous faisait, au juste ?

— Elle avait cette chaise, où elle allait s'asseoir pour les punitions. Il fallait que je vienne me mettre devant elle. Alors elle déboutonnait ma chemise. Et elle me l'ôtait.

Helen, de nouveau, tendit vers lui ses poignets et les menottes qui cliquetèrent. Mais il refusait toujours de lui libérer les mains.

— Elle m'enlevait aussi mon pantalon, dit-il. Ensuite…

Il s'était rapproché de son visage. Helen pouvait voir la douleur au fond de ses yeux. La douleur de l'homme. Elle se cramponnait à son moi professionnel, et au conseil que ce moi lui donnait : « Aide-le. »

— Ensuite ?

— Si j'avais… Enfin, si c'était grave, elle…

Il reprit son souffle, puis serra les dents.

— Elle quoi, Kevin ? Dites. Elle vous faisait quoi ?

— Oh ! je crois qu'elle se servait d'une pince qu'on avait à la maison…

Au coin de sa bouche était apparu un long filet de bave qu'il essuya avec son doigt.

— Ça faisait mal, Lena. Très mal.

Il invente, songea Helen. Comportement classique. Il invente et ça lui permet de se justifier. Mais les patients doivent être amenés vers la vérité vraie. Et la vérité vraie, c'est que les sévices infligés par les parents ont été bien souvent plus psychologiques que physiques – mais non moins dévastateurs.

— Maintenant, dit-il, j'ai le sang qui bout.

À présent, l'acteur jouait son rôle avec conviction, comme s'il venait de toucher pour la première fois à la vérité de son personnage.

Qu'il ait ou non inventé ces punitions, Kevin avait été peu ou prou créé par elles. Et il en avait horriblement souffert. Si Helen parvenait à se laisser gagner par une pitié plus profonde encore, alors elle avait une chance de le toucher.

— Est-ce que ça vous rendrait fou de rage, si je vous disais ce que je pense ?

Un tic fit tressaillir les lèvres de Kevin. Signe de déception ?

— Vas-y, souffla-t-il. Dis ce que tu penses.

— Je pense que le mot *amour* a été prononcé tout à l'heure. Il y a quelques minutes.

Il plissait les yeux. Mais Helen, maintenant, pouvait déceler dans le regard de Kevin un semblant de réponse à la question du choix. Certes, il était pris au piège de ses actes et de son passé, mais si jamais lui parvenait quelque étincelle de lumière, alors peut-être…

— Chacun ses goûts, ma colombe.

Il eut un rire bref et ajouta :

— Mais je ne suis pas Bruce Willis, tu sais.

— Et moi, je ne suis pas Julia Roberts.

— Peut-être. Mais si tu crois que je ne vois pas où tu veux en venir ! Tu essaies de me sonder. D'évaluer mes performances…

— Je ne parlais pas d'amour au sens de *faire l'amour*, Kevin. Je parlais de cet amour qui règne entre deux personnes qui se respectent. Entre des amis, par exemple.

— Tu crois que tu penseras encore la même chose tout à l'heure ? Après ce que je t'aurai fait ?

Voilà qu'il repartait dans la mauvaise direction.

— Ce que je voudrais, reprit-elle, c'est que nous trouvions un moyen de devenir amis. Une part de vous-même aspire à se sentir bien… En harmonie. Une part de vous-même a envie de grandir…

Il frappa dans ses mains en un geste ardent, spontané – un geste d'enfant joyeux. Et le silence retomba aussitôt.

— Tu sais quoi, Lena ? Vraiment, je… Oh ! ça alors…

Il la scrutait avec le plus grand sérieux.

— Écoute-moi, Lena-la-Colombe. Ce que je veux, c'est connaître les gens. Et pour les connaître, j'aime bien les regarder souffrir. C'est ma façon à moi de les aimer.

Elle frissonna. Elle sentait son sang se glacer dans ses veines. Ce n'était plus à Kevin qu'elle parlait. C'était au dieu noir. Or le dieu noir devinait, grâce à son noir instinct, ce qu'elle essayait de lui vendre. Et il n'avait pas la moindre intention de l'acheter.

— Kevin ?

— Oui, ma colombe?

— Le problème n'est pas de se faire souffrir toujours plus, vous savez. Au contraire. Ce serait plutôt comment s'aimer plus. Je ne sais pas, moi… L'amour, c'est de discuter toute la nuit, par exemple. Pour le seul plaisir d'être ensemble. De chercher la part de vérité de l'autre… Sa vraie part de vérité, je veux dire…

Il souleva les sourcils.

— Et si on tombe amoureux? demanda-t-il soudain.

Elle ferma les yeux et se replia profondément à l'intérieur d'elle-même. Elle savait que les mots qu'elle s'apprêtait à prononcer maintenant pouvaient mettre fin à leur jeu, ou la récompenser de ses efforts.

— Si on tombe amoureux? répondit-elle. Alors on se débrouillera.

Il y eut un silence, au cours duquel elle devina toutes les craintes qui grondaient en lui. C'est une menteuse! Il ne peut y avoir de place, ici, pour la moindre parcelle de générosité ou d'affection! Ici, pas de place pour l'amour!

— Tu es folle, Lena.

Elle se souleva et lui baisa le menton. Sa brûlure à la cuisse lui faisait mal à lui arracher des larmes. Pourtant, elle parvint à sourire.

— Oui, dit-elle. Je suis folle. Et tu n'imagines pas à quel point.

Elle resta assise un instant sur le siège, puis se laissa aller contre Kevin qui se cambra comme un matou.

— Je n'en peux plus, Kevin. Je voudrais tellement que nous trouvions un moyen de nous réconcilier.

Je suppose qu'il me faut apprendre à aller plus loin dans la compassion…

Elle effleura sa blessure.

— Pourquoi ne pas commencer par arrêter ces trucs qui font mal ? Tu ne peux pas ?

Il lui souleva le bras et se pencha pour examiner la plaie.

— J'ai fait des dégâts, hein ?

Il appuya légèrement sur la blessure. C'est à peine si elle ressentit quelque chose, mais elle eut le réflexe de s'écarter.

— Ça fait mal ? dit-il.

Il mit le doigt au milieu de la plaie et pressa.

— Tu souffres ?

Oui, elle souffrait. La douleur irradiait en elle par vagues profondes. Et lui, il scrutait son visage. Que voyait-il au juste ? Que signifiait la vraie souffrance, pour un individu tel que lui ?

— Ça fait mal ?

Elle fit oui de la tête, vigoureusement. Alors, pour la première fois depuis que tout avait commencé, elle se rendit compte qu'elle portait toujours ces jolies boucles d'oreilles en émeraude achetées chez Rosenoff à Albany. Elle trouva la force de dire :

— Tu les aimes, mes boucles d'oreilles ?

Elle arrivait à peine à parler. Elle arrivait à peine à respirer. Millimètre par millimètre, il déplaçait le doigt le long de la plaie et arrachait la croûte, rouvrant la blessure. Et il souriait d'un sourire bienheureux, plein d'amour. Mais de quelle sorte d'amour s'agissait-il ?

D'un amour orienté vers lui-même. Son doigt était pareil à un fer rouge. Pareil à une pointe d'acier.

Il finit par toucher un nerf. Helen sentit une explosion lui déchirer la poitrine. Un éclair blanc. Elle se tordit de douleur et hurla. Le désespoir, encore.

— Tu souffres, hein! Tu souffres! Allez, allez!

Il avait les narines dilatées. L'espace d'un instant, il montra une telle arrogance qu'il parut n'avoir plus rien d'humain. Puis il s'apaisa et demanda d'une voix tranquille :

— Ça te dirait de danser?

— Dan… Danser?

— Moi, je danse la rumba, le fox-trot, la valse. J'aime bien quand ça swingue, aussi.

Il se leva et entra dans la chambre. Aussitôt Helen se mit debout. Son instinct lui commanda de regarder vite vers la fenêtre la plus proche, mais déjà Kevin était de retour. Il rapportait une robe de soie noire dont les épaules s'ornaient d'une broderie représentant un dragon d'or. D'un mouvement précis, presque maniéré, il déposa le vêtement sur le banc des fiancés. Puis, ayant tiré de sa poche une petite clé, il ouvrit les menottes.

Helen se frotta les poignets. Et bien qu'elle craignît de laisser transparaître ses intentions, elle ne put s'empêcher de regarder vers les portes et les fenêtres. À cet instant, elle aurait presque pu sentir le souffle de l'air – l'air du soir, chargé de divines douceurs. Kevin eut un rire qui résonna comme un craquement de plastique.

— On dirait un écureuil, dit-il. Un écureuil domestique. Tu es bien, et tout d'un coup tu te mets à lorgner la porte.

Il lui passa la robe. *Comme on se sent mieux, habillée !*

— Arrête d'y penser, dit-il. C'est inutile.

— Merci.

Il plongea de nouveau la main dans sa poche et en sortit une petite chaîne.

— Donne ta main.

La chaîne se terminait par un petit collier de fer destiné à se refermer à la base du pouce. Helen ne connaissait pas cet instrument qui devait pourtant être utilisé de longue date dans toutes les prisons de la terre. La chaîne, de l'autre côté, s'attachait à un bracelet au poignet de Kevin. Quand il eut fini, il toisa sa prisonnière.

— Bien, dit-il. Tu es belle, habillée comme ça.

Et il l'entraîna vers un vieil appareil de marque Victrola, un meuble qui renfermait un combiné radio-électrophone et devait dater des années 50. Il mit sur le plateau un disque intitulé *Cocktail à deux*. La musique commença. Une mélodie fade. Un fox-trot. Kevin se tourna vers elle.

Elle lui était presque reconnaissante de lui avoir donné cette maudite robe. Et puis cette chaîne attachée à son pouce, et qui la reliait à lui, lui procurait une curieuse sensation de soulagement. Comme si elle était délivrée, désormais, de l'obsession de fuir.

Elle sentait qu'elle était en train de sombrer dans une soumission profonde, et cette idée la terrifiait. N'y avait-il vraiment plus rien à tenter ? Certes, elle était très affaiblie, mais était-ce une raison pour baisser la garde ?

Ils dansaient. Lui dansait mal. Mais la façon maladroite, puérile, qu'il avait de tenir sa cavalière semblait douce à Helen. Douce et pitoyable. À cause des grandes souffrances qu'elle trahissait.

Il dansait avec ses victimes, puisqu'il ne lui avait pas été donné d'aller en ville danser avec des filles. Il revivait un rêve. Ce rêve qui avait accompagné l'impossible accès à la maturité.

Helen prenait-elle du plaisir au mouvement lent de cette danse ? La pénombre envahissait la pièce. Cette robe de soie lui couvrait le corps comme un doux plumage. Elle se laissa bercer par le souvenir de jours anciens. Elle écoutait la musique, elle observait le décor, elle songeait aux années 50. Elle demanda :

— Tu faisais quoi en 1958 ?

— En 1958, j'étais un gosse.

— Un gosse de quel âge ?

— Il faut que tu poses des questions, hein ! J'avais treize ans. Je suis né un 13 juin. Le 13 est mon chiffre porte-bonheur.

— Comme Satan. Et pourquoi tous les objets, ici, rappellent-ils cette époque ?

— Il n'y a pas de raison particulière. Maman est morte à la fin des années 40…

— Ta maman est morte ?

Un pas de côté. Un pas en avant.

— Les mamans ont une forte tendance à mourir un jour, tu ne crois pas ?

Helen sentit qu'il promenait les mains le long de son dos. Elle se mit à trembler un peu. Pauvre créature, pensa-t-elle. Qu'éprouve-t-il ? Un pas de côté. De nouveau un pas en avant. Elle songea aux femmes qui avaient dansé ici. Elles devaient être raides de peur.

La maison sentait le renfermé. Et dehors, le soleil n'était plus qu'un long trait de lumière tracé dans le ciel rougeoyant, ligne d'horizon pourpre et orange. Un pas en avant. Un pas de côté.

Helen se demanda si elle ne devait pas tenter quelque chose avec cette chaîne attachée à son pouce. Par exemple la lui enrouler autour du cou et essayer de l'étrangler avec. Un pas en avant… Il la poussa brutalement contre la porte du séjour.

— Pardon, dit-il.

Il la regarda. Ses yeux étincelaient. Et Helen, aussi clairement que si l'âme profonde de cet homme se fût révélée à elle, comprit qu'ils brillaient d'une lumière crue – la lumière crue de la mort.

12

AU BOUT DE LA NUIT

Ils dansaient maintenant, semblait-il, de façon plus harmonieuse. Helen s'autorisa à espérer que des progrès allaient enfin pouvoir être accomplis.

La monstruosité de Kevin s'exprimait dans chaque parcelle de son être. Ce corps onctueux, ambigu et sans âge trahissait de profonds dérèglements physiques, auxquels s'ajoutaient les blessures psychologiques. Oui, Kevin était un monstre. Pas un fou, non. Un monstre.

C'est pourquoi il était vain de chercher à établir un diagnostic et un traitement. Mais est-ce qu'il n'existait pas quelque chose d'autre ? Quelque chose de plus ?

Le tempo de la musique s'accéléra.

Nous vivons dans l'espoir

Parce que nous vivons dans l'amour

La voix de la chanteuse éclatait sur les rythmes d'un orchestre.

Ils commencèrent à se balancer et à tourner plus vite. Helen se souvenait mal des pas de danse, mais elle s'en souvenait. Indubitablement. Kevin la surveillait, et son regard se faisait de plus en plus dur.

La chanson suivante s'appelait « Souvenir de toi ». Un slow très lent, dont les tristes paroles entraînèrent Helen vers des pensées déprimantes. Quel sort absurde ! Il devait avoir choisi avec un soin particulier l'ordre dans lequel il souhaitait que passent ces morceaux. Ces morceaux qu'Helen devait écouter maintenant, et qui avaient l'air de lui raconter une histoire – sa propre histoire. Un frisson de terreur la fit tressaillir.

Le disque s'arrêta. De nouveau, il l'observait attentivement.

— Nous avons du champagne, dit-il.

Elle répondit d'un sourire – tout en espérant qu'elle ne lui offrait pas une trop affreuse grimace. Puis elle demanda :

— On fête quelque chose ?

Il tira d'un coup sec sur la chaîne. Helen se rendit compte alors du surprenant esclavage auquel est réduit un être attaché par le pouce. À la moindre secousse, elle devait se mordre les lèvres pour ne pas hurler. Pendant qu'ils dansaient, le pouce avait enflé tranquillement. Et la douleur, à présent, était terrible.

Il la laissa se ressaisir puis attendit, patient, aussi indifférent qu'un badaud à un arrêt de bus. Enfin il dit :

— C'est l'heure.

Elle se raidit. Trouver quelque chose, vite ! Elle cherchait. Mais rien ne se présentait.

— L'heure ? dit-elle dans un chuchotement inquiet.

— L'heure de l'ouvrir.

— Ah ! la bouteille ! Le champagne…

Le rythme de son cœur s'était accéléré. Elle n'arrivait plus à s'empêcher de trembler.

De l'index, il lui toucha le bout du nez.

— On dirait que tu prends des couleurs, dit-il.

Comme la chaîne était longue d'un mètre, pas plus, elle était obligée de le suivre dès qu'il se déplaçait. Ils entrèrent dans la cuisine. Kevin ouvrit le réfrigérateur et en tira la bouteille. Quand le bouchon sauta, Helen se rappela les moments heureux. La nouvelle année fêtée avec les enfants. Il faisait un froid glacial, cette année. De la fenêtre de l'appartement, à New York, ils avaient admiré les tornades de neige. De Times Square montait le bruit lointain des festivités…

Ils burent leur champagne dans de grandes coupes d'un autre âge, assis côte à côte à la table de la cuisine. Si seulement elle pouvait trouver un moyen de l'étrangler avec cette chaîne ! Mais non. Il était trop vigilant.

Elle sentit le champagne gargouiller dans son estomac. Elle n'avait rien avalé depuis le petit déjeuner, lequel s'était résumé à deux ou trois bouchées d'étouffantes céréales. Elle avait encore soif. Et toutes ses blessures lui faisaient endurer un enfer, à commencer par le malheureux pouce qui avait pris une teinte rouge sombre.

— Regarde, dit-il.

— Quoi ?

Il tira sur la chaîne. Helen étouffa un cri.

Il reprit une petite gorgée de champagne et ajouta :

— Il n'est pas mûr.

— Pas mûr ?

— Quand ils sont mûrs, ils deviennent noirs et brillants. Là, il est encore rouge.

Être détruit de cette façon, c'était comme regarder la minuterie d'une bombe. Le temps passait rapidement et lentement à la fois. Au moment de faire le point, vous êtes stupéfait de voir comme tout est allé vite.

— Ici, on fait mûrir les pouces, reprit-il.

Pendant qu'il considérait le fond de son verre d'un air absent, elle fit un nouvel effort pour comprendre. Elle savait qu'un enfant victime de sévices peut devenir lui-même, une fois adulte, un bourreau d'enfants. Dans certains cas, mais pas systématiquement. Comment l'expliquer ? Nombre de personnes ont eu une enfance atroce. Punitions brutales, violences sexuelles, dégâts affectifs. Mais toutes, quelque traumatisme qu'elles aient subi, ne se conduisent pas de cette manière.

Était-ce, chez les sujets tels que Kevin, une façon de se cajoler eux-mêmes ? On commence, quand on est très jeune, par de petits actes de sauvagerie : jeter au feu une boîte pleine de scarabées, plumer un oiseau vivant. Puis on escalade lentement l'échelle de la cruauté. Et on finit par torturer à mort des êtres humains. Dans ce cas, il fallait postuler l'existence d'un choix au départ. Et, par conséquent, celle d'une disposition originelle pour le mal.

Jamais Helen n'avait envisagé la notion de puissance maléfique. Mais peut-être se trouvait-elle bel et bien en présence d'un phénomène de ce genre. Elle pensa que le mal ne pouvait jamais être saisi, ni jugé. Il s'évanouissait toujours dans sa propre destruction. Arriverait-elle à obtenir de Kevin d'autres informations sur sa petite enfance ?

— Tu torturais les animaux, quand tu étais petit ?

Il fallait l'entraîner à se confier. Elle précisa sa question :

— Des oiseaux, par exemple ?

Il la regardait d'un air franchement moqueur. Était-il capable de percevoir les messages subtils envoyés par le corps ? Un certain type d'odeur, par exemple ? Apparemment, il ressentait celle de la peur. Mais quoi d'autre ?

Dans le séjour, le disque s'arrêta. Deux clics retentirent. Et le silence retomba.

— Quand tu vis dans une ferme, dit soudainement Kevin, les animaux, tu les respectes.

— Tu te sentais comment, après avoir reçu une punition ?

Il leva son verre, comme pour porter silencieusement un toast. Puis il l'approcha de ses lèvres.

— Et toi, demanda-t-il, est-ce qu'on t'a jamais punie ?

Elle répondit d'un haussement d'épaules.

— Si on ne t'a pas donné de fessée, reprit-il, tu n'as pas vécu.

— Comment ça ?

— Ça fait tellement mal que tu ne tiens plus debout. Pourtant les coups continuent à tomber. Tu ne peux rien faire. Jusqu'au moment où tu craques. À ce moment-là, celui ou celle qui te bat, tu lui appartiens complètement.

Il ferma les yeux, comme par respect envers ses souvenirs.

— Après, conclut-il, ça devient bon.

Ce symptôme s'était déjà manifesté. En fait, c'était un trait de caractère familier chez lui. L'homme cherche à être contrôlé. Et cet homme-là ne trouverait pas la paix tant qu'il vivrait lui-même sous cette sorte de domination qu'il voulait imposer à autrui. Autrement dit, les agressions auxquelles il se livrait étaient des appels. Il voulait que ça s'arrête. Il voulait être délivré.

Mais qu'il allait être difficile de le délivrer ! Au cœur de son enfer, il y avait le fait que personne – et notamment aucune femme – n'était parvenu à le contrôler aussi efficacement que sa mère l'avait fait. Telle était – ou devait être – l'origine de sa fureur.

Helen venait d'entendre quelque chose. Un aboiement. À peu de distance de la maison. Elle en était sûre. Un chien aboyait. Elle dut faire un terrible effort pour refouler l'excitation qui venait de la saisir au point de l'étouffer.

— Ça devient bon ? demanda-t-elle. Tu peux m'expliquer ?

Elle avait parlé sur un ton calculé pour exprimer avec douceur un réel intérêt.

Il y avait plusieurs chiens !

Il répondit d'une voix lointaine :

— Tu veux essayer ?

Comme elle ne réagissait pas, il souleva son épaule droite – légèrement, avec indifférence, comme si cela n'avait pas d'importance, puisqu'il l'avait en son pouvoir, quoi qu'il arrive...

Ces chiens... C'est elle qu'on recherchait. Ils la cherchaient avec des chiens !

Évitant de montrer qu'il les entendait lui aussi, Kevin emplit à nouveau les coupes à champagne et alluma une cigarette. Puis, levant son verre, il lança :

— À la tragique beauté.

Il lui flatta la main. Leurs yeux se croisèrent. Encore cette lueur particulière dans son regard... Surtout, ne pas le sous-estimer. En aucun cas. Pas une seconde. Il avait compris certaines vérités, avec ses propres moyens, et notamment celle-ci : le bien est une force, et le mal aussi.

— Et maintenant il faut mourir, dit-il.

Sans doute avait-elle rougi, une fois de plus, car il lui adressa un léger sourire. Il avait parfaitement entendu les chiens aboyer au-dehors. Il ne lui restait plus qu'à la tuer. Tout de suite.

— C'est tiré d'un poème, précisa-t-il. *Et maintenant il faut mourir, car telle est la destinée des choses rares. En toi je puis lire combien est bref le temps qui nous est donné...*

— Où as-tu appris tous ces poèmes ?

— Dans un livre. *Les Grands Poèmes du Monde.* Ma mémoire, c'est une véritable éponge.

— Pourtant tu n'es pas allé au lycée ? Tu n'as pas fait d'études...

De nouveau ces aboiements. Impossible de se tromper. Les aboiements d'un chien courant en train de flairer une piste. Calmement, intensément, Helen se mit à prier. *Venez, venez ! Venez, je vous en supplie. Venez jusqu'à cette maison. Jusqu'à moi. Venez, les chiens ! Venez les chiens du paradis !*

Kevin haussa les épaules.

— Mon poète favori, dit-il, c'est Emily Dickinson. Je connais par cœur cinquante de ses poèmes. *Nous nous sommes arrêtés avant cette maison qui semblait un renflement de terre.* Tu te rappelles celui-là ?

— J'ai peur que non…

— Vraiment ? *Puisque je ne pouvais aller chercher la Mort, c'est elle, gentiment, qui est venue me chercher…* Ne me dis pas que tu n'as jamais entendu ces vers !

— La mort est venue me chercher ?

— On dirait, chérie… *Le Grand Chariot est là, pour nous seuls, et pour l'éternité…* Tu crois à la vie éternelle ?

Elle sentait les larmes lui couler sur les joues, et devenir froides.

— Tu es un salaud, dit-elle. Mais un salaud magnifique.

La phrase lui avait fait plaisir. Il sourit comme un gosse.

— Vraiment ?

Elle s'efforçait de maîtriser tout ensemble l'espoir sauvage qui l'animait, sa voix tremblante et les pensées qui bouillonnaient dans son esprit.

— Juste au moment où je commençais à te comprendre un peu, dit-elle, voilà que tu gâches tout.

— Alors comme ça, tu me trouves magnifique ! Comparativement aux autres ?

Elle luttait pour se concentrer sur lui – mais ces chiens qui aboyaient au-dehors ! Elle mobilisait toutes ses forces pour lui cacher le trouble intérieur dont elle était agitée. Ses yeux s'arrêtèrent sur le cahier vert. Le trésor de Kevin McCallum.

— Tu écris des poèmes, parfois ? Il y a des vers dans ce cahier ?

— Il y a ce que j'ai envie d'y mettre ! cria-t-il.

Pour ajouter presque aussitôt :

— Eh bien, non. Ce ne sont pas des vers. Je suis nul comme écrivain.

— Je pourrais le lire, si tu étais d'accord.

— Boucle-la ! Ou pour ton dernier dîner, je te fais bouffer ce que je pense !

Il se rapprocha d'elle, lèvres entrouvertes.

Et le chien recommença à aboyer, mais plus loin. Il s'éloignait ! Elle eut envie de hurler, de se précipiter derrière ce chien, derrière les policiers qui devaient l'accompagner. Mais c'était impossible. Elle ne pouvait pas leur adresser le moindre signe. D'une voix calme, elle reprit :

— Il y a quelque chose qui m'intrigue, Kevin. Je peux poser une question ?

— Qu'est-ce qui peut encore exciter la curiosité de notre grande psychanalyste ? Je croyais que tu avais tout compris…

— Cette maison est décorée d'objets qui datent tous de 1958, non ? Pourquoi ? C'est à cause de ta mère ? C'est un mémorial ?

— En un sens, oui.

— Ta mère a été ta première victime, Kevin ? C'est ça ?

Il fallait absolument qu'elle sorte de cette maison. Et au plus vite. Ou alors les policiers allaient repartir avec leurs chiens. Abandonner les recherches. Il y avait déjà une minute qu'elle n'entendait plus les aboiements… Si ! Voilà qu'ils se rapprochaient de nouveau. Ils revenaient. Les chiens revenaient !

— Écoute, dit-il, je crois qu'il faut qu'on parle franchement, tous les deux. Tu peux essayer d'analyser tout ce que j'ai dans la tête, si ça t'amuse. Mais ne t'imagine pas que tu vas y comprendre quelque chose. Kevin McCallum est un mystère. Et il va le rester.

Il fit claquer ses doigts.

— Tu veux un conseil, Lena-la-Colombe ? Essaie de faire la paix en toi. Le moment est venu. Et quand le moment est venu, on doit savoir ce qu'on a à faire. On a le choix. Prier ou paniquer…

Il but une gorgée de champagne.

— On a déjà dépassé l'heure, Lena.

Ces mots restèrent comme suspendus dans le silence. Intérieurement, Helen courait d'une stratégie à l'autre. *Décide-toi ! Choisis une direction et fonce !*

Il secoua la chaîne.

— Ça fait mal ?

Oh ! oui, ça faisait mal ! Une vraie torture.

— Non, répondit-elle sèchement. Au contraire. C'est agréable.

— Tiens donc. Tu permets que je jette un coup d'œil ?

Il lui saisit la main et, vivement, y posa un baiser, avant de laisser ses lèvres s'attarder sur les articulations des doigts. Elle sentait son souffle lui chatouiller la peau.

— Tu as de belles mains, Lena.

Elle les leva en un geste d'offrande, mimant une plus grande soumission encore. Mais il ignora cette tentative.

— Viens, dit-il brusquement.

Et d'un coup sec, il tira sur le pouce enflé. La douleur arracha un cri à Helen.

— Allons bon, dit-il. Je croyais que ça ne faisait pas mal.

— Ça fait mal... Mon Dieu que ça fait mal !

— Tu vois bien.

De nouveau il tira sur la chaîne. Plusieurs fois. Helen criait, comme assommée par les vagues de souffrance qui lui remontaient le long du bras.

— Arrête ! cria-t-il.

Il secoua la chaîne avec plus de violence. Helen hurla. Elle ne pouvait plus empêcher les cris de jaillir de sa gorge. Elle ne pouvait plus se taire. Il hurla encore plus fort :

— Arrête ! Ça suffit !

Elle tituba, s'écroula et se tordit à ses pieds, le pouce dressé en l'air pour empêcher la chaîne de se tendre. Kevin attendit. Il la regardait souffrir. La douleur était si lancinante qu'Helen ne pouvait ni retenir ses plaintes, ni contrôler ses tremblements. Et sa propre impuissance l'horrifiait.

Il s'accroupit et se pencha vers elle jusqu'à ce que leurs visages se touchent.

— Lève-toi !

Elle se redressa dans un tourbillon de soie noire, se mit à quatre pattes, puis debout. Elle haletait. Elle étouffait. Elle vacillait, le pouce serré contre la poitrine.

Il l'entraîna dans le séjour et détacha la chaîne reliée à son poignet. Toute à sa souffrance, Helen aspirait de l'air entre ses dents serrées. Il commença à lui examiner le pouce.

— Peut-être qu'il faudrait serrer cet anneau un peu plus, dit-il.

Helen ferma les yeux. Allait-il lui faire mal de nouveau ? Non. Quand elle rouvrit les yeux, il la considérait avec une expression affable et patiente.

— Les mains derrière le dos, Lena.

Cela faisait un moment qu'elle n'entendait plus les chiens. Où étaient-ils passés, bon Dieu ? Pourquoi ne venaient-ils pas flairer autour de cette maudite maison ? Est-ce que ce salaud avait eu l'idée de disperser des habits à elle dans les bois, histoire de dérouter les chiens ?

En tout cas, elle avait bel et bien entendu les aboiements. Ce n'était pas une hallucination. Helen Myrer, une personnalité assez importante, avait disparu, et on organisait des battues dans la région.

Elle laissa échapper un sanglot bruyant qu'elle essaya d'étouffer. C'est la bave de Kevin qui lui avait soulevé le cœur.

— Regarde le tapis, dit-il.

Que sa voix était douce, tout à coup !

— Mets tes mains derrière le dos. Je crois qu'on va revenir aux menottes. C'est mieux.

Mais quand elle les entendit cliqueter, Helen ne put s'empêcher de s'enfuir. Elle se précipita dans le vestibule, puis vers la porte d'entrée. Cette fois, elle décrocha du mur un tableau dont elle se servit pour frapper la vitre, qui s'écroula en un rideau d'éclats coupants. Helen s'introduisit dans l'ouverture qu'elle franchit en déchirant sa robe en en s'enfonçant des morceaux de verre dans la plante des pieds.

Derrière elle, Kevin avait poussé un rugissement de pure haine. Lancé à sa poursuite, il l'attrapa par sa robe avant qu'elle ait eu le temps de prendre de l'avance. Elle n'avait pas encore atteint le porche qu'il la saisissait par la taille.

— Ne le fais pas ! dit-elle d'une voix étouffée. Tu ne dois pas le faire ! Tu peux choisir de ne pas le faire ! Tu es libre !

De façon inattendue, il ouvrit les bras. Délivrée, elle s'élança, à la fois impressionnée et remplie de crainte. Elle songea qu'il venait peut-être de faire un choix. Mais elle ne pouvait s'empêcher de fuir, et il ne fut bientôt plus qu'une ombre qui se fondait dans la nuit. Elle courait à toutes jambes, en hurlant son nom dans la nuit :

— Je suis Helen Myrer ! La femme disparue ! Pour l'amour du ciel, répondez-moi !

Mais c'est à peine si elle avait la force de courir. Sa plaie à la cuisse l'en empêchait. Et il n'y avait presque pas de lumière.

Où pouvaient-ils être ? *Où sont ces satanés chiens ?*

Elle avait de plus en plus de mal à respirer. Chaque pas, chaque bond en avant, lui causait de nouvelles souffrances. Le misérable vêtement qu'il avait fini par lui donner la gênait, maintenant qu'elle devait se battre avec les ronces, mais elle s'efforçait de le garder sur elle. Pas question de le perdre comme elle avait perdu cette cape dans le bois. Elle ne voulait pas se retrouver nue. Être nue lui faisait horreur à présent. Si elle survivait à ce cauchemar, elle ne considérerait jamais plus la nudité comme un plaisir.

C'est alors qu'une douleur soudaine lui brûla le pouce, si violente qu'elle crut perdre connaissance. Elle en tomba sur le sol, abasourdie. La chaîne avait été brusquement happée par quelque chose et s'était tendue à rompre. Cette torture lui fit oublier qu'elle était en train de s'échapper. Couchée à terre, elle poussa un long cri sauvage. Un hurlement de désespoir, un mugissement insensé lancé à travers le silence et la nuit en direction de ces maudits chiens à présent disparus.

Un bruissement lui parvint. Et, presque aussitôt, Kevin fut là.

— Ce sont des pièges, dit-il d'un ton aimable. J'en ai tendu un peu partout. Ils sont tout simplement atroces.

Il braquait sur elle une torche électrique. Il se baissa, et bientôt il sembla à Helen que la pression de l'anneau sur son pouce diminuait. Kevin reprit :

— Bon sang ! on dirait une truite entortillée dans du fil à pêche. Ces pièges sont prévus pour faire trébucher, pas pour ligoter.

Quand il la prit par la main pour l'aider à se relever, elle se dépêcha d'obéir, tant elle craignait que la chaîne ne se tende à nouveau.

— Incroyable, dit Kevin, comme un pauvre vieux pouce arrive à se faire obéir.

Elle avait peur. D'une peur qu'elle n'aurait jamais imaginé devoir un jour connaître. Helen essaya de parler, mais les mots refusaient de sortir de sa gorge.

— Du calme, du calme. Tu as tenté ta chance. C'est normal dans ta situation. J'ai eu une fille qui a essayé sept fois. C'est elle qui a battu le record.

Elle finit par arriver à grommeler une phrase :

— J'ai droit à un traitement spécial, non ?

— C'est ce que tu penses ?

— Oui. À cause de mon métier…

— À propos, tu trouves que je fais des progrès ?

— Moins vite !

Elle marchait aussi rapidement qu'elle pouvait, tant elle craignait de voir la chaîne se tendre. Et lui, d'une voix surnaturelle, tremblante, il chantait :

— *Eh oh ! Eh oh ! On rentre du boulot !*

Il avançait en tirant de temps en temps sur la chaîne, ce qui à chaque fois arrachait des cris à Helen. Il s'arrêta soudain :

— Tais-toi ! siffla-t-il.

Il vint se placer devant elle. Elle s'aperçut qu'il tenait dans l'autre main un rasoir ouvert dont la lame d'acier lançait des éclats. Quand il parla, ce fut d'une voix dure, profonde. Helen comprit qu'il avait parfaitement entendu les chiens, lui aussi.

— Tu la boucles, dit-il. Ou je t'arrache les yeux des orbites.

Ils se remirent en route. Et, tout en marchant, elle pleurait.

Le pré qu'ils traversaient était peuplé d'insectes brillants aussi nombreux que les étoiles. À croire que le ciel était descendu sur la terre. La maison apparut, avec son porche éclairé par une lampe enfouie dans un halo de papillons nocturnes. Une jolie maisonnette. Kevin ouvrit la porte.

— Et voilà, dit-il. Retour à la case départ !

À l'intérieur, l'air était si épais qu'Helen craignit d'étouffer.

— À Auschwitz, dit-il, quand ils les ramenaient au camp, ils aimaient bien les déguiser en clowns. Ensuite, ils les attachaient à une palissade, et ils leur brisaient les os à coups de matraque.

Il lui donna un baiser sur le front.

— Mais moi, je suis un gars plutôt sympa.

Il glissa une cigarette entre ses lèvres.

— Je fume trop, soupira-t-il, l'air absent.

Et il alla déverrouiller les fenêtres afin de pouvoir les ouvrir un peu. Il ne semblait pas bien. Une sorte de rougeur lui avait envahi le visage.

Dans l'obscurité, les grillons stridulaient. Les cris perçants des chauves-souris entrèrent dans la maison, portés par un vent nerveux.

— Alors, mon amour, qu'est-ce que tu vas encore inventer pour essayer d'échapper aux menottes ?

Elle recula. Elle ne pouvait plus se retenir. Elle en fut étonnée elle-même, tant cet homme lui faisait peur.

Kevin, qui avait repris le contrôle de lui-même, vint se placer derrière elle et lui prit les mains pour les ramener dans le dos, l'obligeant à se tenir aussi raide qu'un soldat.

— Tu es une brave fille.

La main au pouce blessé avait pris du volume. Arriverait-il à la faire passer dans le bracelet ? Cela semblait difficile, mais il y parvint, et Helen se retrouva de nouveau avec les poignets attachés dans le dos. Elle ressentit une douleur atroce. Elle hurla.

— C'était juste pour voir, dit-il. Ce pouce m'a l'air parfait. Bien mûr. On peut le délivrer maintenant.

Ce qu'Helen endura alors dépassait en intensité tout ce qu'elle avait pu ressentir comme douleur durant sa vie. Une bouffée de souffrance lui irradia le corps de haut en bas. Il y avait de quoi en perdre la raison, en oublier son moi, son nom, et jusqu'à la conscience d'exister.

Elle eut vaguement l'impression – comme si tout cela se fût produit désormais dans un autre univers – qu'il la soutenait, qu'elle chancelait entre ses bras, tandis que le plancher remontait jusqu'à elle ; et surtout que des explosions se produisaient sur ses bras, ses cuisses, son cou, sa tête. Elle eut ensuite le sentiment de pénétrer dans une région du monde où la réalité se faisait incertaine. Au-delà de cette frontière, elle n'était plus Helen, ni même Lena, et encore moins le docteur Myrer. Elle n'était plus personne. Elle n'était plus que sa propre peur. Et elle ne portait plus qu'un seul nom : souffrance.

Dans cette région incertaine, quelqu'un parlait :

— *Nous passions près de l'école où les enfants tra-vaillaient...*

C'était le chuchotement béni d'un enfant. Et cela venait d'un temps lointain. D'un temps où régnait la liberté.

— Aide-moi, murmura-t-elle, s'adressant à cet enfant.

Elle était à genoux, maintenant. Elle s'en rendait compte. Elle se rendait compte aussi que la pièce tournait un peu moins fort. Et qu'elle souffrait un peu moins. Pour tout cela, elle remercia le ciel.

Il chantait. L'enfant chantait.

— *Nous passions près des champs où brillait le soleil...*

— Le soleil, dit-elle.

Elle avait prononcé ce mot à voix basse comme s'il fût susceptible de la ramener vers le monde ordonné et familier d'où elle était tombée.

C'est alors qu'une main se posa sur son front. Était-ce la main protectrice de maman ? Oui, elle était dans les bras de maman... Elle ne se sentait pas bien. Elle était fiévreuse.

— *À partir de maintenant et pour dix siècles à venir...*

Helen eut l'impression de s'étrangler. Une mousse blanche lui monta aux lèvres. Toute la bile de son ventre. Et la voix de l'ange continuait :

— *Des émotions moins fortes que le jour où j'ai pensé aux Têtes de Chevaux.*

Elle essaya de balbutier :

— Emily Dickinson…

— Cette bonne vieille Emily. Si je ne l'ai pas récité cinquante fois, ce poème… Peut-être même plus. *Les Têtes de Chevaux filaient vers l'Éternité…*

Il prononçait ces vers comme on dit une prière.

Un instant plus tard, il la traînait hors des toilettes.

— Tu as fini, mon amour ?

Elle comprit alors qu'elle était penchée depuis un moment sur la cuvette des W.-C. Elle était malade… Elle s'entendit gémir :

— Les chiens…

— Eh oui, dit-il tristement. Les chiens. Il faut qu'on se dépêche, chérie.

Du tourne-disque Victrola s'éleva une voix de crooner.

Garde-le pour le soleil !

— Tu as mis un autre disque ? demanda Helen.

— Oui. C'est mieux. Ça couvrira le bruit.

Elle eut le sentiment de voir son enfance se dérouler sur un nuage tout proche autour duquel se pressaient déjà les tourments de l'enfer. Oui, l'enfer allait commencer. Kevin n'était pas un dieu noir. C'était pire que ça. Kevin était un démon jailli du chaos… La chanson continuait.

Voyez la jolie queue de cheval !

Elle aussi, enfant, avait une queue de cheval. Une queue de cheval couleur d'or. Et une trottinette à pédale…

Lui portait maintenant un tablier à carreaux rouge et blanc qui sentait l'amidon. Un tablier bien propre qui rappela à Helen quelque chose de lointain.

— *Quand elle danse, danse, danse...*

Tout en accompagnant la chanson, il s'approcha d'elle et agita les doigts sous son nez.

— *Allez, viens, ma chérie ! Viens donc près de papa...*

Toujours visitée par ses souvenirs, elle balbutia :

— J'étais ballerine, autrefois.

— Bien sûr, bien sûr.

— Je portais un tutu rose...

— Emily aussi aimait les tutus roses. Tu faisais des pointes ?

— Et ça, qu'est-ce que c'est ? Un linceul ? Tu m'as habillée avec un linceul ?

— Oui. Et évidemment il a fallu que tu le déchires aussi.

Elle a des bagues à tous les doigts
Des clochettes aux talons...

Il lui mit les mains sur les hanches et serra. Puis il la fit pivoter pour qu'elle regarde vers la cuisine.

— Lève le pied, dit-il.

Elle obéit. Il ajouta :

— Maintenant, avance...

Il la poussa. Elle se mit à marcher.

Il la tenait avec des mains d'acier. Cesser enfin d'exister. Cesser d'être. Était-ce vraiment impossible ? C'était arrivé à Al, pourtant ! C'était même arrivé sous ses yeux à elle... Maintenant, ce salaud allait la tuer et elle n'était pas prête ! Elle ne s'était pas attendue à ça. On ne lui avait pas laissé la moindre chance...

— Attends, gémit-elle. *Attends !*

Elle essayait bien de s'arrêter de marcher, mais c'était en vain.

Il lui donna un baiser sur l'oreille.

— Je t'aime, dit-il. Tu es une jolie petite chose. Vraiment jolie, tu sais. Très belle, même.

— Je suis si fatiguée, répondit-elle.

Elle songea à la petite fille qu'elle avait été jadis, quand elle tombait de sommeil, et qu'elle avait tellement envie qu'on la mette au lit.

— Tant mieux, dit-il. C'est l'heure d'aller faire dodo, de toute façon…

Il croisa les mains et inclina la tête.

Elle se laissa guider. Ils s'arrêtèrent devant la trappe qui était ouverte.

— Oh ! non…

Elle recula.

À l'intérieur, l'obscurité était totale. Il lui ôta les menottes, puis dit :

— Vas-y. Descends.

De la main, il lui poussait l'épaule.

Elle entendit la voix de son moi docile lui murmurer un conseil : *Ne le contrarie pas, ça le rendrait fou. Ne fais pas cette bêtise…* Son moi docile ! Elle essaya de lutter contre lui. Mais quand on est puni, n'est-ce pas parce qu'on est coupable ? Le moi docile est si puissant qu'il est capable de conduire un innocent à la chambre à gaz.

L'ange brandissait un glaive de feu ! Cet ange, c'était l'adulte, le tyran qui arrachait l'enfant au paradis sauvage de la sainte innocence. Voilà pourquoi le thème du retour au bercail avait tant de succès dans le monde entier.

— Il y a un lit? demanda-t-elle.

— Un lit très confortable, Lena. Ton lit à toi. Dans ta chambre à toi.

— Ma chambre?

Elle savait qu'elle ne devait pas agir ainsi. On n'agit pas ainsi quand on aime sa propre vie. Mais ce genre de pensées planait à la hauteur des arbres. Tandis qu'elle, en ce moment, elle baissait les yeux vers les profondeurs de la terre.

— Mais oui, dit-il. Ta chambre. Un bon lit avec des draps propres. Et pas de visites de Kevin jusqu'à demain.

Il lui tendit un stylo-lampe qui produisait un faisceau de lumière minuscule.

— Économise-le, dit-il.

Précédée de cette lueur fragile, Helen commença à descendre avec précaution les barreaux de la longue échelle.

Mon journal
« Ça, c'est ma poupée ! »

Trois petits tours de danse, et la voilà en bas. Elle est en bas, aussi douce que je peux le désirer. Et je vais bientôt l'emmener dans une cachette encore plus profonde, où il n'y aura personne d'autre que nous. Et tu pourras crier tant que tu voudras ! Ils pourront bien te chercher. Ils ne te trouveront jamais.

C'est grâce au pouce, tout ça. Ça fait mal. Si tu leur fais bien mal, après elles t'obéissent.

Mais celle-là, elle s'est aperçue que les chiens étaient à sa recherche. Merde. Pourquoi tu crois que je t'ai attrapée, Lena ? Je savais qu'il y aurait des merdes. Il y a notre grand shérif ! Decker ! Et il y a la police de l'État. Tu es une personne d'une certaine importance, Lena. Rien à voir avec ces putes qu'on ramasse dans les rues de Boston. Tu roules en limousine, tu vis dans un gratte-ciel, tu portes des parfums très chers.

Mais attention ! Le metteur en scène, c'est moi ! Oh ! toi aussi tu es intelligente. Et tu as l'avantage d'avoir reçu une bonne éducation. Mais c'est quand même moi qui vais gagner.

Je suis arrivé à te faire subir un bon lavage de cerveau. J'en suis surpris moi-même. Réussir un lavage de cerveau chez une grande salope de psy ! C'est un exploit qui devait être accompli. Je voulais qu'il le soit. Qui aurait pensé que j'en étais capable ? Mais j'ai bien joué. Et j'ai réussi.

Ce qui m'énerve, ce qui me rend fou, c'est que tu ne voudras plus jamais te défendre ! Tu es bien comme les autres ! Et les autres, je les emmerde. Pour toujours.

Tu n'es qu'une pute stupide ! Pas un gramme d'intelligence dans le crâne !

Merde, merde, merde ! Elle est descendue toute seule ! Pourquoi ? Pourquoi tu n'as rien dit ? Elle est descendue toute seule ! Je t'emmerde, Lena ! Je t'emmerde !

Je t'aurai !

13

À L'HEURE OÙ MEURENT LES CONDAMNÉS

En fait de lit, il n'y avait qu'un banc étroit fait de quelques planches nues, mais Helen était trop choquée pour s'en soucier. L'hémorragie qu'elle avait subie n'était pas assez grave pour faire chuter d'un coup la pression artérielle, mais sa tension était très basse. Et cette faiblesse, s'ajoutant à la douleur, la plongeait dans une sorte de léthargie. Son esprit – la seule arme qu'elle eût à sa disposition – était bel et bien en train de la lâcher.

Helen était une femme active, formidablement dynamique – mais elle était en train de mourir. Pourtant, dans cette partie de son âme qui continuait de fonctionner – au cœur d'elle-même, là où vivait encore la petite fille d'autrefois – elle se sentait étonnamment calme. C'est pourquoi, au lieu de dresser des plans et de chercher une façon de s'échapper, elle s'abandonna à ses rêveries.

La pauvre lueur produite par son stylo-lampe ne suffisait pas à explorer les lieux ; et quant à elle, elle n'avait même plus assez d'idées en tête pour se mettre en quête d'un éventuel interrupteur. Elle titubait dans cette pièce apparemment exiguë, quand soudain ses pieds rencontrèrent quelque chose de doux. Était-ce un tapis ? Il lui avait donné une chambre avec des tapis. Ou alors… Non. C'était quelque chose de doux et de creux. Oh ! bien sûr ! Des pantoufles. Il lui avait laissé des pantoufles.

Elle se mit à pleurer.

Lui revenait en mémoire une certaine nuit de pleine lune. Al venait de lui offrir des pantoufles pour son anniversaire – le dernier anniversaire qu'il lui avait souhaité. Helen se revit debout au pied du lit, contemplant cet homme qu'elle avait pris pour époux. Al et son merveilleux visage aux traits vifs, aux lèvres minces – son visage d'homme de loi. Mais derrière ces traits au repos, sous ces yeux fermés et paisibles, on devinait l'enfant sage qu'il avait été, et qui vivait toujours en lui.

— Al, dit-elle, d'une voix où la crainte se mêlait à la surprise. Alfred Myrer.

Elle aimait son côté juif, cette expression généreuse qui trahissait un esprit plein de richesses. Apprendre à connaître un juif – et Dieu sait qu'elle avait voulu le connaître, ce juif-là –, avait signifié à ses yeux essayer de comprendre les juifs dans leur ensemble. Et pourquoi les forces mauvaises du monde s'en prenaient toujours à eux.

Les juifs avaient répandu la lumière. Ils avaient inventé un dieu unique et, grâce à ses Dix Commandements, civilisé la moitié de la race humaine ; ils avaient osé imaginer que Dieu pourrait vraiment devenir homme, et sur cette découverte fondé une civilisation nouvelle qui ouvrait la voie à l'éthique chrétienne. Partout où ils étaient allés, ils avaient contribué au progrès de la connaissance dans les domaines de l'économie, des arts, des lettres. Et les longs efforts de l'Europe pour s'arracher à la terreur, n'avaient-ils pas été une façon d'atteindre à cette liberté de l'esprit promise dans les idées juives ? Mais les nazis étaient venus. Et l'esprit juif avait répliqué en fuyant vers l'Amérique, et en concevant la bombe atomique – laquelle s'était révélée être la meilleure façon de sauver la liberté dans le monde…

Voilà ce que représentait Al aux yeux d'Helen. Son précieux Al. Al qui lui manquait tellement en cet instant, et qu'elle allait bientôt rejoindre. Comme elle avait envie de sentir sa chaleur, de poser sa joue sur sa poitrine !

— *Al, qu'est-ce qui arrive, quand on meurt ?*

— *On devient un souvenir.*

— *Mais après, il n'y a plus rien ?*

— *Il reste quelque chose. Dans le cœur de ceux qui nous aiment.*

Elle avait toujours pensé que le grand mystère de l'homme se cachait dans les flux électriques du cerveau. Mais à présent qu'elle était prisonnière de ce monde peuplé d'esprits, alors qu'Al lui semblait tout à coup si proche, elle doutait…

Une main humide et froide la toucha, remonta le long de son cou. Une main potelée. Pas du tout celle d'Al.

— *Al, tu te sens bien ?*

— *Pas vraiment.*

— *Pourquoi es-tu mort si jeune ?*

Elle sentit qu'il réfléchissait à la question. Il finit par répondre :

— *Eh bien… Je ne sais pas si je suis vraiment mort. C'est plutôt comme si toi et moi étions devenus une seule et même personne. Un des deux corps est parti. Il reste l'autre. On se le partage.*

— *Comme une chambre à coucher ?*

— *Comme une chambre à coucher.*

Étudiants à Columbia, ils avaient fait scandale en vivant à deux, au vu et au su de tous, dans une chambre du campus. C'étaient les années 60. Et c'était encore le genre de chose qui ne se faisait pas. Il avait pourtant bien fallu apprendre la nouvelle aux parents. Helen se rappelait la réaction de sa mère :

— *Il faut que je te dise, Lena : ce type est formidable.*

Papa avait ajouté :

— *Vivre ensemble, c'est une excellente idée. C'est la meilleure façon de se préparer au mariage.*

Mais ce soir-là, Helen avait entendu sa mère pleurer et se tourmenter jusqu'à une heure tardive. Papa essayait de la consoler de sa voix grave. Comme toujours dans cette famille, la vérité ne pouvait s'exprimer que dans la plus secrète intimité. Soudain, un long sanglot de désespoir avait déchiré la nuit paisible :

— *Pourquoi nous fait-elle une chose pareille ?*

Le lendemain, maman s'était levée de bonne heure pour préparer à sa fille des pancakes. Quand Helen s'était levée, il y avait sur la table de la confiture d'airelles et le jus d'une bonne douzaine d'oranges.

— *Tu as besoin d'un solide petit déjeuner, ma chérie. À voir ta tête, tu ne dois pas dormir souvent.*

Helen avait souri.

— *Oh, Al... Tu te rappelles ce temps-là ? Des vrais hamsters...*

— *Des gerbilles, plutôt. Les hamsters, quand ils font l'amour, on dirait qu'ils se battent. Les gerbilles, c'est tout le contraire : caresses, câlins...*

Il leva les bras, elle se laissa tomber contre lui.

— *Nous avons fait un bon vieux mariage bien solide, dit-elle, et ça me plaît.*

— *Moi aussi.*

Il lui avait donné un de ces baisers négligents et paresseux qui étaient sa spécialité. Sur les lèvres. Ou plutôt sur tout le bas du visage. Ils s'étaient enlacés en pouffant de rire.

Helen se tourna vers le banc et murmura :

— Al... Oh, Al, je crois que je vais rentrer à la maison, chéri. C'est moi. C'est Lena...

Dans les derniers moments, c'est à peine si Al la reconnaissait. La dégénérescence du foie provoque d'incroyables dégâts et engendre des traumatismes profonds, complexes. À la fin, il ne pouvait même plus parler.

— La lumière n'est pas encore tombée, Al. C'est moi qui t'ai fermé les yeux.

Elle avait fait cela pour épargner les enfants. Elle ne voulait pas qu'ils voient leur père les regarder d'un œil vide, comme s'il fût déjà un cadavre.

— *Al, tu as vu le ciel, ce soir ? On distingue très bien la Grande Ourse.*

— *Où ça ?*

— *Ce groupe d'étoiles, au sud-ouest, c'est la Grande Ourse. On aperçoit ses épaules, et même ses yeux…*

— *Ses yeux ?*

— *La Grande Ourse est une femme, Al. Et ces étoiles-là, ce sont les étoiles protectrices des femmes…*

— *On les distingue vraiment ? Mon étoile à moi, c'est Orion…*

— *La preuve que la Grande Ourse est une femme, c'est qu'elle a deux petites étoiles avec elle. Près de ses genoux. Ce sont ses enfants. Elle veille sur eux avec une attention féroce…*

Helen mit la main sur son ventre.

Au cours de cette nuit étoilée, il s'était gentiment approché d'elle. Ils étaient ensemble depuis un mois à peine. Il lui avait embrassé l'intérieur de l'oreille, tout en refermant sa longue main d'artiste sur un sein rond et tendre. Le problème était le suivant : Helen ne voulait jamais mettre son diaphragme, et elle ne voulait pas non plus le dire à Al, de peur qu'il ne se sente obligé de se retenir.

Les étoiles protectrices des femmes brillaient dans un ciel d'été ; et la chair des femmes s'emplissait de promesses.

— *Mais un bébé, ça peut vivre dans un tiroir, Al ! Ça n'a pas besoin de grand-chose.*

— *Tu sais combien ça coûte, les études à Harvard ? C'est six plaques par an !*

— *Oh ! Harvard…*

Elle vint s'étendre auprès de lui de toute la longueur de son grand corps. Souvent ils venaient se réfugier sur ce flanc de montagne couvert de forêts, au fin fond du New Hampshire. Ils campaient. Ils vivaient comme des guérilleros. Al poussait des cris de révolte dont l'écho rebondissait entre les arbres. Alors elle l'embrassait sur la joue, d'un chaste baiser de nonne. Mais à l'intérieur, elle brûlait…

— *Jamais je n'aurais cru qu'une belle femme voudrait de moi, Helen…*

— *Mais tu es très beau…*

— *Je voulais dire : voudrait faire l'amour avec moi…*
Elle osa une caresse plus audacieuse.

— *Il est tout chaud*, murmura-t-elle. *Tu crois qu'il a de la fièvre ?*

— *Bon Dieu…*

Il s'était penché au-dessus d'elle. Tout à coup il avait l'air d'un jeune mâle plein d'ardeur. Leurs corps baignés de sueur s'étaient enlacés et unis sous les arbres secoués par le vent, sous le ciel où veillaient les étoiles protectrices des femmes. Et Helen avait senti la vie entrer en elle – le premier frémissement de leur premier bébé à l'instant même où il était conçu.

Oui, elle savait qu'à cet instant… Elle en était absolument sûre.

Quelques mois plus tard, elle devait lancer d'une voix éperdue :

— *Ces gens ne peuvent pas rester ici, Al ! Ils sont beaucoup trop nombreux !*

L'hôpital était en train de subir une invasion de Myrer et de Pennington. Les pères et les mères. Sa sœur à elle, son oncle Ted à lui, avec la tante Rose. Quelqu'un avait même apporté de l'alcool – ou tous en avaient apporté. On avait fini par résoudre le problème en transformant la salle d'attente réservée aux cas difficiles en salle des fêtes pour la naissance de la famille Myrer / Pennington. L'accouchement avait duré longtemps. Les familles eurent tout le loisir de descendre pas mal de verres. Et Helen se rappellerait toute sa vie le crâne chauve du docteur Magruder, où les veines se gonflaient au rythme des hurlements poussés à côté par les convives. Al entrait, roulait de gros yeux inquiets, et lançait des « Respire bien, chérie ! » si bruyants qu'ils dérangeaient les autres couples ; puis il retournait dans la salle d'attente transformée en bar, et s'occupait de l'approvisionner en alcool.

— *Oh ! tu me fais mal, Mickey. Tu me rends folle…*

— *J'essaie de naître, maman. C'est ça qui te rend folle ?*

— *Folle mais heureuse, mon fils.*

Et comme ce fut bon, ensuite, de tenir le bébé entre ses bras, de lui donner la tétée. Le bébé, devenu petit garçon, avait continué de venir se blottir contre sa mère. Et Helen avait su qu'elle embrassait un jeune homme quand elle avait senti sur sa joue la caresse d'un léger duvet… Elle se souvenait de la question timide qu'il lui avait posée à l'âge de huit ans :

— *Maman, tu connais cette société secrète ? Le Sexe… C'est comme ça qu'on dit ? C'est quoi, au juste, le Sexe ?*

— Oh, le Sexe… avait-elle répondu avec le plus grand sérieux. Écoute, Mickey, quand papa rentrera à la maison, tu lui diras que tu aimerais en faire partie, d'accord ? Il te dira comment on s'y prend.

À la naissance de Selena, Al s'était écrié :

— Cette fois, j'ai l'impression que tu as mis au monde une banane.

— Une banane ?

La pauvre petite avait eu la tête déformée pendant l'accouchement. En plus elle était toute jaune à cause de la bilirubine. Ainsi était née Selena-la-Banane. Ce surnom, elle avait dû le traîner de longues années. Et c'est elle-même, devenue plus grande, qui un beau jour avait dû mettre un terme à la plaisanterie.

— Selena-la-Banane, murmura Helen.

Elle sentait la présence de l'homme. Il était là-bas. Ombre dans l'obscurité. Mais ce n'était pas la peine d'aller chercher le stylo-lampe. Elle s'en fichait après tout. D'ailleurs qui était-il, cet homme ? Était-ce seulement un homme ? Pourquoi pas un fantôme ? Un être irréel.

Al n'aurait jamais laissé un voleur entrer dans la maison. Avant d'aller se coucher, il vérifiait les fermetures des portes et des fenêtres. Il n'oubliait jamais de brancher l'alarme. Al Myrer veillait sur la sécurité de tous les Myrer. La sécurité de Mickey dans sa chambre à lits superposés. La sécurité de Selena dans son lit à baldaquin. La sécurité d'Helen dans leur chambre décorée de posters représentant la nature au printemps.

Michael avait demandé un jour :

— *Pourquoi elle bouge, la maison, la nuit ?*

— *C'est papa et maman*, avait répondu Al. *Ils ont eu un moment de bonheur.*

— *Un moment de bonheur ?* avait insisté Michael, sceptique. *Quel genre de bonheur, papa ?*

C'est alors qu'Al, l'ayant pris sur ses genoux, avait glissé ces mots dans la perle blanche de son oreille :

— *Le genre de bonheur qu'on pratique dans cette société secrète, tu sais… Le Sexe.*

Aucune autre explication n'avait été nécessaire. Michael s'était chargé de prévenir sa sœur :

— *Quand la maison remue, tu t'affoles pas. Ça veut dire que papa et maman ont un moment de bonheur.*

Helen s'était étendue auprès de lui dans leur maison. Sous ce toit où poussaient leurs enfants. Le garçon était déjà grand. Quant à la fille, elle posait toujours les mêmes questions : « Est-ce que je suis jolie ? », « Pourquoi les garçons sont-ils si bizarres ? » ou encore : « Tu crois que je me marierai un jour, maman ? Oui, sûrement, je me marierai. Mais pourquoi m'as-tu appelée Selena ? C'est hideux ! Rebecca et Marielle ont des prénoms formidables, elles. Rebecca, Marielle. » Le lever du jour, la tombée de la nuit. Les années s'envolaient… Et Al, vêtu de noir, ne cessait de plaider. Sa voix nette et sonore résonnait dans le prétoire…

Elle sentit qu'on lui essuyait les joues. Un homme…

J'aurais préféré une femme comme infirmière, songea-t-elle.

La nuit où Al avait commencé sa longue descente, ils n'avaient pas cessé de pleurer. Il avait encore tant de forces ! Et il lui appartenait encore si fort... Elle ne comprenait pas pourquoi cela arrivait. Mais il n'y avait pas de pourquoi. Du moins la question du pourquoi ne se posait pas, dans le champ de compréhension de leur vie.

Ils avaient découvert que vieillir ne signifie pas voir disparaître désirs et sensations. Elle n'était plus la femme qu'il avait vue la première fois, mais elle était toujours là, égale à elle-même. Remplie d'amour et de désir.

L'homme était en train de lui faire quelque chose au ventre – quelque chose de douloureux. Que faisait-il ?

— Ne t'occupe pas de moi, Lena. N'y pense pas.

Sur ce bateau, le SS *Chanson*, ils avaient loué une suite extraordinaire avec chambre en mezzanine. Helen regardait Al redescendre souplement l'escalier. Il portait juste un short de tennis blanc. Et il était si désirable ! Si sensuel ! *Mon homme de loi*. La croisière, le bleu des Caraïbes. Le Navire des Chansons. C'est sur ce bateau qu'ils avaient rallumé la flamme d'une vie sexuelle étouffée par le stress et la suractivité des dernières années. Helen avait dû finir par apprendre à ne plus regarder Al d'un œil clinique et lui à ne plus la menacer de la traîner en justice.

— *Al ! on avait dit qu'on allait courir sur le pont avant de dîner !*

— *On a déjà couru avant le déjeuner, chérie. Je n'ai pas loué une suite dans cette croisière pour passer mes journées à courir sur le pont !*

Il était drôle. Elle était drôle. Leurs enfants étaient drôles eux aussi.

— *Al, j'ai une déclaration officielle à te faire. Nous avons une existence très heureuse.*

Elle voyait combien elle lui plaisait en costume de bain. De leurs corps émanaient des parfums d'ambre solaire.

Et cet infirmier qui lui faisait mal…

— *Je sais que ça fait mal, chérie. Ça risque d'être comme ça pendant un moment.*

Dans le noir, elle n'y voyait rien. Pourquoi n'y avait-il pas de lumière ? Aucune salle de travail, dans aucune maternité, n'était plongée dans une telle obscurité ! Comment faisaient-ils en cas de problème ? En plus, ça sentait le moisi. On sentait aussi une odeur animale, comme si l'endroit n'avait pas été dératisé…

— *Al, je voudrais que tu demandes au docteur Magruder de me confier à une femme. Cet infirmier qui s'occupe de moi me fait peur. Je n'aime pas ça du tout.*

— *Je suis ton gynécologue.*

En mettant Selena au monde, Helen avait contracté une toxémie. Ce qui lui avait valu d'être à plat durant tout le troisième trimestre. On l'avait dopée au phénobarbital. Pour l'occuper, Al venait jouer aux cartes avec elle.

— *Tu crois que je vais mieux ?*

— *Prends la reine, chérie.*

— *Oh ! je sais que je ne vais pas mieux ! Je déteste être malade. Je hais la toxémie !*

— *Tout va bien. Tu es dans le meilleur service de soins du monde.*

— *J'ai des idées noires, Al. Des idées noires à propos du bébé. C'est affreux. C'est comme si le bébé n'allait jamais exister…*

— *Du côté Myrer, on a envie d'exister. Les juifs ont perdu du monde, tu sais. Il faut bien les remplacer…*

— *Nos enfants ne seront qu'à moitié juifs.*

— *Michael est juif à cent pour cent.*

— *Mais la moitié de ses gènes sont anglais !*

— *Oh ! tes gènes anglais ! Ils sont légers comme de l'eau. C'est pour ça que votre empire a sombré. Joue un valet…*

— *Je ne veux plus jouer puisque je ne peux pas jouer !*

Elle lui montra l'homme qui la soignait.

— *Il me fait très mal…*

Al se glissa doucement dans la nuit et lui adressa un petit geste idiot, comme dans Laurel et Hardy. Helen se mit à rire.

— *Docteur, je me sens toute bizarre… J'ai l'impression de flotter. De m'éloigner…*

Maintenant, il lui semblait comprendre ce qui lui arrivait.

— *Je suis en train de mourir, c'est ça ?*

— *Oui, Helen. Tu es en train de mourir.*

Elle s'assit, examina son corps et crut apercevoir des marques sur son ventre. Qu'est-ce que c'était ? On lui avait dessiné quelque chose sur la peau. Où est ce maudit stylo-lampe ? Elle devait absolument savoir ce qui se passait ! Ce que ce fumier avait encore inventé !

Elle quitta le banc, referma sa robe et partit à tâtons à la recherche du stylo. Du pied, elle effleura quelque chose de duveteux. Encore cette pantoufle. Elle avait chaud sous sa robe. Qu'est-ce que le docteur lui avait fait ?

Comme elle se sentait faible ! Si seulement elle avait pu avaler ne serait-ce qu'un morceau de sucre… Cela lui aurait permis d'y voir plus clair dans sa tête. Si seulement elle pouvait avoir quelque chose à manger. Une belle côte de bœuf, ce serait parfait. Bien grasse. Bien salée. Mon Dieu qu'elle avait faim.

Salée ? Soudain elle eut soif. Elle s'aperçut qu'elle n'avait jamais eu, de toute sa vie, la bouche aussi sèche. Sa langue était fripée comme une semelle de cuir. Elle essaya d'avaler un peu de salive. En vain.

Elle savait ce qui pouvait arriver, quand l'équilibre physiologique était gravement atteint. Elle savait qu'on peut devenir dément à force d'avoir soif. Elle revint brutalement à la réalité et dit, à voix haute :

— Je sais que vous êtes là, Kevin. Kevin, je sais que vous vous fichez de ce que je vais dire, mais je veux quand même vous le dire. J'ai deux enfants. Un garçon et une fille. Je vous l'ai déjà dit, il me semble. J'ai des gosses formidables, vraiment. Vous avez le pouvoir de laisser cette famille vivre en paix et heureuse. Nous avons déjà perdu mon mari. Il est mort d'un cancer. Vous voulez vraiment qu'ils perdent aussi leur mère ? Je vous en supplie… Ils s'appellent Selena et Michael. Il n'y a pas de raison de leur faire ça…

Elle tomba à genoux.

— Kevin ? Vous me voyez ? Je suis à genoux. Je vous implore. Donnez-moi un peu d'eau, Kevin, ou je vais bientôt mourir de soif…

Les derniers mots, elle les prononça dans un murmure :

— Je vais mourir et vous n'aurez pas eu le temps de le faire avec moi...

Était-il seulement là ? Elle avait eu des hallucinations sur ce banc. Puis, grâce au repos et à la position allongée, elle avait recouvré un peu de force. Al était venu, puis il était mort. De nouveau elle avait eu ses enfants auprès d'elle. Ils s'étaient embarqués pour cette croisière sur le SS *Chanson*.

Était-ce ce phénomène qui se produisait, quand votre vie défile sous vos yeux à l'instant de la mort ?

— J'ai envie d'un steak pour dîner ! lança-t-elle.

Elle songea à ces soirées exquises qu'ils arrivaient quelquefois à s'offrir, aux dîners chez Sparks Steakhouse, à Manhattan. Leur aloyau rôti ! Leur sauce ! Cette viande rouge qui fumait sous la lame du couteau...

— Avec une salade !

Une belle laitue bien verte parsemée de miettes de fromage, assaisonnée d'une huile d'olive si fraîche en bouche qu'elle pouvait avoir été pressée le matin même... Et le vin ! Oh ! les vins qu'ils vous servent, là-bas... Un merveilleux château-giscours, par exemple. Ou un talbot à la robe sombre, servi frais, et d'un goût si parfait, si riche que c'en est un péché...

Attends... Qu'est-ce qui te prend, là ? Tu es en danger. Tu es en danger et tu rêves, à genoux au beau milieu de cette pièce ? Ressaisis-toi. Contrôle-toi. Oui, le contrôle de soi. C'est la seule clé à ta disposition. Et d'abord, retrouve ce maudit stylo-lampe. Il doit être par terre. Il faut aussi essayer d'examiner ces piqûres sur ton ventre.

Retrouver le stylo ne fut pas difficile : il était dans sa poche. Elle l'alluma, ouvrit sa robe – et ce qu'elle découvrit sous la pâle lumière jaune lui arracha un cri.

Il l'avait marquée ! Il l'avait marquée pendant son sommeil en faisant de petites entailles superficielles le long de cette ligne en forme de sourire, pareille à une cicatrice de césarienne, qu'il lui avait auparavant tracée sur la peau.

On devinait aisément quelle serait la prochaine étape. Y penser était insupportable. Endurer cette souffrance aussi. Et attendre ! Helen recula vivement, comme si elle venait de heurter le bord brûlant d'un fourneau. Mais elle avait du mal à garder son équilibre dans cette obscurité : elle s'écroula sur le sol.

C'est à peine si elle se rendit compte qu'elle tombait ; elle ne poussa qu'un faible grognement. Les narines dilatées, elle aspirait de grandes bouffées d'air, comme un animal qui vient de flairer une odeur d'une importance vitale. Ou qui a senti la présence de l'eau. Avec le stylo-lampe, elle essaya de scruter le décor.

C'était une petite pièce carrée, en sous-sol, meublée d'un simple banc sans dossier. Kevin n'était visible nulle part. Et manifestement il n'y avait pas d'eau. L'endroit semblait sec, et d'une propreté exceptionnelle. Mais cette odeur… Cela faisait penser à des remugles venus d'un autre endroit, d'un autre souterrain.

Des hallucinations olfactives, sans doute. Elle retourna s'étendre sur le banc. Elle n'aurait rien à manger. Rien à boire non plus. Bientôt il reviendrait. Il pratiquerait sur son ventre l'incision prévue, dont il avait déjà tracé le dessin en forme de sourire.

Elle se remit debout et cria en levant la tête vers le plafond :

— Tu ne peux pas faire ça ! Tu ne comprends pas qu'ils me recherchent en ce moment ? Tu ne sais donc pas qu'ils s'inquiètent pour moi ?

Elle effleura la blessure sur son ventre. Le corps d'une femme est si fragile ! On ne peut pas jouer avec ces choses-là…

À chaque minute qui passait, l'obscurité l'enserrait un peu plus. Elle agita les bras et ralluma le stylo-lampe dont la lumière faiblissait rapidement.

L'arbitraire de la vie. La vie n'avait pas de sens, comme Sartre l'avait montré. Il n'y avait pas de conscience supérieure derrière tout cela. Personne ne veillait sur les événements du monde. Et le monde n'était qu'une petite planète habitée d'êtres humains parmi lesquels, de temps en temps, jaillissait un monstre, une tumeur hideuse surgie des profondeurs.

Helen sentit que ces idées sur le caractère arbitraire de la souffrance et sur les mille accidents de la vie l'aidaient à retrouver peu à peu l'éclat de ses facultés intellectuelles. Elle redevenait un être pensant.

Certaines personnes ont de la chance, et d'autre en ont moins. Toute sa vie, elle avait eu de la chance. Les événements s'étaient enchaînés si harmonieusement qu'ils paraissaient réglés sur l'horloge du succès. Et puis Al était mort. Maintenant, il y avait cette forêt obscure. Et ce Kevin. Comment une telle chose était-elle possible ? Comment une psychanalyste confirmée pouvait-elle se retrouver piégée dans une situation aussi horrible, stupide, tragique ?

Elle ouvrit la bouche. Sa mâchoire craqua. Mauvais signe. Les oreilles lui faisaient mal. Et son ménisque ! il n'allait tout de même pas la lâcher avant cette maudite césarienne… Quelle importance… Elle referma les mains sur son ventre. *L'utérus ! Ah ! ce cinglé, ce petit merdeux de Kevin, il savait où la diriger, sa haine !* Durant toute sa carrière, elle avait dû encaisser les réactions de ces hommes qui ne supportent pas de travailler sous les ordres d'une femme, ou qui refusent de voir dans une collègue autre chose qu'une ennemie…

Un bruit lui parvint. Un bruit lointain. Si lointain qu'il pouvait aussi bien venir de la planète Mars. Elle tendit l'oreille. Le bruit ne se répéta pas. Pourtant elle était presque sûre d'avoir entendu ce chien aboyer de nouveau.

— Petit chien… murmura-t-elle. Viens ! Dépêche-toi…

Appeler au secours ? Elle en mourait d'envie, mais elle n'osait pas. Kevin se mettrait tout de suite en colère.

Et pourtant ce bruit lointain venu du dehors, quand bien même il était imaginaire, était ce dont elle avait besoin pour reprendre un peu d'espoir et retrouver toute sa capacité de réflexion.

Mais le chien n'aboyait plus. Et Kevin ne vint pas.

Elle quitta le banc et se mit à arpenter la pièce, les mains tendues en avant pour éviter de se cogner aux murs. Elle avait si soif qu'elle en devenait folle. L'envie la taraudait de se mettre à genoux et de creuser dans la terre un puits avec ses ongles. Oui, la folie était en train de la gagner. Elle commençait à comprendre le sens de l'expression « grimper aux murs ». Elle comprenait aussi la description qu'Arthur Koestler avait faite d'une prison, dans *Le Zéro et l'Infini*. Elle se souvint du vieux détenu qui avait perdu l'usage de la parole et qui, tel un spectre, ne s'exprimait plus que par des cris.

— 'bout, murmura-t-elle. *'bout, les damnés de la terre…*

Depuis combien d'années n'avait-elle pas pensé à Koestler, cet auteur dont les idées sur l'oppression l'avaient tellement influencée – jusqu'à lui faire adopter l'humanisme comme fondement de toute sa carrière.

Elle hurla :

— *'bout, les damnés de la terre !*

Il lui avait donné une robe, il voulait donc qu'elle reste en vie… Pourtant, il n'avait même pas fait mine de l'entendre quand elle l'avait prévenu qu'elle risquait de mourir de soif. Au contraire, il devait frétiller de plaisir à l'idée qu'elle crevait tout doucement de soif.

Touchant son pouce, elle sentit des élancements douloureux. Elle l'examina dans la demi-pénombre. Il était tacheté de petites zones d'infection…

Mais attends une minute… Tu es folle ou quoi ? Tu ne t'es même pas aperçue qu'on y voit presque comme en plein jour !

Elle bondit et vint se placer au centre de la pièce. Dehors, il faisait jour. Cela ne faisait aucun doute.

Ce devait être le matin.

C'est à peine si elle osait encore inventer de nouvelles idées de fuite. Pourtant, elle se mit à chercher une fenêtre. La lumière – très faible, et qui réduisait à peine la pénombre – avait l'air de venir de partout à la fois. Non… Il y avait une lueur, là-bas. De l'autre côté.

En apparence, la pièce était très simple : un cube de ciment, une trappe au plafond, une échelle, le banc… Le tout n'avait même pas été insonorisé. Pourquoi l'aurait-on fait, du reste, dans un lieu aussi reculé ? Mais le mur, dans la partie éclairée de la pièce, ne montait pas jusqu'au plafond. Voilà d'où venait cette maigre lumière. Elle venait de l'autre côté. Il aurait fallu pouvoir jeter un coup d'œil par-dessus cette paroi, mais comment faire ? Elle formait un rempart en ciment. Helen y donna de petits coups de poing. Le rempart était épais.

C'était son cimetière, pensa-t-elle. Mon Dieu ! C'est sûrement ça. La pièce était propre, mais de l'autre côté de ce mur gisaient les restes de ses victimes.

Pourtant, s'il avait tué autant de femmes qu'il le prétendait, on aurait dû sentir ici la puanteur des corps ! Il y avait bien dans l'air cette légère odeur animale… Non. Ce n'était pas une odeur de cadavre.

De nouveau un bruit. Un hurlement lugubre, si long qu'il semblait ne jamais devoir finir. Et si horrible qu'Helen eut envie de se boucher les oreilles.

Était-ce le hurlement d'un chien ?

Non, elle ne pensait pas. Elle écouta, essayant de savoir d'où il provenait. Mais il finit par mourir, tel un souffle de vent.

Il lui était parvenu de derrière ce faux mur. Helen posa la main contre la paroi et s'aperçut que la surface était humide. Sans réfléchir un seul instant elle y mit la langue et commença à lécher. Mais cette simple humidité ne pouvait suffire à la désaltérer.

Ce qu'il fallait, c'était escalader le mur, se cramponner au sommet et se hisser de façon à voir ce qu'il y avait de l'autre côté. Pourquoi pas ? La chose tout à coup ne lui semblait pas impossible. Elle pouvait peut-être y arriver.

Elle fit un bond. Mais ce fut pour se rendre compte qu'elle n'arrivait pas à s'élever à plus de vingt centimètres du sol. Et elle avait si peu de force dans les bras qu'elle n'aurait pu de toute façon se hisser plus haut.

C'était le matin. Dehors, le soleil ruisselait. Dehors, il y avait les oiseaux et le souffle du vent. Dehors, la vie merveilleuse se poursuivait sans elle.

C'était le matin. Il devait être réveillé. Il s'étirait dans son lit. Il allait pisser…

Elle s'élança de nouveau à l'assaut du mur. Cette fois, elle avait touché le sommet. Du bout des doigts. Oui, la lumière venait bien de là derrière. On avait peut-être dressé cette cloison dans le but de cacher une fenêtre. Une fenêtre qu'elle devait atteindre…

Quelque chose grinça, interrompant ses réflexions. Elle leva les yeux. Ce grincement fut suivi aussitôt d'un nouveau hurlement – un hurlement si épouvantable qu'elle cria à son tour, pétrifiée de peur. Et tandis que les cris continuaient, elle se prit les cheveux à pleines mains. Elle était dans un tel état de faiblesse qu'il lui fallait du temps pour comprendre. Mais quand elle eut compris, elle cessa immédiatement de crier.

Ce n'était rien. Le grincement était celui du robinet. Et les rugissements venaient de Kevin. Il était entré sous la douche. Sa douche matinale.

La panique avait comme explosé en elle. Elle essaya de reprendre son souffle. Elle se mit à courir autour de la pièce, se cognant aux murs – un animal en cage. Elle se précipita sur l'échelle, gravit les barreaux et cogna contre la trappe. Dans l'état de confusion où la terreur l'avait plongée, elle s'imaginait parvenant à briser cette trappe, tandis que le bruit de la douche couvrirait ses efforts…

Mais il aurait fallu un homme très costaud armé d'une masse pour en venir à bout.

Le temps passait. Bientôt il serait trop tard. *Oh ! Seigneur ! Seigneur, par pitié, si vous êtes là, faites quelque chose pour moi ! Je ne vous ai jamais rien demandé, Seigneur ! S'il vous plaît, s'il vous plaît, écoutez-moi ! Écoutez-moi…*

— Écoutez-moi !

Le bruit de la douche s'arrêta. Elle entendit grincer le robinet – Kevin l'avait refermé. C'est alors qu'Helen remarqua les canalisations qui couraient le long du plafond. Elle descendit de l'échelle pour mieux les observer, puis remonta se recroqueviller sur le dernier barreau. Et de là, en s'étirant de toutes ses forces, elle essaya d'atteindre les perles de condensation qui s'étaient formées sur les tuyaux, mais en vain. Elle poussa un grognement. Au sommet de l'échelle, elle se trouvait à plus de deux mètres cinquante du sol et risquait de tomber. Une entorse, une cheville foulée, et ce serait la fin de tout espoir.

Elle grogna encore. L'espoir !

Tout était si tranquille…

De là où elle était perchée, elle pouvait regarder par-dessus le mur. Elle découvrit que la lumière ne venait pas d'une fenêtre mais d'une ouverture de quelques centimètres, entre les fondations de la maison et la façade de pierre. La façade se dressait non loin de ce mur par-dessus lequel Helen regardait. Elle eut l'impression qu'il y avait tout autour un vaste espace sombre qui occupait le sous-sol de la maison.

Au-dessus, elle entendit des bruits sourds et des craquements. Vite, elle redescendit de son échelle et vint se placer au milieu de la pièce. Puis elle courut se plaquer contre le mur, dont elle essaya une fois encore d'atteindre le rebord.

Mais elle dut renoncer de nouveau. Elle se laissa glisser à terre le long du mur, collée à lui comme à un vieil ami qui vous protège. Une odeur lui parvint alors, accompagnée d'un léger sifflement. Helen s'abandonna un instant, tête baissée, perdue dans ses cheveux raides et sales – ses cheveux si beaux que c'était à peine s'ils exigeaient des soins. Il suffisait de les laver pour qu'ils soient parfaits…

Helen se mit à les caresser comme s'il fût possible, par ce simple geste, de les coiffer et de les embellir, où mieux, de se protéger contre l'odeur exquise et familière qui flottait à présent dans l'air : l'odeur du bacon frit que Kevin se préparait pour le petit déjeuner.

14

FUITE VERS LES TÉNÈBRES

Sans même s'en rendre compte, elle ouvrit la bouche et approcha les doigts de ses lèvres, comme pour manger. Elle croyait voir le bacon fumant se recroqueviller dans un bruit de friture, puis devenir sombre au milieu tandis que les bords prenaient une teinte dorée.

Elle commença à se déplacer dans la pièce, tout en effleurant d'un geste nerveux les blessures sur son ventre. Toutes ses douleurs la déprimaient.

Soudain, elle s'immobilisa. Est-ce qu'un chien n'avait pas aboyé de nouveau ? Elle n'en n'était pas sûre. Mais il y eut bientôt des craquements répétés, au-dessus. C'était lui. Il traversait la maison. Il se dirigeait vers la porte de derrière. Oui… C'est là qu'il se tenait, maintenant. Et il y avait bien un chien dehors. Donc, ils avaient repris les recherches. Et l'idée s'était enfin glissée dans leurs têtes que ce bon vieux Kevin pouvait être sérieusement dérangé !

Maintenant elle criait, elle pleurait, elle sautait… Mais un nouveau bruit lui parvint. Une espèce de grattement. *Qu'est-ce que c'est ?* Elle entendit quelque chose cliqueter, puis vint un autre grattement… On balançait des morceaux de verre dans une poubelle.

Il s'était mis à réparer les dégâts qu'elle avait faits à la porte de la cuisine. Donc les secours n'étaient pas en train d'arriver, sans quoi il ne se serait pas attaqué à ce boulot.

— Beaucoup de gens ont des chiens, grommela-t-elle.

Et elle se dit qu'il n'y avait peut-être jamais eu de recherches. On chassait le chevreuil dans la région, voilà tout. Avec des chiens.

Elle tendit l'oreille. Il marchait encore. Le plancher craquait sous ses pas. Et chaque fois qu'il s'approchait de la trappe, le cœur d'Helen se mettait à cogner si fort qu'elle ne pouvait s'empêcher de redouter l'infarctus.

Il continua de se déplacer d'un bout à l'autre de la maison. À un moment, il ouvrit même à grand bruit le verrou de la trappe. Helen crut défaillir. Mais la trappe resta fermée.

Helen palpait du bout des doigts la nouvelle plaie sur son ventre, et cela ne faisait qu'ajouter aux souffrances de ses autres plaies. Son pouce, en particulier, était très douloureux.

Kevin faisait les cent pas. Helen, comme aiguillonnée par une idée soudaine, se précipita vers le banc et le souleva de terre avec l'intention de le brandir au-dessus de sa tête, comme une arme. Mais le banc était lourd. Elle dut le laisser retomber. Puis elle s'y laissa tomber à son tour, vaincue.

Les hommes étaient-il tous aussi cruels ? Ce tueur du nom de John Wayne Gacey l'était, à en croire le témoignage du seul survivant de ses crimes. L'homme qui tue est cruel. Mais que dire de celui qui tue lentement ?

Qu'un homme cède à une soudaine bouffée de violence intérieure, elle pouvait le comprendre. Mais ce qu'elle vivait en ce moment, c'était autre chose. C'était un meurtre réfléchi et planifié. Non seulement Kevin disposait de son libre arbitre, mais ses choix étaient parfaitement calculés. Ils avaient fait l'objet d'une longue étude. Kevin torturait avec un incroyable souci du détail. Quelle mère avait-il eu ? Une femme saine d'esprit, susceptible d'être reconnue responsable de ses actes ? Et que s'était-il passé durant son enfance à elle ? Était-ce son père qui lui avait inoculé une haine qu'elle devait à son tour, devenue adulte, projeter sur les autres hommes ? Ce père l'avait-il rejointe, la nuit, dans son lit d'enfant ?

Combien d'années ces chaînes qui nous reliaient à notre passé continuaient-elles de peser ? Le mal était depuis toujours le meilleur compagnon de l'homme…

La trappe se souleva dans un grincement sonore. Le voile de blanche lumière qui tomba dans la pièce obligea Helen à se couvrir les yeux. Kevin descendit rapidement, en raclant ses chaussures contre les barreaux de l'échelle.

— Bonjour, Lena.

Il tenait quelque chose entre les mains. Quelque chose qu'il avait enveloppé dans une toile.

— Tu es arrivée à dormir, chérie ?

Elle ne pouvait détacher les yeux de la toile. Il déposa l'objet sur le banc en disant d'un ton aimable :

— Le grand moment, ce sera pour onze heures.

Elle s'éloigna de lui.

— Kevin, dit-elle, je voudrais vous prier de... Je vous supplie de me laisser partir.

Ses sourcils se soulevèrent.

— Voyons, dit-il, on n'en est plus là...

— Je voudrais...

— Non, non. On est sur la piste d'envol, maintenant. Pas moyen de reculer...

— Écoutez-moi !

— Mais enfin, Lena ! Tu es une psy ! Tu sais très bien que je dois absolument le faire. *Il le faut !* Rien ne peut plus m'arrêter. Rien ni personne. Et toi pas plus qu'une autre.

Mais c'est à peine si elle entendait ses paroles. Elle avait commencé à se rapprocher de ce paquet de toile posé sur le banc. Qu'y avait-il à l'intérieur ? Elle songeait à quelque instrument diabolique dont elle allait peut-être pouvoir se servir comme d'une arme... À condition d'agir vite ! Elle avala sa salive avec peine.

— Excusez-moi, dit-elle. J'ai la gorge si sèche...

— Oh ! je sais. Je me suis fait du souci pour toi toute la nuit. Ça doit être atroce, vraiment.

— Donnez-moi à boire !

Il la regarda d'un œil fixe, comme surpris d'une telle demande, puis il dit :

— Tu montes, tu prends un verre, tu vas à l'évier, tu tournes le robinet… C'est si difficile que ça ?

Elle s'écarta en faisant le geste de mieux refermer sa robe, comme pour cacher cette blessure étrange qu'il lui avait faite, au cas où il l'aurait oubliée.

Elle était à présent tout près du banc. Si elle voulait s'emparer de ce paquet, il lui suffisait de tendre vivement la main. *Attention ! Souviens-toi que tu n'as presque plus de force. C'est à peine si tu tiens encore debout. Et tu n'as droit qu'à un seul essai. Pas deux. Après il sera trop tard. Après, tu te retrouveras de nouveau attachée. Prête pour la mort.*

Kevin vint s'asseoir à côté du paquet. Elle dut se retenir pour ne pas fondre en larmes.

— Je sais que tu es bouleversée, dit-il.

— Bouleversée !

— Tu n'es pas bouleversée ? Alors c'est que tu es folle. Écoute… La seule chose que tu aies à faire, c'est essayer de rester calme.

Rester calme était impossible. Non ! les choses ne pouvaient pas se passer comme ça…

— Vous croyez que ça m'aiderait ? dit-elle.

Il la saisit à la gorge et la regarda dans les yeux.

— Je t'ai préparé un petit déjeuner, dit-il.

En un instant il avait traversé la pièce et remonté l'échelle. Helen entendit la trappe se refermer, et un court moment elle demeura aveugle. Quand ses yeux se furent de nouveau accommodés à la pénombre, elle déchira le paquet. Des œufs et du bacon se répandirent sur le sol. Il y avait même une boîte de jus d'orange.

277

Elles s'accroupit et essaya de ramasser cette nourriture. Puis elle ouvrit le jus d'orange et commença à boire – et ce fut comme si la main d'un ange apaisait sa soif.

Elle gratta les morceaux d'œufs restés à terre et les porta à ses lèvres. Elle distinguait extraordinairement le goût du jaune, le goût du blanc et celui du bacon. Ce fut un repas merveilleux.

À présent, elle éprouvait de la reconnaissance envers lui. Elle aurait été capable de lui baiser les pieds. *À ce fumier ?* Oui, elle était devenue abjecte. D'un autre côté, elle reprenait le dessus.

Onze heures. C'est ce qu'il avait dit. Sans préciser, bien sûr, quelle heure il était maintenant. Elle avait eu une montre autrefois. Une jolie montre Cartier en platine. Al lui avait fait ce cadeau pour leur vingtième anniversaire de mariage. Où était-elle passée ?

Si elle n'arrivait plus à se rappeler les plus petites choses, c'est que son cerveau partait en bouillie. La vraie vie était en train de devenir une réalité lointaine, confuse. Une espèce de rêve. Helen en était au point où elle ne savait même plus si elle avait ou non les idées claires.

— Tu restes là, assise, murmura-t-elle. Passive. À laisser les ennuis te tomber dessus. Tu ne crois pas que tu ferais mieux de les empêcher d'arriver ?

À cause du choc, elle avait été prise d'hallucinations toute la nuit. Des hallucinations venues après une période de sommeil, semblait-il. Mais à présent qu'elle avait un peu de nourriture dans l'estomac, elle se sentait beaucoup mieux.

Pourquoi lui avait-il donné à manger ? Pourquoi l'idée lui était-elle venue de l'aider, tout à coup ? Elle allait sûrement devoir payer cette faveur d'une nouvelle déception. Laquelle ?

Peut-être voulait-il juste qu'elle soit consciente, et en possession de ses facultés, de façon à jouir encore plus des tortures qu'il allait lui infliger. La veille, elle l'avait vu tirer un plaisir considérable du processus au cours duquel il brisait sa victime jusqu'à la soumission la plus complète.

Était-elle encore brisée ? Encore soumise ? Il lui semblait que non. Elle avait le sentiment d'être prisonnière mais pas vaincue. Pourtant, il avait montré une incroyable puissance, tout à l'heure, quand il était descendu la voir. Un vrai petit dieu. Parfaitement détaché et maître de soi.

Elle retint sa respiration, et lentement se remit debout.

— Non ! dit-elle.

Mais son cœur, elle le sentait, avait envie de dire oui. Le désir d'obéissance est une pulsion insidieuse. Vous ne savez pas ce que vous êtes en train de devenir. On avait vu cela dans les camps. Ce mal qui frappait tout le monde, même ceux qui avaient le plus d'énergie vitale, même les plus intelligents.

Dominer, dégrader, anéantir le moindre espoir. Avec ce traitement, vous obtenez l'obéissance de tous. Même des plus forts.

Elle s'élança vers la trappe.

— Quelle heure est-il ? Hé ! Quelle heure est-il ?

Comme il est étrange que l'on ne puisse croire en la réalité de sa propre mort ! Helen, désormais, se sentait docile. D'une docilité qui lui paraissait naturelle. Aussi naturelle qu'une nouvelle peau.

Sauf que ce n'était pas vrai. Sauf que c'était une illusion.

Alors brise-la, cette illusion ! Écrase-la ! Arrache-toi à cet état hypnotique !

La trappe s'ouvrit. De nouveau Helen sentit la lumière lui brûler les yeux. Il descendait l'échelle.

Aucun homme, plus que Kevin, n'offrait l'apparence d'un individu ordinaire. Bien sûr, il y avait quelque chose de bizarre chez lui. Mais avec sa chemise grise et son jean froissé, avec cette cigarette qui lui pendillait aux lèvres, il n'avait pas l'air d'un dieu noir...

— Vous ne m'avez pas dit grand-chose sur vous, murmura-t-elle gentiment.

— Au contraire, je t'en ai dit beaucoup.

— Mais cette vie que vous décrivez... Votre mère...

— Oh ! On peut dire qu'elle m'en a fait baver. Mais bon. Je m'en suis sorti.

— Si vous acceptiez de vous ouvrir un peu, vous en apprendriez énormément sur vous-même... Mais vous n'en avez même pas envie !

Elle n'avait pu se retenir de crier les derniers mots.

Il tira quelque chose de sa poche – un couteau de l'armée suisse. Il en déploya la lame la plus longue, qu'il posa à plat sur la paume de sa main. Puis il écarquilla les yeux.

D'un bond, elle s'écarta de lui. D'une voix qui se brisait, elle cria en étreignant son ventre :

— Il n'est pas onze heures !

— Il est onze heures dix, chérie.

Elle s'adossa contre le faux mur et lança :

— Je sais ce qu'il y a là derrière !

Il éclata de rire – d'un rire aigu, dément.

— Et tu n'es encore pas allée voir ? dit-il.

Il rit encore, tout en s'asseyant sur le banc.

— Allez, reprit-il. Puisque c'est ça que tu veux. Approche.

Sans réfléchir à ce qu'elle faisait, elle vint plus près de lui.

— Vraiment, je pensais que tu te montrerais plus coriace.

— Que voulez-vous dire ?

— Mets tes mains dans le dos. Et retourne-toi.

Elle mit les mains dans son dos. Mais alors qu'elle s'apprêtait à se retourner, elle remarqua un renflement sous le pantalon de Kevin. Il avait une érection. Le phénomène eut pour effet de réveiller chez elle un sentiment de dignité, et de briser le pouvoir que l'homme exerçait sur elle. Ce fut comme si ses pieds s'étaient mis en route tout seuls, la forçant à s'enfuir.

Elle se précipita sur l'échelle et grimpa vivement les barreaux. La trappe était fermée, mais non verrouillée. Elle ne pouvait pas être verrouillée ! Ou alors c'était que ce fumier avait décidé de finir sa vie dans cette pièce…

Tout de suite il fut derrière elle, bien sûr. Il tirait sur la robe en riant d'un rire nerveux. Il n'avait pas l'air du tout excité ; il ne se donnait même pas la peine d'élever la voix pour lui ordonner de redescendre. Mais Helen ne voulait pas redescendre. Au contraire, rassemblant toutes les forces qui lui restaient, elle lui envoya une série de coups de pied.

Il tomba de l'échelle.

Mais la trappe était verrouillée ! Helen regarda en bas. Kevin se relevait. Il s'approcha de nouveau de l'échelle. Elle s'aperçut qu'il n'avait plus sur le visage cette expression ordinaire qu'elle lui connaissait. Pour la première fois, le masque s'était complètement effacé. Et ce qu'Helen était en train de découvrir, c'était l'homme dans sa vérité. Il avait le regard aussi vide que celui d'un lézard. Ses lèvres serrées formaient une ligne coupante. Ses traits étaient aussi vivants que ceux d'un cadavre. C'est à peine s'il restait en lui quelque chose d'humain.

Elle battit des jambes comme un nageur, haletant sous l'effort, cramponnée à l'échelle et essayant désespérément de fuir en cognant de la tête contre la trappe. Mais elle ne réussissait qu'à s'étourdir. La trappe ne bougerait pas.

À force de gigoter, elle donna à Kevin un coup de pied plus violent que les autres. Touché au front, il bascula dans le vide avant d'aller s'écrouler au milieu de la pièce. Il se redressa pesamment. Puis il resta un instant assis à terre. Il secouait la tête, étourdi.

Elle pensa au banc. Tout à l'heure, elle avait réussi à le soulever. Elle sauta en bas de l'échelle, saisit le banc à deux mains, et, tout en s'en servant comme d'un bélier, s'élança contre le faux mur.

Kevin se relevait.

Le banc, bien sûr, ne troua pas la cloison. Mais ce n'était pas le but visé par Helen. Elle le laissa retomber au pied du mur. Et vite elle grimpa sur ce marche-pied pour se hisser vers le sommet. Ses bras tremblaient. Ses pieds tâtonnaient et se blessaient contre le mur. Mais elle progressait. Elle allait réussir à se hisser jusqu'en haut ! Roulant de l'autre côté, elle se laissa tomber dans la demi-pénombre sans se soucier de savoir à quoi ressemblait le sol où elle allait atterrir.

Elle s'écroula lourdement et resta un moment assommée par le choc, à regarder au-dessus d'elle un alignement de poutres. Toutes ses blessures lui faisaient mal, y compris celles qu'elle venait de se faire aux genoux dans sa chute. Mais elle parvint à se redresser. Du regard, elle fouilla l'endroit, espérant trouver quelque chose qui puisse ressembler à une arme. Mais il n'y avait rien de tel. L'espace était vide.

Elle n'était pas plus avancée.

Elle entendit Kevin qui riait. Doucement. Son rire s'élevait parmi toute sorte de grattements et de coups. Il devait être en train d'escalader le mur à son tour. Helen regarda à droite, puis à gauche. Le stylo-lampe était tombé de sa poche. Elle le ramassa et en projeta le faisceau dans l'obscurité. Elle poussa un gémissement. Elle se frappa le front. Elle grogna. Il n'y avait rien. Pas d'issue. Aucun moyen de s'échapper.

Kevin se laissa glisser le long du mur. En silence. Et il se reçut avec souplesse. Helen vit qu'il tenait maintenant un revolver.

— C'est parfait ! cria-t-elle. Tue-moi !

Pour toute réponse, il se mit à tirer. Elle s'enfuit à reculons. À chaque coup de feu, le canon du revolver produisait une lueur et Helen voyait tourner le barillet.

Elle comprit bientôt qu'elle s'enfonçait sous une pièce en surplomb. D'ailleurs sa voix, tout à l'heure, avait fait naître un écho. Helen était parvenue à l'entrée d'une cave.

Tournant le dos à Kevin, elle avança en direction de cette ouverture. Comme elle lançait un coup d'œil en arrière, une nouvelle explosion retentit, accompagnée d'un éclair. Un souffle chaud lui passa à dix centimètres au-dessus de la tête. Elle était surprise par le bruit des coups de feu. Jamais encore elle n'en avait entendu, sauf dans les films. Et un vrai coup de feu ne ressemble pas à ce que l'on entend dans les films. Elle était surprise aussi par les étincelles. Un vrai feu d'artifice.

Devant elle, tout était noir. La mince clarté produite par le stylo-lampe indiquait un chemin légèrement en pente.

— Tu ne peux pas sortir d'ici, Lena !

Elle commença à courir.

— Lena ! *Lena !*

C'était bien une cave. Une grande cave. Une mine, peut-être. Il y avait des mines dans les montagnes du New Hampshire ? Qui pouvait le savoir ? En tout cas, si c'était une mine, elle n'abritait ni piliers ni charpente. Non, c'était plutôt une cave. Une cave creusée profond. Elle s'en rendait compte à cause du vent humide qui remontait vers l'extérieur. Voilà pourquoi les murs suintaient, dans la pièce où elle avait passé la nuit.

Soudain, elle se sentit prise de frénésie. Ragaillardie. Sans cesser de courir, elle poussait des cris. De grands cris féroces. Les cris d'un animal tout à coup délivré de son état sauvage.

Elle s'arrêta brusquement. Le stylo-lampe serait bientôt épuisé. Il fallait l'économiser. Et à l'arrière, que se passait-il ? Il n'y avait plus de bruit ? Non. Si… Mais ce n'était pas le bruit d'un homme en train de courir. C'était un autre genre de bruit. Plus lent. Plus sourd. Pas du tout le bruit de quelqu'un qui se dépêche.

Helen ne voyait pas d'autre possibilité que de fuir droit devant elle. Et Kevin le savait parfaitement. Tout ce qu'il avait à faire, c'était la laisser courir devant. Jusqu'au bout. Jusqu'à ce qu'elle ne puisse aller plus loin. Entre-temps, il s'offrait une petite promenade, se rapprochait tranquillement. Il aurait aussi bien pu ne pas bouger. Lui qui aimait tant attendre ! Lui qui prenait son pied à attendre !

Et elle, que pouvait-elle faire ? Le choix était simple. Mourir de faim dans ce trou humide et froid, ou retourner auprès de lui et se rendre.

— Lena ! Tu n'as pas été très gentille, Lena ! Tu ferais mieux de venir retrouver ton papa. Tu ferais mieux de te décider à obéir ! Et tout de suite !

Pourquoi prenait-il une voix aussi joyeuse ? Est-ce qu'il n'était pas en train de laisser échapper sa proie ? Non. Il se disait qu'elle allait bientôt devoir s'arrêter.

Allez, ma fille ! Tout n'est pas forcément perdu. Le destin est en train de te tendre une perche. Voilà ce qui se passe. Le destin te donne ta chance. Une misérable petite chance de rien du tout.

Mais Helen n'arrivait pas à le croire. Elle ne pouvait se forcer à le croire.

— C'est ici que je vais mourir, lui dit-elle. D'accord ! Au moins, je me serai battue jusqu'au bout…

Mais elle sentait que ce chemin qui courait devant elle agissait comme un stimulant. Il réveillait en tout cas assez d'espérance en elle pour qu'elle trouve le courage d'avancer…

Elle sentait aussi sa présence à lui. Sa présence désinvolte que signalait, tel un œil, le faisceau d'une puissante lampe torche. Et il chantait.

Et la voilà…

La voilà ma poupée…

Devant elle, le chemin bifurquait. Helen s'engagea sur le sentier le plus petit, et bientôt se retrouva dans un univers étrange : elle progressait entre des parois où l'eau avait creusé d'innombrables cavités constellées de cristaux qui réfractaient la faible lumière du stylo-lampe. Pour avancer, elle devait se plier en deux. Un nouveau carrefour se présenta. Helen s'enfonçait toujours plus profond.

Elle s'arrêta. Elle avait éteint sa lampe. L'obscurité atteignait une espèce d'absolu. Il faisait plus noir que dans le cosmos, plus noir que dans les régions les plus secrètes de l'esprit. Et le silence qui régnait dans cette obscurité évoquait la mort. Helen ressentait presque physiquement l'approche d'un danger.

Toute sa vie, elle s'était sentie en sécurité. Toute sa vie, jusqu'à cette horrible épreuve. Sous ses mains, les parois étaient lisses et froides. De toutes ses forces elle essayait de pénétrer l'obscurité. Et elle tendait l'oreille. Dans le silence, un bruit rythmé lui parvenait. Sa respiration à lui. La respiration paisible d'un homme qui marche sans se presser.

— J'arrive, chérie. Ce sera très bien. Je suis sûre que tu vas être parfaite.

Helen retenait son souffle comme on retient un bien précieux – comme si la vie, tout simplement, risquait de s'échapper de son corps.

— Je t'entends, ma douce. Je t'entends et je sais que tu es en train de te calmer. Je comprends ces choses, tu sais. Oh! oui, je les comprends…

Il était tout proche. Sa voix lui parvenait comme un appel rassurant – l'appel que lance le père à son enfant plein d'effroi.

— Je vais te retrouver. Et je vais te ramener en te portant dans mes bras. Tu n'auras plus rien à craindre, ni personne.

Elle haletait. Elle ne pouvait s'en empêcher. Elle l'entendait marcher derrière elle. Bientôt la lampe reparut. Un halo de lumière tournait là-bas, sur ces parois où scintillaient des cristaux pareils à des yeux innombrables. Helen se remit à courir. Elle n'essayait pas d'enregistrer quel chemin elle avait pris. Elle ne se souciait pas de trouver une sortie. Elle avançait comme un rat aveugle. À tâtons. Au jugé. N'allumant son stylo-lampe que pour l'éteindre aussitôt.

Et ce couloir qui descendait toujours ! Et qui ne cessait de tourner, comme une route déboussolée. Il devait pourtant bien y avoir un nouvel embranchement quelque part ! Un trou où se cacher, un boyau où s'engouffrer, dans lequel ce salaud n'aurait pas envie de la suivre… Helen continuait de descendre, et de tourner. De temps en temps elle dépensait un peu de lumière dans l'espoir de voir apparaître un nouveau chemin. Ou autre chose…

— Lena, Lena-la-Colombe… Tu es venue jusquelà. Si loin ! Tout va bien, j'imagine. Je t'aime beaucoup, tu sais. Vraiment. Tu t'es sauvée juste au moment où j'allais m'occuper de toi. J'étais pourtant décidé à faire vite. On se serait embrassés, et adieu ! J'avais tout prévu…

Il poussa un long soupir douloureux, tel un homme qui étouffe un sanglot.

— Tu as foutu la merde, Helen Myrer. Salope de psy. Regarde ! Regarde le beau travail que tu as fait ! Tu m'as guéri, putain !

Et dans le silence qui suivit, Helen entendit soudain un bruit de pas rapides. Les pas d'un homme qui sait exactement où il va…

Mais cette fois, elle ne courut pas. Elle ne pouvait plus. Chaque fois qu'elle avait essayé de s'enfuir, elle avait échoué. Il n'y avait pas de raison que ça marche cette fois-là.

Au contraire, elle se retourna pour lui faire face. La lampe, là-bas, se balançait… Et c'est grâce à cette lueur mouvante qu'elle découvrit une anfractuosité dans la roche. Vite, elle s'y engouffra, et se plaqua de toutes ses forces contre la paroi. Elle retint sa respiration. Kevin approchait rapidement. Très rapidement.

Mais pourquoi avait-il accéléré l'allure, tout à coup ?

Cela signifiait peut-être qu'il y avait une issue de ce côté… Les caves, le plus souvent, n'ont qu'une seule entrée. Mais était-ce une règle générale ? Il y avait peut-être une sortie toute proche. Plus proche qu'Helen ne l'avait imaginé…

Les chaussures de Kevin frappaient le sol avec un bruit sourd, et l'effort lui arrachait des râles. Il paraissait désespéré. Paniqué. Oui, il devait y avoir une issue de ce côté ! Et Helen, si elle se montrait assez prudente, réussirait sûrement à l'atteindre.

Kevin approchait. Un cyclope. Un cyclope avec un œil de feu, capable d'éclairer les zones les plus cachées, d'illuminer subitement le refuge obscur d'un rocher.

Bientôt il serait là. Son œil de lumière dansait, se balançait, tournait sur la pierre des parois. Helen le regardait. Elle apercevait sur le sol les marques de ses propres pas aux endroits où elle avait trébuché tout à l'heure. Et elle se mordait les mains à l'idée que ces traces allaient conduire Kevin directement à sa cachette…

Mais Kevin passa sans la voir. Il passa en laissant monter de sa gorge un long cri haineux. Pour la première fois de sa vie, Helen commença à accepter l'idée que le mal pouvait rester inaccessible aux investigations de la science…

Il était passé sans la voir. *Oh! merci, Seigneur…* Helen faillit laisser échapper un rire étranglé, ou un sanglot, mais elle l'étouffa aussitôt. *Tu deviens folle, ou quoi?* Toujours appuyée à son rocher, elle tendit l'oreille. Puis elle décida de se remettre en route. À pas lents. Avec prudence. Respirant aussi peu que possible. Certaine que le moindre soupir, dans ces cavités de pierre, devait résonner très loin.

Elle se servait de son nez pour essayer de capter un filet d'air indiquant qu'elle s'approchait de la sortie. Mais non. Tout ce qu'elle sentait, c'était cette odeur de bête. Une odeur toujours plus forte.

Elle se mordit les lèvres. L'endroit devait grouiller de rats. Dieu sait ce qu'ils trouvaient à manger dans ces galeries de pierre. Peut-être n'y venaient-ils que pour boire l'eau salée qui suintait le long des murs?

Quand elle ralluma son stylo-lampe, ce fut la surprise. Elle était entourée de stalactites et de stalagmites. C'était une cave immense. Une caverne. Elle refit en pensée le chemin jusqu'au sous-sol de Kevin McCallum. Si elle se perdait, elle aurait toujours la possibilité de revenir en arrière… Mais, tandis qu'elle réfléchissait à cette idée, ses doigts effleurèrent les incisions sur son ventre. Non! Pas question. Ou bien elle trouvait la sortie de ce labyrinthe, ou bien elle mourrait ici. Rien, ni aucune circonstance ne la forcerait plus jamais à retourner dans cet enfer.

Mais alors, où aller? Devant, l'espace se rétrécissait, et le chemin formait de nouveau une sorte de couloir. À droite, quelque chose qui ressemblait à un puits aux bords escarpés. Descendre dans ce puits ? autant se jeter tout de suite dans un piège. Le couloir, en revanche, avait l'air praticable. Il exhalait un air dur et froid. Mais Helen avait déjà fait son choix.

Mon journal
« Le Processus »

Ça m'a vraiment attristé, d'avoir gagné. En lui préparant le dernier petit déjeuner, je pleurais. Je dois être devenu fou de toi, docteur. Car avant, je ne pleurais jamais. D'habitude, quand je prépare le dernier petit déjeuner, je sens que la fin approche, et ça me rend heureux.

Ce que je veux te dire, c'est que toute cette affaire est vraiment pleine de sensations agréables. Je ne sais pas écrire comme les poètes. Mon poème, c'est ce que je fais. Il faut que tu comprennes ça, si tu veux arriver à me comprendre.

Nous regardons l'art comme la seule beauté : la peinture, les livres et tout ce genre de choses. Mais mes œuvres à moi ? Ce sont mes actes. Tu peux appeler ça torture, crime. En réalité, ce que je fais n'a pas de nom. C'est une planification de la violence. Il faut garder son cœur en état de marche. Garder le contrôle de soi. Voir des gens dans leur vraie nudité. Quand ils souffrent. Quand ils meurent.

Je te prends la vie. Je vais te regarder souffrir seconde après seconde. Et après ta mort, je te connaîtrai mieux. Mieux, sûrement, que Dieu Lui-même. Le peintre crée un paysage. Le romancier, un personnage. Mais qu'est-ce que c'est, finalement ? De la peinture. Du papier. Mon art consiste à te voir telle que tu es. Dans ton moi le plus intime.

Alors pourquoi suis-je si malheureux, tout à coup ? Hein, docteur ? Puisque je m'apprête à exercer mon art, une fois encore.

Putain, quel merdier ! Tout ça ne m'apporte aucune des sensations que j'attendais. Ton boulot, c'était de me psychanalyser la tête, non ? Tu n'as pas fait ton boulot !

Tu n'imagines pas à quel point je me sens mal. Tu n'en as pas idée, docteur.

15

DANS LES PROFONDEURS

Elle progressait vite, ne se servant de son stylo-lampe que de brefs instants. Si la pile mourait, elle mourrait aussi. Elle le savait.

Ce couloir-là était large mais bas de plafond. Elle était obligée d'avancer courbée. Et, comme elle ne sentait plus les murs de chaque côté, elle avait l'impression angoissante de dégringoler le long d'un plateau en pente. Quand elle rallumait sa lampe, elle voyait le plafond au-dessus de sa tête, et elle distinguait même les murs à quelque distance. Mais devant et derrière s'étendait un océan de ténèbres. Tout ce qu'elle pouvait faire, c'était essayer de ne pas s'arrêter, de ne pas tomber, de ne pas fermer les yeux, de ne pas se mettre à hurler jusqu'à perdre la voix.

Dans sa tête, elle croyait entendre un rythme qui la portait, et auquel, telle une danseuse maladroite, elle obéissait pour continuer d'avancer. Du reste, elle n'avait pas le choix : dès qu'elle ralentissait, ses blessures se réveillaient. Et elle sentait la vie s'échapper d'elle par cette incision rouge en forme de sourire…

Elle s'arrêta et se mit à quatre pattes. Après avoir goûté un instant de calme, elle aspira de l'air entre ses dents, essayant de capter une odeur d'herbe sèche, un souffle d'air chaud, un parfum de fleurs venu d'une forêt… Mais c'était toujours la même odeur qui régnait : une odeur rance, humide, chargée d'effluves pareils à des senteurs animales.

Un long hurlement emplit soudain les galeries, un cri traînant qui semblait ne faire qu'un avec ces murs, cette pénombre. Quand il s'éteignit, un autre bruit le remplaça, plus distinct, plus insistant. De l'eau ? Un torrent ? Oui, il pouvait bien sûr exister une rivière souterraine qui se déversait dans le lac. Helen songea au lac Glory : ses flots resplendissant dans la lumière matinale ; ses eaux bleu clair ; la course des vaguelettes soulevées par le vent léger ; les voiliers qui brillaient sous le soleil…

Le cri s'éleva de nouveau et, à la façon dont il pénétra au plus profond d'elle-même, Helen ne put s'empêcher de penser à un cri humain. Était-ce Kevin ?

Elle voulut à son tour, instinctivement, comme répondant à la longue plainte qu'elle venait d'entendre – et ce qui jaillit de sa gorge fut un grognement sourd, mêlé des sanglots qui se formaient dans sa poitrine secouée de spasmes.

Si son cœur connaissait la signification du cri auquel elle venait de répondre, son cerveau préférait l'ignorer

– ce cerveau tout chargé de maudites prétentions scientifiques !

Attention ! Ce n'est pas le moment de les jeter par-dessus bord, ces prétentions ! La science reste la seule chose capable de te sauver. La science et l'intelligence. Tu crois peut-être que tu peux compter sur le secours de tes émotions obscures ? Sur ta peur de la mort ?

Avançant en crabe, elle se remit à dévaler la pente. C'est alors qu'elle eut l'impression d'y voir sans avoir besoin de la lampe. Elle s'arrêta. Elle ferma les yeux, les rouvrit. De nouveau, le noir complet. Puis, devant elle, une clarté diffuse enveloppa l'espace, qui se fit plus vive encore qu'un instant plus tôt.

Que se passait-il ? Helen s'assit sur ses talons… Cette lueur ne tarda pas à reparaître. Sur le sol rocailleux, Helen voyait courir des ombres, petites et grandes. Et ces ombres la frôlaient, lui passaient dessus, l'obligeaient à se recroqueviller.

Le vertige la saisit. Cette lueur, c'était la lampe de Kevin ! Il revenait. Il s'était subitement rendu compte qu'il avait laissé sa proie en arrière. *Qu'espérais-tu, ma fille ? Ne plus jamais le revoir ? Eh bien ! c'était stupide…*

Elle se remit à quatre pattes, puis essaya de ramper. Vite. Comme un bébé qui ne marche pas encore. Son ombre maintenant la précédait, se déployait longuement sur le plafond immense et bas. Et Kevin qui approchait en accélérant le pas, une vraie force de la nature lancée dans ce dédale de tunnels… *Réfléchis ! Réfléchis ! Il doit y avoir une issue !*

Mais il n'y avait pas d'issue. Kevin allait la rattraper, voilà tout.

Elle continua, luttant et s'enfonçant toujours plus dans sa propre terreur, les bras tendus, les doigts comme des griffes. De nouveau elle vit son ombre se projeter devant elle. La lampe diffusait assez de lumière, à présent, et Helen pouvait voir sa propre silhouette se découper nettement sur le sol. Derrière résonnaient les pas de Kevin. Non seulement ses pas mais aussi le bruit léger de tous ses mouvements – un bruit de plus en plus distinct.

Helen croyait avoir déjà devant les yeux son visage répugnant, sentir l'aigre odeur de sa peau. Non ! Jamais ! Jamais plus elle ne voulait respirer cette puanteur, ni endurer les exécrables caresses de ses mains molles, de ses mains moites…

Dans l'espoir de dénicher un abri où se réfugier, elle ralluma sa lampe et, en la laissant briller plus longtemps que d'habitude – trop longtemps sans doute –, elle parvint à distinguer un empilement de masses minérales qui ressemblait à de la cire accumulée au pied d'une immense bougie. Elle s'avança. La lampe de Kevin projetait dans la galerie une lueur incertaine qui tantôt s'éloignait, tantôt se rapprochait.

Helen était secouée de frissons ; la nuit la frôlait de ses mille caresses. Il faisait froid, et la sueur sur son corps augmentait cette sensation. Helen faisait tout ce qu'elle pouvait pour respirer sans bruit, pour demeurer aussi silencieuse que possible.

— Salut, Lena.

Elle eut l'impression de sentir cette voix s'introduire dans son cœur comme une pointe d'acier. De nouveau Kevin allait la toucher. Il allait recommencer à lui faire mal. Et elle mourrait de mort lente, au terme de son humiliant cauchemar. Elle ne bougeait pas. Elle était paralysée. Elle avait perdu tout contrôle sur son corps. La seule chose dont elle était capable, c'était attendre qu'il pose les mains sur elle.

— Allez, sors de là.

Non, elle ne pouvait plus faire un geste – plus le moindre geste. Comme l'autre jour dans la cabane, elle se sentait paralysée. Mais ce n'était pas grave. Il arrive que le condamné soit conduit à la potence à dos d'homme…

— Écoute, je sais où tu te caches. Tu as envie que je vienne te chercher ? Que je vienne t'arracher à ton trou ? Je risque de te faire mal, tu sais…

Il lui semblait qu'elle avait intérêt à obéir. Et à recommencer à le supplier. Mais elle était pétrifiée. Elle aurait voulu le lui dire mais elle ne pouvait même pas remuer les lèvres.

— Lena, merde !

Elle essayait d'ouvrir la bouche, de formuler un mot. *Allez ! Reprends-toi !*

— Lena ?

— D'accord, finit-elle par articuler. Vous m'avez eue.

Et elle se redressa dans la lumière jaune de la lampe. Des mains, elle se couvrait les yeux. Derrière le halo de lumière, une satisfaction profonde se lut sur la figure de Kevin. Il avait pris un air compétent, maître de soi.

— Pardon, Kevin. Je n'ai pas pu m'en empêcher…

— Ça va, ça va… Mais enfin – bon, on était en train de devenir copains, tous les deux, non ? Comme tu l'avais voulu. Et voilà que… J'ai peur que tu ne m'aies un petit peu blessé, Lena.

— Ne soyez pas blessé…

— Je n'aime pas ça, quand vous contrariez mes plans. C'est là que vous devenez des bêtes. Quand vous me mettez des bâtons dans les roues… Si vous êtes là, c'est pour que je puisse satisfaire mes besoins, merde ! Pas pour autre chose.

Le lieu était étrange, sombre, incertain. Et dans ce lieu – Helen le comprit soudain –, Kevin se sentait parfaitement à l'aise. Il était évident qu'il connaissait la galerie comme sa poche. Il y descendait depuis toujours. Le faible espoir qui s'était éveillé en elle un instant plus tôt venait de s'envoler à nouveau.

Il lui braqua la lampe sur le visage.

— Ouvre les yeux !

— Oui…

Elle offrit son regard à la pleine lumière.

— Les gens de ton espèce n'arrivent pas à se mettre à mon niveau, dit-il. Connards de docteurs…

— Qu'est-ce qu'elle vous a fait ? Elle vous a fait mal ?

— Quoi, *elle* vous a fait mal ? Tu crois peut-être que tous les putains de docteurs que j'ai vus dans ma vie étaient des bonnes femmes ? Pourquoi est-ce que je me serais adressé à des connasses de bonnes femmes ?

— Toutes les femmes ne sont pas comme votre mère !

— C'est comme toutes ces petites salopes ! Je les emmerde ! Ça n'avait pas de poil au cul, et ça se foutait déjà de ma gueule ! Parce que j'étais un…

La lampe se rapprocha des yeux grands ouverts d'Helen.

— Parce que j'étais un quoi ? reprit-il. Je suis quoi à ton avis ?

— Je ne sais pas. Je ne sais pas ! Je ne vous ai pas analysé ! Je n'ai même pas commencé !

— C'est que tu es débile. Une pauvre débile…

— Il est rare qu'un homme de votre intelligence devienne… devienne comme vous.

— Comme moi ? J'ai quelque chose de pas net, c'est ça ? Quelque chose qui ne tourne pas rond…

— Vous tuez des gens !

— Vous tuez des gens ! Vous tuez des gens ! Les autres putes aussi, elles ont essayé de se barrer ! Tu as essayé de te barrer, donc tu es une pute.

Elle sentit monter en elle un instinct de pure sauvagerie, qui à cet instant lui ordonna de fuir. Comme étourdie, elle tourna le dos à la silhouette dressée derrière le halo de la lampe. Elle s'avança dans le noir. Une nouvelle fois, elle allait tenter sa chance.

À la lumière de la lampe, elle distingua devant elle une pente abrupte. Encore un de ces puits. Elle eut un mouvement pour s'y engager.

— Ce serait une erreur, chérie.

Elle sentait le gravier se dérober sous ses talons. Si seulement le puits pouvait être assez profond ! *Si seulement je pouvais tomber ! Mourir dans la chute. Ou crever dans ce trou. Crever de faim et de froid. Ce sera toujours mieux que de finir sous les tortures de ce maniaque...*

— Je te répète que tu fais une erreur ! lança-t-il.

Elle chancelait au bord du vide.

— Je ne suis pas de cet avis ! répondit-elle.

Et elle fit un pas en avant. Kevin la saisit à l'épaule.

— Lena...

Mais elle s'élança dans un hurlement, battant des bras et se cramponnant à ce qu'elle pouvait. Elle dégringola la pente du puits, vint heurter un mur, rebondit, se cogna à un autre. Emportant terre et gravier avec elle, elle glissa vers le vide dans un long cri.

Et finalement elle s'arrêta. Peu à peu, le vacarme de sa chute fit place au silence. De nouveau, elle était dans le noir absolu. D'en haut ne parvenait plus le moindre éclat de lumière. Pas même une étincelle. Elle avait le dos griffé et meurtri. Elle s'était blessée en atterrissant contre ce mur, déchiré les joues sur le gravier... Mais les jambes et les bras étaient intacts. Et elle tenait toujours son stylo-lampe bien serré dans son poing.

Elle actionna plusieurs fois le petit interrupteur. Rien. Elle dévissa le cylindre, vérifia à tâtons que la borne était bien en contact avec la pile. Mais non. Ce n'était pas cela. La pile était morte. Ou l'ampoule s'était brisée dans la chute. Pourtant... L'ampoule semblait intacte. Alors c'était la borne ! Elle essaya de la bricoler, l'écartant avec l'ongle du pouce – cet ongle qu'elle s'était abîmé avec la clé dans la cabane, et une seconde fois en décrochant du mur le Polaroid de la malheureuse fille.

Helen revit le sol de pierre où cette fille était couchée. Où se trouvait-il ? Quelque part dans cette cave ? C'était l'idéal, pour lui, un endroit pareil. Un lieu qui garantissait une discrétion absolue. Où les cris des victimes ne risquaient d'alerter personne…

Elle secoua la tête pour chasser ces pensées. Comme elle essayait de remettre en place les éléments du stylo-lampe, elle s'aperçut que les contacts étaient pleins de sable et de poussière. Elle souffla dessus, referma le stylo et pressa sur l'interrupteur. Elle n'osait même pas ouvrir les yeux pour constater le résultat. La lampe n'était pas morte. Elle produisait encore un mince filet de pâle lumière. Helen put se rendre compte qu'elle était tombée au fond d'un puits très escarpé en entraînant avec elle un paquet de graviers qui avait poursuivi sa course à l'intérieur d'une profonde fissure. Et il n'y avait pas d'autre route que cette fissure. À moins de remonter. Et escalader cette pente était impossible, quand bien même elle eût voulu le faire.

En rampant, elle franchit le tas de graviers. Au bord de la fissure, le sol était couvert d'un matériau plus doux. D'ici, on entendait nettement le bruit de l'eau. Il y avait sans doute une rivière, quelque part dans ces ténèbres. Mourir noyée… Cela ne dure que quelques minutes. Quelques minutes de souffrance, et l'eau se charge de tout emporter.

Pour descendre dans cette fissure, Helen dut commencer par bien resserrer sa robe contre son corps.

Ensuite elle se mit sur le côté et se laissa glisser. Mais au bout de quelques mètres, elle fut arrêtée par un bouchon de pierres et de gravats. D'abord elle crut qu'elle ne pourrait pas descendre plus bas. Puis elle entendit des pierres se détacher des décombres et rebondir en dessous, à une certaine distance. La cave était profonde. Très profonde.

Soudain, une lumière. Un éclair venu de l'arrière. L'espace d'un instant, l'œil s'était braqué sur elle de nouveau, tandis qu'une main se détachait de la pénombre.

— Lena… Ça suffit, maintenant.

Non. Ça ne suffisait pas. Elle se poussa en avant, s'introduisit dans l'ouverture et, tout en griffant la terre de ses doigts, elle descendit un peu plus profond.

— Allons ! souffla-t-il. Lena…

Il ralluma sa lampe. Helen vit la lumière se balancer au-dessus d'elle, puis descendre et éclairer l'endroit où elle avait atterri au terme de sa chute. Kevin était tout près. Il tendait un bras qui semblait si long… Elle sentit qu'il touchait sa cuisse nue. La main était ferme. Il lui pinça la peau. Il essayait de la ramener vers lui. Mais elle tirait de son côté. Elle progressa encore dans la fissure. Puis elle continua de descendre.

C'était de nouveau le noir absolu.

— Tu n'auras plus de lumière, grogna-t-il. Putain, Lena, tu vas creuser toi-même ta tombe !

Casse-toi, fumier, songea-t-elle en se poussant en avant. Des pierres roulaient devant elle, qu'elle entendait ensuite tomber dans le vide.

— Très bien, dit Kevin. Puisque c'est ça que tu veux.

Elle s'arrêta pour mieux écouter. Elle étouffait dans ce boyaux, le visage collé au mur humide qui lui renvoyait son souffle.

— Lena ! reprit-il. Ce que j'ai l'intention de te faire ne dure qu'une heure ! Si tu restes dans ce trou, tu risques d'y passer des jours et des jours !

Elle ne voyait pas ce qu'elle pouvait répondre à cela.

Kevin fit entendre un bruit, un grognement de frustration.

— Écoute, dit-il, j'ai besoin de faire ça. Et je vais le faire avec toi. J'en ai besoin, merde ! Bon Dieu, qu'est-ce que tu crois ? Que je le fais pour le plaisir ? Ça me fait mal, à moi aussi ! Ça me prend aux tripes !

— Ça le prend aux tripes, grommela-t-elle.

— Tu crois peut-être que j'ai envie de continuer à courir des risques, comme je l'ai fait chaque putain de jour de ma putain de vie ? C'est dur de vous attraper ! Toi, tu pourrais me donner ce dont j'ai besoin pour tout arrêter. Pour trouver la paix, Lena. Tu pourrais donner à la bête ce qu'elle réclame. Ce qui lui est nécessaire. Tu ne penses pas que ce serait sacrément mieux que de finir enterrée vivante ? Parce que tu sais, c'est ce qui t'attend si tu ne remontes pas tout de suite. Je vais reboucher ce putain de trou derrière toi. Voilà ce que je vais faire, tu entends ? Le reboucher. Tu vas crever dans ce trou, Lena. Et lentement, encore. Très, très lentement…

Helen percevait le plaisir grotesque qu'il prenait à la menacer ainsi. Il était évident qu'il disposait de son libre arbitre. Il avait le choix entre tuer ou non. Cette idée ne fit qu'augmenter la haine qu'elle ressentait envers lui, une haine naturelle présente chez l'être humain normalement constitué, et qu'une femme ressent à l'égard d'un homme cruel et pervers. Mais cette haine était en train de se transformer, de se muer en un sentiment bien connu du soldat quand il découvre que la survie et la victoire ne sont qu'une seule et même réalité – car telle est toujours la vraie loi de la guerre : celui qui vit pour lui-même mourra sous les coups de l'ennemi.

Helen, à présent, fournissait des efforts plus grands. Elle rampait sur le dos, en tortillant les hanches et en se cramponnant comme elle pouvait au plafond du boyau. Et elle progressait, tout en sachant que Kevin avait commencé à boucher l'autre extrémité. Et le froid se faisait de plus en plus vif.

Tout à coup, les graviers cessèrent de lui montrer le chemin. À l'arrière, Kevin finissait de sceller l'issue.

Elle l'entendait respirer de l'autre côté.

— D'accord, d'accord, ne cessait-il de répéter d'un ton chantant. C'est ma poupée, elle est comme ça…

Tout en chantonnant, il achevait de vérifier que sa cloison était bien hermétique.

Autour d'elle, l'air s'était épaissi. Elle respirait avec peine – et respirer ne lui était d'aucune aide. En fait, elle ne trouvait plus l'air dont elle avait besoin. Un cri monta en elle, qui s'étrangla dans sa gorge et se réduisit à un faible gargouillement.

Elle sentit ses narines se dilater. Elle respirait plus vite. Elle allait étouffer, et ce serait rapide. Il y aurait un instant de profonde angoisse, puis viendrait la déli-vrance. Elle en bredouillait presque d'excitation, tout en aspirant de l'air avec plus de force. Elle se tortilla et frappa de ses mains le mur qui l'écrasait.

C'est alors qu'elle se sentit descendre, comme emportée dans un ascenseur. La chute ne fut pas bien longue. Helen s'arrêta peut-être cinquante centimètres plus bas. Mais de l'air frais, à présent, se déversait sur elle. Elle se mit à éternuer. Convulsivement. À cause de cette odeur de moisi, sans doute, et de l'humidité. Puis il lui sembla qu'elle tombait de nouveau. Kevin poussa un cri qui lui parvint étouffé par la terre et le gravier.

Ce cri qu'il avait poussé, n'était-ce pas un éclat de rire ?

Elle referma les lèvres. Le gravier continuait de s'af-faisser. Maintenant, elle descendait beaucoup plus vite. Soudain elle heurta un sol dur. Et elle fut aussitôt recou-verte de gravier et de terre.

Loin, très loin, retentit un « Ah ! » qui paraissait un cri de surprise… En fait, il sembla à Helen qu'il riait tou-jours. À gorge déployée ! Elle parvint à s'asseoir et alluma le stylo-lampe. L'air, ici, était chargé de brume. Et quelque chose remuait sur les bords de son faisceau de lumière. Quelque chose d'immense qui avait l'air de refluer vers elle. Elle fouilla l'obscurité de son rayon lumineux. Il n'y avait rien.

Elle essaya de se relever – et de nouveau se cogna la tête au plafond. *À priori,* elle se trouvait toujours dans cette fissure. Dans une autre région de la fissure, plus profonde celle-là.

Elle éternua encore. Plus violemment, cette fois. Aussitôt une odeur apparut, qui l'empêcha de continuer à respirer fort. Elle commença à inspirer de petites bouffées d'air. On eût dit une odeur de méthane, de pourri, de décomposition – peut-être de matières fécales… mais ce n'étaient pas des matières fécales humaines…

Les rats ! Bien sûr… Si c'étaient bien des rats. Ces rats dont elle respirait l'odeur depuis si longtemps. Ils devaient être là. Elle était parvenue à proximité de leur tanière.

Elle tourna sur elle-même pour se mettre à plat ventre, et ensuite en appui sur la hanche. Agitant la main au-dessus de sa tête, elle heurta quelque chose qui ressemblait à une planche. Elle frappa : ça sonnait vraiment comme du bois.

Helen ralluma sa lampe. C'était bien ça. Du bois. Pourquoi y avait-il du bois ici, dans ces souterrains déserts, au milieu de nulle part ? Elle observa encore… La planche était entourée de fil de fer. Un fil de fer qui allait se perdre dans les gravats, au milieu d'autres planches innombrables, usées, mises au rebut…

Elle avança en suivant la direction du fil de fer. Et le fil de fer la ramena plus haut, à son point de départ.

— Mon Dieu… Mon Dieu, non…

Un piège. C'est un piège. Depuis le début ! Et c'est lui qui l'a construit. C'est un autre de ses maudits pièges !

Elle secoua la tête. Elle n'arrivait pas à le croire. Elle serrait le fil de fer dans son poing, tirait dessus. Et le rire, de nouveau, lui parvint. Ce rire dont l'écho résonnait dans les galeries alentour.

La vérité la frappait maintenant avec la force d'une eau maintenue sous pression, et qui soudain lui jaillissait en plein visage. Ses pensées étaient devenues comme transparentes. Son esprit lui-même était transparent.

Sa fuite, cette longue course souterraine – oui ! il l'avait anticipée. Il avait prévu qu'elle s'échapperait du sous-sol. Il avait prévu qu'elle suivrait exactement ce chemin. Oui, il avait tout organisé. L'entreprise n'avait pas été facile, elle aurait même pu se révéler impossible. Pourtant, il l'avait menée à bien. Helen n'avait plus aucun doute là-dessus.

De toutes les victimes de Kevin, celles qui descendaient dans cette cave lui procuraient la plus grande jouissance. Toutes, il les enfermait dans la chambre du sous-sol, où elles devaient se préparer à mourir… Mais à certaines, il réservait une épreuve spéciale, d'un niveau plus élevé. Et cette épreuve consistait à venir attendre la mort ici, dans le labyrinthe complexe, humide et froid de son propre esprit.

Helen effleura les fines entailles de son ventre. La fille du Polaroid avait les mêmes marques.

À tâtons, elle récupéra sa lampe, et pressa le bouton. Elle n'allait pas en rester là. S'il lui avait donné ce stylo-lampe, c'était à coup sûr pour lui permettre de jouer sa partie. Il avait fait pareil avec la nourriture, avec la robe, avec les pantoufles – et, au début, avec ces sandales ! Tout cela n'avait d'autre but que de la maintenir en vie plus longtemps. Car plus elle vivait longtemps, plus il prenait de plaisir à l'expérience.

Helen n'avait plus qu'à se maudire. Elle s'en voulait d'être descendue elle-même dans cette cave, où il lui fallait endurer de nouveau la torture d'être réduite à l'état de gibier que l'on traque. Ensuite, il y aurait encore de longues heures à passer en sa compagnie. Des jours, peut-être. Avec lui, on pouvait s'y attendre. Elle n'avait pas prêté foi à ses paroles, un instant plus tôt, quand il avait prétendu que son intention était de la tuer en une heure. Ce serait sans doute beaucoup plus long. Cela durerait aussi longtemps qu'il arriverait à faire durer le supplice.

Peut-être le moment était-il venu, pour elle, de se rendre. Pourquoi ne le faisait-elle pas ? Tout à l'heure, dans cette pièce du sous-sol, elle s'était sentie comme enivrée par sa propre soumission. Que s'était-il passé, ensuite, pour qu'elle change à ce point d'attitude ? Sans doute avait-elle pris conscience du fait que la résolution de Kevin était définitive. Il avait fait son choix, il ne reviendrait plus en arrière. Et surtout, elle se rendait compte que, s'il avait aménagé cette cave pour accomplir ses œuvres et dissimuler les corps, c'était que le nombre de ses victimes revêtait à ses yeux une importance considérable.

Elle devait bel et bien être séquestrée par le tueur le plus implacable qui eût jamais existé. Sa mort à elle, en tant que mort individuelle, compterait peu – il lui fallait l'admettre. La vie se chargerait bientôt d'effacer la place qu'Helen Myrer avait occupée, sans plus de bruit que n'en fait, pour s'aplanir, l'étang où l'on a jeté un galet. Mais Helen sentait qu'elle devait tenter quelque chose pour mettre fin à l'activité de cet homme. Elle devait le faire. Au nom de tous les morts cachés ici, et au nom de ceux qui vivaient encore, à qui il fallait absolument épargner d'affronter un jour de pareilles épreuves.

Et puis, Helen avait la volonté de vivre. Parce que vivre était agréable.

Elle ramassa le stylo-lampe posé à ses pieds dans le noir. Maintenant, il allait falloir agir de façon méthodique. Et réfléchir sérieusement. Elle pressa sur le bouton et fouilla l'espace autour d'elle.

Elle comprenait mieux, maintenant, ce que Kevin avait voulu construire ici. Un subtil jeu de piste ! Toute l'affaire – la victime sautant le mur de la pièce, fuyant, s'engageant dans le premier couloir – répondait à une élaboration minutieuse de sa part. Par conséquent, ce qu'elle devait faire, c'était refuser de s'engager plus loin sur la voie indiquée par le fil de fer.

Kevin jouait avec ses victimes comme joue un chat quand il donne de petits coups de patte à sa proie, avant de fondre à nouveau sur elle, puis de la laisser repartir pour mieux la rattraper enfin. Peut-être avait-il observé, enfant, dans la grange de la propriété familiale, des chats en train de tourmenter des souris ; et peut-être ses fantasmes étaient-ils nés de cette expérience.

À cause de cette cave, on ne retrouvait jamais les victimes de Kevin McCallum. Ainsi ne figuraient-elles pas sur les listes des victimes de meurtre, mais sur celles des personnes portées disparues. Nombreux étaient les États où les dossiers des personnes disparues étaient classés après quelques mois de recherches.

Ainsi, beaucoup de gens disparaissaient – plusieurs milliers chaque année, quelque chose comme deux cas par minute aux États-Unis. Seuls les mineurs et les gens qui possédaient de solides relations faisaient l'objet de recherches sérieuses. Un individu vivant seul, s'il n'avait pas de parents pour relancer les autorités, pouvait tout bonnement être considéré comme s'étant évanoui dans la nature tant que son corps n'avait pas été retrouvé. Kevin McCallum devait être responsable à lui seul d'une véritable épidémie de meurtres, mais il ne laissait aucun cadavre derrière lui. Il était donc susceptible de tuer jusqu'à ce qu'il n'ait plus la force de continuer.

— Très bien, murmura-t-elle. On va voir qui est le plus malin des deux, maintenant que les règles sont claires.

Examinant une zone plus obscure qui s'étendait entre deux hautes cloisons, Helen pensa que la galerie où elle se trouvait devait se prolonger par une autre. Elle choisit de prendre cette direction et, en effet, vit bientôt un vaste espace s'offrir à elle. Combien de femmes l'avaient-elles précédée ici – combien de malheureuses acharnées à sauver leur vie, aveuglées par l'effroi ?

Pendant un moment, Helen examina les murs. Partout elle rencontrait des ombres et des fissures. Elle s'intéressa bientôt à l'une d'elles, située à un mètre cinquante de hauteur, et qui semblait l'ouverture d'un trou assez profond. Levant le bras, elle introduisit le faisceau de la lampe à l'intérieur : l'endroit était couvert de toiles d'araignées. Donc, des insectes passaient par là. Cette grotte devait bien communiquer avec quelque chose… Helen recula de quelques pas et essaya de lancer un caillou dans l'ombre. Mais elle manqua son but. Elle essaya une nouvelle fois. Le caillou pénétra dans l'ouverture, ricocha sur des pierres sèches, roula un instant, s'arrêta.

Helen se hissa jusqu'à l'entrée de la grotte, puis passa la tête dans l'ouverture. À l'intérieur régnait une puanteur abominable. Et le bruit de la rivière était beaucoup plus fort – *mon Dieu qu'il était fort !*

Elle pénétra dans le trou. Elle découvrit alors qu'une toile d'araignée est quelque chose d'extrêmement poisseux. Il devait y avoir une très grosse araignée par ici, peut-être même plusieurs. Allaient-elles la piquer ?

Helen s'avança lentement. Le plafond commença à descendre. Pour continuer, elle dut se mettre à plat ventre et ramper en prenant appui sur ses coudes. Tout en progressant, elle se rendit compte qu'elle se vautrait dans une boue épaisse et humide de laquelle émanait une odeur atroce. Des déjections. Elle pressa sur le bouton de sa lampe. Et quand elle vit des yeux minuscules se réfracter dans la lumière, elle comprit qu'elle venait d'entrer dans la tanière des rats.

MON JOURNAL
« LA DERNIÈRE DES IMBÉCILES »

Je veux que tu gagnes la partie. C'est un fait. Je sais très bien que la police a lancé des recherches pour te retrouver. Maintenant que je regarde en arrière, je m'aperçois que je le savais depuis le début : on ne peut pas entraîner la victime hors du Vieux Secret sans que cela provoque des complications.

Cela dit, ils ne sont pas près de te retrouver. Les chiens ont du mal à suivre une piste dans une cave. C'est pour ça que ça ne marchera pas. Ils vont finir par décider que tu t'es perdue en faisant du camping sauvage. Alors tu deviendras une nouvelle « personne disparue ». Ce n'est pas grave. La cave en est pleine, de personnes disparues.

Je suis fatigué, c'est ça ? Fatigué et décidé à en finir ? Quelque part, je suis grand. Les gens comme moi sont grands. Nous sommes des êtres supérieurs. Au-dessus de la mêlée. Ce que j'ai accompli ici est proprement incroyable. Le dernier palais des horreurs. Du jamais vu. Surtout pour ceux qui viennent le visiter.

Vraiment, elle n'a pas de jugeotte. Elle a été étonnée de découvrir ce qui se passe ici. Elles le sont toutes. Normal, je suis un génie. Dès que je m'attaque à quelque chose, je suis génial. J'aurais dû être – oh ! merde ! J'aurais dû être quoi, au juste ? Non… Cette société n'aurait jamais accepté. Pourquoi est-ce qu'on ne me confie pas les condamnés à mort ? Je pourrais m'occuper d'eux sans problème. D'ailleurs, il m'est arrivé de m'attaquer à des hommes. Des hommes que j'allais chercher dans la rue. Intéressant aussi, d'un point de vue anatomique. Vous finissez par apprendre ce qu'il faut couper. Vous ne vous contentez pas d'entailler.

J'aurais pu devenir chirurgien. Encore un talent de gaspillé.

16

LES NIDS

Leurs yeux rouge et or clignotaient dans la faible clarté du stylo-lampe. Helen distinguait vaguement les corps – c'étaient de gros rats au pelage dur et luisant, à la queue solide. Ils la considéraient d'un regard dépourvu de rancune, d'appétit ou de crainte. En fait, ils la regardaient avec l'assurance d'animaux... oui, d'animaux apprivoisés.

Ils appartenaient à l'œuvre de Kevin. L'idée s'imposa brièvement à Helen que leur présence dans ce boyau répondait à une raison précise. Ils jouaient certainement un rôle dans ce scénario. Mais lequel ? En admettant que Kevin eût apprivoisé tous ces rats, quelle conclusion en tirer ?

Des mains, elle se couvrit les seins et le ventre. Ils étaient intéressés par la visite de la captive dans leur domaine. Ils lui grimpaient dessus pour venir lui flairer les hanches.

Si elle voulait franchir ce boyau, elle allait devoir les affronter. Cette seule pensée la terrorisait tellement qu'elle se sentait prête à défaillir. Toucher leur sombre pelage, être mordue par leurs sales petites dents brunes – elle ne se sentait pas capable de le supporter.

Donc, il fallait faire demi-tour.

Et c'est ce qu'avaient fait toutes les autres victimes avant elle.

Était-ce de leur propre gré que ces rats avaient élu domicile dans ce trou ? Ce nid était-il naturel ? Ils étaient apprivoisés. Un homme qui, comme Kevin, avait grandi dans une ferme devait bien connaître les mœurs des rats.

C'était sa trouvaille perverse pour fermer l'issue du labyrinthe.

Helen serra les mâchoires, baissa la tête et commença à creuser son chemin dans cette tanière. Et elle ne tarda pas à sentir les plus petits d'entre eux lui grimper le long des jambes, au fur et à mesure qu'elle progressait. Les mères, furieuses de voir leur nid détruit, se mirent à pousser des cris stridents. Certaines s'attaquèrent à ses cheveux.

Plus Helen progressait, plus le passage devenait étroit. Elle avançait lentement, gagnant avec peine quelques centimètres. Sa tête, à présent, touchait le plafond. Du moins Helen s'éloignait-elle des déjections et de l'odeur atroce. Mais elle devait tracer son chemin à travers des nids de bébés rats qui s'agitaient tout près de son visage et se cramponnaient à ses joues. Elle était forcée d'en enlever toujours plus. Il y en avait qui s'agriffaient à son cou, à son buste, à sa taille. À force de s'être frottée contre le sol et les murs calcaires, elle avait des brûlures sur tout le corps. Elle souffrait aussi de sa blessure à la tempe, de nouveau à vif. Elle devait aussi éviter de cogner son pouce meurtri.

En définitive, le problème était simple : aurait-elle la force de traverser ce boyau ? Une sorte d'intuition lui disait qu'au bout l'attendait l'issue du labyrinthe, l'air libre ! Là-bas, elle pourrait sortir de terre.

Au fond d'elle-même, elle savait que c'était ce que voulait Kevin : qu'elle trouve la force de franchir cette épreuve. Qu'elle arrive à remonter à la surface de la terre. Car ce serait pour lui comme si sa mère revenait, comme si elle s'apprêtait à lui prendre la main de nouveau. Pauvre créature. Dans quel enfer vivait-il ? Un enfer qui avait commencé, sans aucun doute, quand il avait perdu sa mère. Telle était la signification de cette date : 1958. La dernière année qu'elle avait passée en ce bas-monde. C'est à ce moment-là qu'il avait entraîné sa première victime dans ce souterrain. Peu de temps après le décès, on pouvait le croire. Sa première victime… Était-ce un animal ? Un chat de gouttière, peut-être, ou un chien, ou quelque bête sauvage capturée par ses soins. Peut-être un rat. Selon toute probabilité, ce qu'il avait fait subir à ce rat, l'autre jour, dans la cabane, pouvait être considéré comme le premier appel au secours adressé à Helen. Il s'était présenté à elle en mettant en scène son premier crime. En faisant périr un rat par le feu.

Mon Dieu que cette galerie était étroite ! Il fallait se tortiller pour avancer. Et ces malheureuses bêtes ! Elle était en train de détruire leur univers. Le boyau se resserra encore. Helen dut s'arrêter. Elle avait besoin de faire le point.

Pour lutter contre l'impression d'étouffement, elle préférait garder les yeux fermés. En donnant une poussée sur ses jambes, elle pouvait encore progresser d'un demi-mètre environ. Mais elle se retrouverait alors dans un passage extrêmement étroit.

C'était comme entrer dans une espèce de tuyau : pour se glisser à l'intérieur, elle allait devoir changer de posture. Elle marqua le pas devant l'épreuve avec une plainte qui ressemblait à un miaulement. La seule façon de s'y prendre consistait à étendre les bras au-dessus de la tête et à se mettre sur le dos. Elle essaya. Chaque fois qu'elle aspirait de l'air, ses côtes se pressaient contre les parois, ses seins contre le plafond.

Avec précaution, elle écartait les bébés rats qui lui couraient sur la figure. Elle les détachait de ses cheveux, puis plongeait de nouveau les mains plus profond dans le nid. Tout ce qu'elle ressentait, c'était le contact des rats, et celui des murs glacés. Elle avait l'impression d'évoluer dans une matière confuse, sans être sûre que le boyau allait s'élargir quand elle arriverait plus loin.

Les bras au-dessus de la tête, elle s'étirait de tout son corps, et ses blessures la faisaient souffrir. Mais elle refusait de penser à toute la saleté qui était en train de s'introduire dans ses plaies, à l'infection qu'elle ne manquerait pas de ramener – si elle s'en sortait.

Il fallait soulever une hanche, puis l'autre. Il fallait chercher à tâtons, avec prudence, un appui dans le nid.

Cela voulait dire avancer centimètre par centimètre. À un moment, elle donna une poussée plus forte et progressa peut-être de cinquante centimètres. Mais le boyau s'était maintenant refermé sur ses hanches, et elle ne pouvait plus du tout se déplacer en glissant. Elle devait s'enfoncer dans le trou en tournant sur elle-même, comme une vrille, comme une danseuse qui lentement effectue un tour complet.

Cette manœuvre lui prit du temps. Tellement de temps qu'elle se demanda si elle allait jamais y parvenir. Et elle faillit céder à la panique en pensant à cette masse rocheuse au-dessus d'elle, prête à l'écraser. Elle se tordit comme elle put. Elle se cramponna aux parois. Elle battit des pieds. Mais elle était saisie d'épouvante. Une anfractuosité se dégageait dans le mur. Elle essaya de s'y asseoir. Puis elle donna des coups de poing contre la paroi. Elle ouvrit la bouche pour crier…

Non ! Respire, plutôt. Et retiens ton souffle. Laisse tes muscles se détendre. En commençant par les muscles de la mâchoire. Voilà. Très bien.

— Du calme, Helen, murmura-t-elle. Du calme, maintenant…

Elle devait arrêter de respirer à fond. L'odeur des rats était trop forte.

La peau de ses hanches était comme du liège. Et peut-être n'y avait-il pas d'issue à ce boyau. Peut-être allait-elle devoir retourner sur ses pas… Elle se remettait en position pour continuer, quand le long hurlement de tout à l'heure lui parvint de nouveau. Une plainte terrible. Et cependant moins humaine, cette fois. Un cri pareil à celui du vent quand il s'engouffre dans une ouverture étroite…

Comme Helen avait repris sa progression, le sentiment de s'approcher de la délivrance se fit plus fort. Si fort que son cœur se mit à battre plus vite. Jamais elle n'avait connu d'endroit aussi horrible. En sortir allait être atrocement bon. Avec un peu de chance, Kevin ignorait qu'elle s'était engagée dans ce boyau, et il avait perdu sa trace. Ce qui laissait à Helen un peu de répit. Qui sait si elle n'allait pas pouvoir regagner le sous-sol de la maison, et trouver un moyen d'ouvrir la trappe ?

L'espoir était mince, bien sûr. Mais la trappe était sa seule chance. Helen sentait qu'elle devait se concentrer sur cet objectif. C'est alors qu'elle se rendit compte qu'elle était coincée.

Il y avait un problème.

Essayant de garder son calme, elle palpa le plafond du bout des doigts, éprouva les arêtes des pierres. Puis elle essaya de tourner sur elle-même. À plusieurs reprises. Pendant un moment, elle parvint à rester maîtresse de ses nerfs. Elle sentait le sang lui battre dans les veines. Sa respiration faiblit. Tous ses sens étaient en éveil.

— Oh, non…

Elle essaya de se pousser en avant, puis en arrière. Impossible. C'était comme être enfermée vivante dans un cercueil. Elle tenta encore de pousser sur ses jambes. Avec les fesses. Elle voulait trouver un moyen de revenir en arrière, mais elle ne pouvait se servir de ses bras qui étaient au-dessus de sa tête.

Alors, elle se mit à gratter le plafond avec ses doigts, tel un cadavre essayant de s'arracher à l'emprise de la terre, une terre épaisse traversée par l'aigre puanteur des racines. Mêlée de touffes d'herbe… Mais le sous-sol avait l'air de s'ouvrir au-dessus d'elle. Elle se retrouva soudain dans un buisson d'orties. Puis dans ce qui lui apparut comme un immense océan de lumière bleue. Un massif de myosotis !

Une dernière poussée. Elle se fraya un chemin. Elle s'éleva. Elle fut soudain en plein soleil, dans le vacarme des abeilles auquel se mêlait son propre cri, ce rire sauvage qui montait de plus en plus fort. Elle était libre, enfin dehors. Au beau milieu du monde. Et le ciel était haut. Et le ciel était bleu. Traversé d'hirondelles qui filaient à tire-d'ailes, parsemé de nuages blancs, comme envahi par le bourdonnement tranquille des abeilles…

Sous la terre, dans la cave, quelque chose s'accrochait à son pied. Prenant appui sur ses bras, elle se hissa vivement sur le sol. Avec précaution, elle scruta les alentours, tel un animal cherchant à repérer le danger. Mais le pré où elle venait de ressurgir n'était pas celui de Kevin. Les fleurs n'étaient pas les mêmes. Et quant à sa maison, elle n'était pas en vue.

Elle se mit debout et prit la direction du bois. Sa robe – une guenille dégoûtante – lui flottait sur les reins. Elle tenait toujours le stylo-lampe serré dans son poing. La lisière du bois, qui lui semblait assez proche, formait une frontière sombre et mélancolique. Helen hâta le pas – autant qu'il lui était possible de le faire. Ce qu'elle voulait avant toute chose, c'était se cacher. Ensuite elle réfléchirait. Il faudrait trouver une route, de l'aide, ces hommes qui avaient peut-être commencé à écumer la région avec leurs chiens.

Elle marchait. Elle était libre. Comme tout avait été extraordinaire, à la fin ! Et si incroyablement facile ! Pas étonnant que Kevin ait rassemblé les rats dans ce boyau ! Car l'issue conduisait directement à l'air libre !

Elle pensa soudain aux pièges. Kevin en installait partout. Elle baissa les yeux vers l'enchevêtrement d'herbes et de fleurs, cherchant à repérer l'éclat d'un morceau de fer, ou le fil de nylon qui signalait la présence du danger.

Mais il lui sembla tout à coup qu'elle marchait depuis longtemps. Depuis très longtemps, même. Le chemin devait être plus long que prévu. La distance jusqu'au bois était plus grande qu'il y paraissait au premier abord. C'est toujours comme ça à la campagne. Helen songea qu'elle avait des yeux de citadine. Elle n'était pas habituée à estimer ce genre d'espaces…

Tandis qu'elle progressait, ses fesses et ses cuisses se mirent à lui faire de plus en plus mal. Elle avait le corps meurtri de toutes parts. Deux semaines d'hôpital ne seraient sûrement pas de trop pour récupérer entièrement. De toute façon, on allait la mettre en observation. Le risque était grand de voir les infections se développer ; et les infections doivent toujours être prises au sérieux.

Elle s'arrêta. Tout à coup elle n'y comprenait plus rien. *Bonté divine, qu'est-ce qui se passe avec cette lisière ? Ça n'a pas de sens !* Le bois, en effet, se rapprochait bien trop lentement. En fait, il ne se rapprochait pas du tout.

En outre, le pré était plongé dans un surprenant silence. Les abeilles ? On ne les entendait plus. Quant aux fleurs, Helen n'était plus très sûre de les reconnaître. C'étaient peut-être des myosotis, peut-être autre chose. Combien le myosotis a-t-il de pétales ? Sept ? Et ce ciel… Ce ciel étrange, peuplé de nuages immobiles. D'ailleurs elle non plus elle ne bougeait plus. Elle ne marchait pas. Elle était toujours couchée sur le dos !

La vérité se referma sur elle comme un tombeau, comme un tas de gravats destinés à l'ensevelir. À présent, elle était de nouveau plongée dans la réalité. La sombre réalité de sa condition, du piège où elle avait été précipitée.

Elle sentit ses fesses bouger d'avant en arrière. Le mouvement était incessant, mais c'était en vain que ses muscles travaillaient. Et son corps avait l'air de s'agiter tout seul, comme mû par des actes réflexes. Il cherchait un résultat impossible à obtenir.

Quand elle comprit qu'elle venait d'être victime d'une hallucination, Helen fondit en larmes. Elle sanglota bruyamment, en proie à une grande douleur. Elle pleura longuement… Puis elle essaya de repartir. Mais elle suffoquait, prise de panique. Elle avait l'impression qu'il n'y aurait jamais assez d'air, dans ce boyau, pour soutenir le genre d'effort qu'il lui fallait maintenant fournir…

À quelque distance, le hurlement s'éleva de nouveau puis retomba. Et il s'éleva encore, avant de s'éteindre une nouvelle fois. Quelque part, songeait Helen, le vent souffle pour de bon. Quelque part, les prés existent pour de bon. Et le ciel…

Écoute ! Écoute… On avait parlé. Quelqu'un avait dit quelque chose, non ? Quelqu'un avait prononcé un mot qui s'était perdu dans une longue plainte désespérée.

Mon Dieu ! Elle n'était pas la seule à être retenue ici. Elle n'était pas la seule à être encore en vie…

À cet instant, elle sentit qu'on lui touchait les pieds. Elle remua vivement les jambes. La sensation disparut. Mais dès qu'Helen cessa de bouger, la sensation revint. Elle appela :

— Kevin ? Kevin, si c'est vous, alors j'abandonne… Je vous en prie. J'abandonne. Sortez-moi de là, s'il vous plaît. Pour l'amour du ciel, sortez-moi de là ! Sortez-moi de là…

Ses paroles se perdirent dans un bredouillement informe.

Et la sensation revint. Maintenant, on lui piquait les pieds. Elle comprit soudain que ce n'était pas Kevin, mais les rats qu'elle avait repoussés tout à l'heure. Est-ce que ce fumier ne lui avait pas donné des chaussures, dans le sous-sol ? Des chaussures ou quelque chose d'approchant… Mais oui ! les pantoufles. Eh bien, les pantoufles étaient perdues.

Une piqûre violente qui lui rongea subitement l'intérieur du pied la fit se tordre de douleur, et presque s'évanouir. Elle se tortilla dans le trou en grinçant des dents, parvint à ramener une main et commença à se gratter la hanche – sa pauvre hanche blessée. Puis elle essaya de se remettre en route.

— Merde, merde !

Une nouvelle hallucination ? Avec frénésie, du bout des doigts, elle fouillait encore le sol et le plafond de la grotte, et ses doigts ne rencontraient rien d'autre que de l'air ! Était-ce la fin de ce boyau ?

Mon Dieu… Mon Dieu ! faites que ce soit vrai. Faites que j'en sois sortie… Pas de panique. Garder son calme. Bouger les hanches. Une hanche, d'abord. Puis l'autre. Allez ! pousse… Vers le haut. Ça y est presque. Encore un effort. Oui ! Oh ! mon Dieu. Merci, mon Dieu. Merci, Dieu du ciel. Dieu du silence. Toi qui as réussi à me faire passer par le chas d'une aiguille.

Elle était entrée dans un espace plus grand empli de débris et de déjections, grouillant de bébés rats. Elle s'était arrachée à ce boyau. Elle s'en était sortie comme le bouchon sort de la bouteille, comme l'enfant têtu finit par sortir du ventre de sa mère. Oui, elle était née… Mais elle ne tarda pas à se rendre compte qu'elle n'était pas pour autant libérée de la cave. Elle n'était sortie du boyau que pour retomber dans une autre nuit. Au désespoir, elle martela le sol de coups de poing. Puis elle se calma, forma un arc avec son corps. Elle luttait toujours contre les piqûres d'aiguilles qui lui parcouraient les jambes de bas en haut – ces jambes où le sang, pendant un bon moment, avait cessé de circuler.

Allez… Ce n'était pas un si gros problème. Elle s'était trompée, voilà tout. Ce boyau ne l'avait pas conduite vers la sortie. Qu'est-ce qu'elle y connaissait, de toute façon, en matière de cave ? La question n'était pas là. La question, c'était de ne pas lâcher prise. Depuis le début, elle était soumise à des remous intérieurs qui lui apportaient tantôt l'espoir, tantôt le désespoir. Il suffisait d'attendre une nouvelle vague d'espoir. Elle en avait besoin pour reprendre confiance en elle. Elle murmura :

— Ce n'était pas une issue.

D'abord, essayer de récupérer physiquement. D'abord s'asseoir. Et tendre l'oreille. Tenter de percevoir un bruit utile.

Mais le silence n'était interrompu que par le grattement des rats.

Helen inspira profondément. *Très bien. Rassemble ton courage. Commence par essayer de voir s'il y a une trace de Kevin, par ici.* Elle avait peur de tomber sur une trace de pas, ou sur autre chose. Seigneur, elle aurait tellement voulu être aussi loin de lui que possible ! Elle craignait de le voir surgir à nouveau de la nuit, et recommencer à la menacer.

Et qu'avait-elle fait du stylo-lampe ? Elle ne le trouvait pas dans sa poche. Elle ne pouvait pas l'avoir perdu, tout de même ! Un instant plus tôt, elle le serrait dans sa main gauche. *Mon Dieu… Ne me dites pas que j'ai réussi à m'arracher à cet enfer pour me laisser abattre maintenant par la perte d'un stylo-lampe à deux dollars !* De ses doigts tremblants, elle fouilla le sol.

Elle n'eut pas à chercher longtemps. Le stylo avait glissé. Il était venu se nicher sous sa jambe… Mais, quand elle voulut presser sur le bouton, Helen s'aperçut que l'objet qu'elle tenait à présent entre ses doigts n'était pas le stylo-lampe. Cela ressemblait à un morceau de plastique épais, de forme bizarre. Un objet qui pouvait éventuellement servir de matraque. Helen glissa l'objet dans sa poche. C'était la première arme qu'elle avait à sa disposition… Mais le stylo-lampe ! Où était-il passé ? Elle recommença à ramper. Du bout des doigts, elle fouillait maintenant la terre tendre et grasse, à la recherche du précieux petit tube. En même temps, elle essayait de ne pas se perdre. Elle ne tenait pas à finir ici, avec la lampe à portée de la main.

Elle essayait de définir la configuration du lieu. Avec frénésie. Elle poussa un grognement de déception – et, au même instant, sa main se posa sur le stylo-lampe. Elle s'en empara d'un mouvement vif, le serra contre elle, le berça. À tâtons, elle chercha l'interrupteur. Et sa récompense fut un rayon de lumière – un rayon faible mais réel.

— Merci, Jésus.

Ces mots auraient pu aussi bien être prononcés par une cinglée dans un pavillon d'aliénés – les mots d'une folle… Elle s'entendit protester :

— Non ! Tu n'es pas folle ! Absolument pas. Tu as toute ta raison. Toute ta volonté. Tu es forte.

Autour d'elle s'amoncelaient des débris de toutes sortes. On eût dit que les nids avaient été confection-nés avec des bouts de coton, des lambeaux de laine, du nylon, du polyester. Des morceaux de tissus imprimés avaient gardé leurs couleurs… C'étaient des vêtements de femme ! Il y avait même des restes de dentelle. Rongés par les rats…

Helen tira de sa poche l'objet qu'elle avait trouvé, et comprit immédiatement qu'il s'agissait d'un morceau d'os. Était-ce un os humain ? Elle était incapable de le dire. Mais elle n'avait aucune peine à l'imaginer s'emboîtant parfaitement dans la cavité d'une épaule.

La lumière du stylo-lampe faiblissait. Helen l'éteignit. Après tout elle ignorait où Kevin se trouvait en ce moment ; et Kevin, *a priori*, ignorait qu'elle était encore en vie.

Mon Dieu, mon Dieu… Elle devait absolument rester en vie. Il le fallait. Au nom de toutes les malheureuses qui avaient péri dans cette cave ; au nom de toutes celles qui viendraient y périr à leur tour si Kevin McCallum continuait de vivre en liberté. Jamais Helen n'avait voulu tuer personne. En tout cas, jamais consciemment. Mais aujourd'hui, elle voulait tuer Kevin…

— Non, murmura-t-elle.

Aussi bizarre que cela paraisse, elle savait que le but de cet homme était d'être arrêté, placé sous contrôle. Sans quoi, elle ne se fût jamais retrouvée dans cette cave – elle, le docteur Helen Myrer.

Mais pourquoi y songer, au fond ? En admettant que Kevin pouvait être guéri, cela valait-il la peine de se tracasser pour lui ? Son avenir n'était nulle part ailleurs que derrière des barreaux… Malheureusement, il existait une raison. Une excellente raison : tuer, dans son cas, était une maladie. D'ailleurs, le meurtre pathologique se répandait de plus en plus. Et Kevin McCallum était une occasion offerte à la science pour comprendre le phénomène. Si Helen s'en sortait vivante, elle pourrait offrir un témoignage précieux à ceux qui cherchent à détecter, dans l'enfance des sujets, les premiers signes d'une pathologie encore latente.

Au départ, il y avait de graves problèmes sociaux. Eux aussi étaient insolubles. La voix des Dix Commandements s'était affaiblie, on ne l'entendait presque plus, de nos jours. Peut-être était-il possible de la faire renaître, cette voix magique. Mais pour cela, il fallait d'abord se trouver soi-même.

Et à ce propos, elle aussi devait trouver quelque chose. Une zone, dans ce labyrinthe, que Kevin ne connaissait pas… *Allons ! comment peux-tu espérer qu'une telle zone existe ? Il connaît chaque galerie, chaque sentier, chaque carrefour de sa cave. Cette cave n'est rien d'autre que son propre esprit – son esprit, tel qu'il l'a lui-même creusé sous la terre.*

Helen s'était assise sur le sol glacé en prenant soin de protéger sa cuisse avec le tissu de sa robe. Certes, l'entreprise semblait désespérée. Pourtant, elle devait encore une fois essayer de la trouver, la clé qui lui ouvrirait l'âme de Kevin. Encore une fois, elle allait devoir mettre en avant la thérapeute – car c'est une thérapeute qu'il avait espéré rencontrer. Plus pour le guérir ! Peu importaient la guérison de cet homme, l'aspect professionnel du problème. L'important, c'était d'arrêter le carnage.

Elle écoutait. Elle écoutait et réfléchissait. D'ici, elle entendait distinctement le bruit de l'eau. Un bruit assez fort. Elle se demanda s'il n'y avait pas une ouverture tout près. Une crevasse. Un tunnel souterrain menant à une rivière.

La rivière conduisait-elle au lac ? S'y engager pouvait se révéler dangereux. Il faisait noir. Il faisait froid. Si rivière il y avait, elle devait être hérissée de rochers, coupée de siphons infranchissables. Non, ce n'était pas un bon moyen pour fuir.

En revanche, la rivière offrait un moyen facile pour mourir. En l'absence d'autre choix, Helen aurait toujours la possibilité d'opter pour cette solution... Pourtant, elle n'arrivait pas à se débarrasser de ses pensées concernant les pouvoirs de la psychothérapie ni à admettre qu'il fût impossible d'entrer en communication avec un être humain, fût-il Kevin McCallum. Évidemment, rien ne s'était produit qui puisse ressembler à un début de relation. D'ailleurs, ce que Kevin cherchait à prouver, c'est qu'il était plus fort qu'un docteur. C'est pour cette raison qu'il s'en était pris à Helen. Elle commença à se parler à elle-même. Cela l'aidait à examiner les éléments du problème.

— Représente-toi ce type dehors, dit-elle à voix basse. Tu es seule. Il n'est pas là pour brouiller les cartes. Profites-en. Tu peux réfléchir librement. Pour la première fois...

Mais elle ne réfléchissait pas depuis plus de dix secondes que sa blessure à la cuisse se remit à lui faire mal. Les hanches aussi la faisaient souffrir. Ses hanches meurtries, à vif. Et sa tête. Et son pouce gonflé.

— Laisse la douleur monter, dit-elle. Après, elle va redescendre. Et tu pourras recommencer à réfléchir.

Elle avait repris pied dans la terrible réalité de sa situation. Laquelle résultait d'un mélange d'intelligence et de – oui, de bêtise. Bêtise ou manque de jugement ? Kevin s'était débrouillé pour qu'elle ne puisse se concentrer. Il n'était peut-être pas le plus grand tueur de tous les temps en nombre de victimes. Mais du point de vue de la cruauté, il battait tous les records d'imagination.

Comme clinicienne, des années durant, Helen avait eu à gérer toutes sortes de problèmes – dépressions mentales, défaillances sexuelles, névroses diverses. Et ses patients avaient presque toujours présenté un symptôme dominant, caractéristique de leur état : une totale passivité devant la maladie. Kevin McCallum offrait exactement le comportement inverse. Il était bourré d'énergie. Il avait cette agressivité pleine d'intelligence dont se nourrit le grand prédateur. *Voilà ce qui m'a véritablement perturbée*, décida-t-elle. Plus cette peur atroce qui lui pompait toute sa volonté. On ne peut pas être efficace quand on est terrifié. Personne ne peut réfléchir valablement sous l'emprise de la douleur. Celui qui a peur ne peut compter que sur la chance. Et Kevin s'arrangeait pour ôter toutes ses chances à sa victime.

Mais alors ? Que faire ? Avancer à l'aveuglette ? Essayer d'atteindre cette rivière ? Quoi d'autre… Non. Elle avait fini par arriver à cet endroit du labyrinthe. C'est ici qu'elle devait rester. Et attendre.

Elle poussa un grognement. Elle songeait aux pitoyables efforts qu'elle avait tentés pour essayer de venir en aide à son ravisseur… Elle se demanda si elle avait eu vraiment foi en elle-même, et si elle avait bien évalué la situation. Peut-être s'était-elle véritablement rapprochée de lui – plus qu'elle n'en avait eu conscience.

— D'accord, Kevin, dit-elle. Voyons ce qu'on peut faire.

— Voyons quoi ?

Il alluma sa lampe et la lui braqua sur la figure. Il était à moins de deux mètres.

Sans réfléchir, elle se jeta sur lui et attaqua à coups de pied la lampe qui explosa, projetant des morceaux de verre contre les murs.

— Merde, dit-il à voix basse. T'es encore capable de te bagarrer, on dirait.

Elle s'accroupit sur ses talons et commença à se déplacer comme si elle se trouvait aux prises avec un cobra. Elle avait le cœur qui cognait comme un tambour. Il était venu l'attendre ici ! Il l'avait attendue tranquillement, pendant qu'elle rampait dans cette saloperie de boyau grouillant de rats ! Il s'était posté près de la sortie pour tendre l'oreille et l'écouter souffrir. Elle recula d'un pas. Elle était sûre qu'il allait se saisir d'elle d'un instant à l'autre.

— Des lampes, dit-il, j'en ai une douzaine.

Alors, qu'attendait-il pour en allumer une ?

— Mais elles ne sont pas ici, précisa-t-il.

Le silence retomba.

Maintenant, elle devait essayer de l'aider. Non que cela pût se révéler efficace, mais elle n'avait pas d'autre choix.

— Tu peux t'en sortir, Kevin.

— Je sais, docteur, je sais.

— Je venais juste de m'asseoir pour réfléchir. Je me demandais comment faire pour retrouver la maison.

— Je veux bien te croire.

Elle le sentait sur sa droite. À un mètre, d'après le son de la voix. Lentement, et en espérant ne pas faire de bruit, elle tira de sa poche le morceau d'os.

— Je sais pourquoi tu as pris le risque de m'attirer hors de cette cabane, dit-elle. C'est à cause du désespoir. Le désespoir d'un homme. Ton désespoir. Tu souffres, Kevin...

— C'est drôle, je ne m'en rends pas compte.

Il se rapprochait. De plus en plus ! Il se laissait guider par le son de sa voix.

— Tu t'en rends parfaitement compte, dit-elle.

Et elle se déplaça d'un grand pas vers la droite.

Il y eut un bruit. À peine perceptible. Et puis plus rien. Quand il reprit la parole, il avait regagné sa position première. Elle savait qu'il avait essayé de l'attraper. Et qu'il avait échoué. De justesse.

— Non, dit-il. Les sensations que j'éprouve sont agréables. Surtout quand je suis dans le feu de l'action.

Elle fit un pas en arrière. Puis un second. Elle se retrouva adossée au mur. Elle leva le morceau d'os au-dessus d'elle.

— Dans le feu de l'action ? reprit-elle. C'est-à-dire ? Au moment de tuer ou tout le temps ?

Dans la seconde, il se trouva devant elle. Tout près. Elle pouvait sentir sa présence, respirer l'odeur fétide de sa transpiration. Avec toute la force qu'elle possédait encore, elle abattit son arme. Mais son bras dessina un arc dans le vide. Le coup était manqué. Kevin, en revanche, avait compris ce qu'elle venait de faire. Il aspira une bouffée d'air.

— On dirait que tu as trouvé un caillou, dit-il d'un ton désinvolte. Et moi qui croyais avoir fait le ménage…

Elle sentit qu'il essayait de l'attraper avec les doigts. Il cherchait dans l'obscurité avec l'espoir de trouver une prise… Ou bien il tentait de parer un nouveau coup. Soudain il parut se calmer. Elle écoutait. Elle ne l'entendait même plus respirer.

Elle se déplaça le long du mur afin de mettre de la distance entre eux. C'est à peine si elle avait eu le temps de voir comment était faite cette grotte, et elle n'avait pas la moindre idée de la direction à prendre. Tout ce qu'elle savait, c'est qu'au moindre faux pas, elle risquait de tomber dans la rivière souterraine.

Mon journal
« S'il t'arrive de lire ces lignes... »

Tu t'es engagée dans la tanière des rats ! Alors là, ma chère, je dis bravo. Ça prouve que tu as des tripes. Pour une fois ! Personne n'y était arrivé avant toi. Personne !

Mais le plus drôle, c'est que je suis en train d'écrire tout ça pendant que tu continues à te bagarrer là en dessous. Et à gémir. Et moi, je suis là. J'ai l'impression de voir les rats grouiller autour de toi pendant que tu traverses le boyau.

Vraiment, je m'amuse comme un fou, docteur Myrer. Je crois que j'ai très envie de te parler de moi. J'étais un petit garçon vraiment adorable. Et je le suis resté jusqu'à l'âge de vingt ans. On m'a battu. Beaucoup. Et on a beaucoup abusé de moi. Sexuellement, je veux dire. Incroyable le nombre de gens qui avaient envie de faire ça avec moi. Y compris ma mère. Oui, elle aussi. Et c'est dur de l'avouer, crois-moi. Même dans ces pages.

C'est la vérité. Il existe des femmes comme elle. Et ces femmes-là, j'ai vraiment envie de les rendre dingues.

Elles parlent comme elle. Ou elles ont les cheveux clairs, comme elle…

C'est de pire en pire. En 1960, j'en ai tué deux. En 1980, j'en ai tué dix-huit. L'année dernière, trente-quatre. Combien en tout ? Je n'en sais plus rien. Cette cave est un vrai cimetière, docteur Myrer. C'est vrai. Elle est pleine de squelettes. Pleine de cadavres. Une centaine, je pense.

Quand je regarde en arrière, je vois des tas de visages. Tous me supplient. Tous hurlent. Et je me dis : « Toutes ces pauvres femmes mortes à cause de maman ! » Qu'est-ce qui a bien pu me rendre fou à ce point ? Je crois qu'elle a dû me faire quelque chose de vraiment pervers. Un petit quelque chose que je n'ai même pas remarqué.

Mais je pense que tout ça, c'est fini maintenant. Voilà pourquoi je m'en suis pris à toi. Les flics sont là. La police de l'État. En force. Mais j'ai bien l'impression qu'ils m'ont encore raté. Pourtant, ils ont traversé le pré avec une douzaine de chiens. Ils n'ont même pas été foutu de flairer ta piste.

Je crois que je relève de Dieu, en quelque manière. Je suis une force de la nature. Je suis un ange un peu spécial. C'est pour ça qu'on n'arrive pas à me choper.

Aide-moi donc, espèce de pute ! Aide-moi ou tu vas souffrir encore plus, et encore plus longtemps que toutes les autres !

17

AU PAYS DE LA MORT

Elle allait être obligée de le tuer. Elle savait que c'était sa seule chance. Mais elle savait aussi que choisir cette voie voulait dire être capable d'aller jusqu'au bout ; de frapper et frapper encore jusqu'à ce que Kevin tombe sous ses coups.

— Je suis ton analyste, dit-elle. Ne l'oublie pas.

Elle-même s'efforçait de ne pas l'oublier.

L'espace d'un instant, les doigts de Kevin lui effleurèrent le visage.

— D'accord, Lena.

Elle se déplaça d'un grand pas sur la gauche. Puis d'un autre.

— C'est idiot.

Elle essayait de se représenter l'endroit, de repérer où était le mur. En vain. Et le bruit de l'eau s'amplifiait. Si seulement elle avait eu la possibilité d'y voir clair, ne serait-ce quelques secondes. Les choses auraient été tellement plus faciles…

Lui, bien sûr, il connaissait à fond sa galerie. Que faisait-il ? Elle tourna la tête pour écouter, la main en pavillon près de l'oreille. Mais Kevin ne faisait pas de bruit.

Elle se sentait très vulnérable, à présent. Physiquement vulnérable. Ce n'étaient pas seulement les frissons, la sensation de froid, ce n'était pas seulement la chair de poule. Elle éprouvait quelque chose de spécial, qui devait ressembler à ce que l'on ressent lorsqu'un serpent se faufile entre vos omoplates.

— Lena ?

Elle réprima une pulsion qui lui ordonnait de répondre. Elle ne lui parlerait pas avant d'être prête. C'est lui qui menait le jeu, mais c'était un jeu dont elle avait commencé tout à l'heure à comprendre les règles. En fait, ils étaient en train de jouer aux échecs, et Kevin était le seul à connaître la disposition des pièces.

Pourtant, un nouvel élément était apparu qui lui était favorable à elle. Un élément d'une importance capitale : il n'avait plus de lampe.

Il s'était éloigné de deux mètres environ sur la droite d'Helen. Elle continua de tendre l'oreille. Aucun bruit ne lui parvenait, à part celui de l'eau qui déferlait dans les profondeurs.

Mon Dieu que ça sentait mauvais, tout à coup ! Elle décida que c'était l'odeur des rats. L'odeur de leurs corps, de leurs tripes, de leur nourriture – peu importe. C'étaient les rats. Mais il y avait une autre odeur…

— Lena ? Écoute-moi…

Elle se raidit.

— Il y a une rivière, reprit-il. Une grande rivière. Tout près de toi, en contrebas. Si tu tombes, tu te noies.

Tout en parlant, il s'était déplacé. Et quelque chose avait sifflé dans l'air. Où était-il maintenant ?

— Attention, Lena. Tu es vraiment tout près du bord.

Elle l'entendait respirer. Donc il n'était pas loin. Il se rapprochait.

Soudain elle comprit. Elle faisait de trop petits déplacements. De sorte qu'il suffisait à Kevin d'explorer méthodiquement la place pour deviner où elle se trouvait. Il ne prenait pas de risques puisqu'il connaissait le terrain. Elle fit un pas en arrière, trébucha, manqua de tomber. Était-ce la berge de la rivière ? Au moins, il ne lui avait pas menti sur ce point.

Tout près d'elle, Helen entendit un grattement. Et aussitôt Kevin lui saisit l'avant-bras.

Elle ne put s'empêcher de hurler, de pousser un cri aigu de petite fille épouvantée. Elle parvint à s'enfuir sans laisser à Kevin le temps de resserrer son étreinte. Elle se mit à racler sauvagement le sol avec le pied, car elle avait l'impression de s'approcher de la berge. Elle avançait pourtant. En titubant. docteuroit devant elle. Bras tendus.

— Je peux t'aider ! dit-elle d'une voix haletante. Je sais que c'est ce que tu attends !

Essaie de jouer sur ses besoins. Sers-toi de ses besoins. Sers-toi de ses besoins contre lui !

Pas de réponse. Elle savait qu'il se déplaçait lui aussi. Il était obligé de le faire. Elle battit des mains autour d'elle. Elle sentait qu'il allait la toucher. Elle essayait de ne pas céder à la panique.

— Laisse-moi au moins te dire ce que je sais, reprit-elle. Ce que je sais sur toi.

Elle avait déplacé une pièce sur l'échiquier. Un coup risqué certes, mais c'était le moment de prendre des risques. Elle continua :

— Je sais que tu ne peux pas t'empêcher de tuer. Et que tu ne sais pas pourquoi. Mais moi, je peux t'aider à t'arrêter…

Elle entendit des pas lourds se rapprocher. Il chargeait. docteuroit sur elle ! Elle s'écarta. Elle recula. Elle fit exprès de haleter, puis se déplaça vivement de trois pas sur la droite.

— Tu lui en as voulu toute ta vie, Kevin. Pour quelle raison ?

Le silence, toujours. Et dans ce silence, le souffle de sa respiration à lui.

— Tu lui en voulais. Tu la détestais. Pourquoi ? Parce qu'elle te haïssait ? Tu n'es jamais devenu un homme, Kevin. Tu n'as jamais mûri… Alors ? Elle te haïssait et en même temps elle t'aimait, c'est ça ?

Helen perçut un souffle rauque. Il était fou de rage. Elle s'avança, puis bondit en arrière. Un bruit violent se produisit derrière elle, suivi aussitôt par un autre, moins fort, qui semblait un grondement de colère. Il était venu tout près d'elle. Tout près.

— Et elle n'était pas la seule, poursuivit Helen. Personne ne t'aimait. Les femmes avaient peur de toi. Tu les dégoûtais. Et tu dégoûtais les hommes aussi. À part quelques personnes qui te désiraient. Mais ces gens qui te désiraient… C'étaient des malades, eux aussi, non ?

Elle ressentit de la compassion pour l'enfant qu'avait été Kevin. La pitié, oui… Elle devait se servir de cette pitié. *Pense à ce pauvre gosse, Helen. Il faut qu'il entende la pitié dans ta voix…*

— Tu aurais fait n'importe quoi pour être aimé, dit-elle encore. C'est ça qui était dur. Tu leur faisais tout ce qu'ils voulaient. Tu voulais être parfait. Et ta seule récompense, c'est qu'ils te haïssaient encore plus.

Elle fit trois grands pas en avant. Il murmura :

— La césarienne.

La césarienne… Que voulait-il dire ? Elle se toucha le ventre. Le Polaroïd lui revint en mémoire. C'était le moment de réfléchir vite, et de prendre un nouveau risque. La spécialiste, c'était elle. Elle était supposée savoir… Elle enchaîna :

— Tu avais la tête trop grosse, Kevin. Le corps n'arrivait pas à sortir…

Ce bruit sur le sol… *Bon Dieu, qu'est-ce qu'il fait ? Qu'est-ce que c'est, ce bruit ?*

— Pour qu'elle puisse te mettre au monde, on lui a fait une césarienne.

Elle s'accroupit – aussitôt le bruit recommença, tandis qu'un violent souffle d'air lui passait dans les cheveux.

Il avait quelque chose dans les mains. Quelque chose dont il se servait pour fouetter l'air autour de lui.

— Mais ça s'est mal passé, reprit-elle. Et…

— Et ?

— Et elle t'en a voulu. Elle en voulait à son bébé !

— Tais-toi…

— Non, je ne me tairai pas. Je sais que j'ai le pouvoir de t'aider…

— Tu te trompes ! Tu n'as rien compris. Tu n'es qu'une pute bavarde ! Tu t'es attaquée à un gros morceau, docteur. Un morceau trop gros pour ton petit cerveau…

— J'ai tout compris, et tu le sais. C'est pour ça que tu me détestes encore plus que les autres. Je suis ta maman. Mais je suis aussi le docteur… Elle s'appelait comment, au fait ?

— Le docteur Tête-de-Pute !

Elle se mit à courir et heurta quelque chose – quelque chose qui tanguait. Et soudain il y eut un nouveau bruit… *Mon Dieu, qu'est-ce que c'est que ça ?* Ça grinçait. Ça tanguait et ça grinçait… Helen essaya de s'éloigner de ce bruit.

— Il n'y a aucune raison pour que d'autres personnes souffrent comme tu as souffert ! lança-t-elle. Kevin, je peux te poser une question ? C'est tout ce que je te demande, répondre à cette question : as-tu jamais éprouvé de l'amour pour quelqu'un ?

— J'aimais mes parents. J'ai eu une enfance normale. Le problème, c'est qu'il y avait cette cave…

— Non. La cave, ça n'a rien à voir. Ne dis pas que c'est à cause de la cave. Tu t'es servi de la cave, mais la cave n'est pas responsable de tes problèmes…

— La cave est une source de plaisirs… D'incroyables plaisirs. Les plaisirs les plus fous qu'on puisse trouver sur cette terre…

— Mais cette cave, c'est l'enfer !

Comme il ne répondait rien, elle décida d'aller encore plus loin :

— D'accord. Je vais te dire la vérité.

Elle sentit qu'il s'approchait. Mais elle refusa de bouger. Pas maintenant...

— La vérité, dit-elle, c'est que personne ne t'a jamais embrassé par amour. Ni tes parents. Ni aucune femme. Oh ! bien sûr, tous ces salauds se sont servi de tes tendances morbides pour prendre leur pied avec toi. Mais ça n'a rien à voir avec l'amour. Ça ne faisait que te rendre encore plus fou. Lentement mais sûrement. Je n'ai pas raison ?

Aucune réponse ne sortit de ses lèvres.

— J'ai raison, Kevin. À cent pour cent. Écoute, tu peux trouver...

Il était devant elle. Il grondait. Elle sentit qu'il lui mettait les mains autour du cou.

Vivement, elle s'accroupit et se laissa tomber à terre. Elle roula sur le sol. Mais aussitôt il fut sur elle, pesant de tout son poids comme pour l'écraser. Elle le repoussa violemment et se mit à ramper, en lui envoyant des coups de pied.

— Tu mérites d'être aimé, Kevin !

Le silence retomba.

— Tu n'étais pas un enfant mauvais. Tu es moins mauvais que tu ne le penses...

— Foutaises ! cria-t-il soudain. Arrête avec tes putains de théories du genre « c'est la faute à maman » ! C'est la faute à personne ! C'est juste le mal ! Le démon ! Cette saloperie de démon...

Il poussa un très long et profond soupir – un soupir chargé de désespoir.

Comme elle recommençait à bouger, un souffle de vent siffla près de son visage. Il avait essayé de la frapper. Et n'avait réussi qu'à frapper le sol.

Puis tout redevint silencieux. Helen savait qu'il s'était relevé, à présent.

— Tu as ton revolver, Kevin. Et ton couteau aussi. Je suis là…

Elle ferma les yeux.

— Si tu veux le faire encore une fois, reprit-elle, comprends au moins que toutes les femmes ne sont pas ta mère. Je ne suis pas ta mère…

— Tu me détestes !

— Elle a terriblement souffert avec cette césarienne, non ?

— Elle a saigné pendant des années. Putain…

— Maintenant, Kevin, écoute-moi. Arrête d'essayer de me frapper. J'ai des oreilles. J'entends tout ce que tu fais.

Elle adressa une brève prière à Dieu : *Pourvu que cela continue d'être vrai.*

— Écoute-moi. Elle saignait, d'accord. Mais tu n'y étais pour rien. Cette césarienne, ce n'est pas ta faute !

— Le bébé, ce n'était pas moi peut-être ? Pauvre conne !

— Tu étais le bébé, pas le docteur !

— Le docteur Halliwell était le meilleur des docteurs.

Il avait parlé avec une autre voix : la voix de sa mère, pensa Helen. Et elle entendit un son métallique.

Elle frissonna, recula à croupetons. Ce bruit… Est-ce qu'il ne venait pas d'armer son revolver ? D'enlever la sécurité ? Ce n'était qu'une supposition, bien sûr, mais Helen avait très peur des armes à feu. Pour lui tirer dessus, il lui suffisait de se repérer au son de sa voix. Si seulement il pouvait renoncer à la séance de torture…

— Kevin ?

Elle se laissa tomber à terre.

Il y eut un bruit plus net. Maintenant elle était certaine qu'il avait son revolver. Il venait de l'armer.

C'était l'occasion de lui montrer son pouvoir – son pouvoir à elle.

— Range ce revolver, Kevin. Tu crois que je ne te vois pas ? Je te vois. Et je vois que tu n'as pas un bon regard. Tu n'as pas l'air en bonne santé…

Un léger gloussement lui parvint en réponse.

— Tu es vraiment la plus futée de toutes, dit-il.

— Et toi, tu vas vraiment ranger ce revolver. Bien. Maintenant, arrête de bouger. Qu'on puisse continuer à parler.

— Je t'emmerde, chérie.

— Je t'ai raconté toute ton histoire, hein, Kevin ? Je sais ce qui s'est passé dans ta vie…

Le silence qui suivit fut éloquent. Mais que faisait Kevin ? Il avait toujours le revolver en main. Il pouvait encore décider de s'en servir. Ce qu'il voulait, c'était s'approcher d'elle. Venir tout près, la prendre par surprise…

— Tu ne sais pas ce qui s'est passé ! hurla-t-il. Je suis devenu comme ça, c'est tout ! C'était horrible. Mais il n'y a pas d'explication. Et pas de traitement non plus ! C'est… Oh ! c'est tellement bon, tellement délicieux… Tu ne peux pas imaginer combien c'est bon. Parce que toi, tu es de l'autre côté. Là où le plaisir s'appelle plaisir, et la douleur, douleur. Moi j'ai dépassé tout ça. Ici, dans le noir, dans ce souterrain, là où personne ne peut me voir. J'ai franchi la frontière, chérie. Je vis dans un pays inconnu, tu comprends ?

Il fallait s'efforcer de survivre à tout prix. Trouver un moyen de l'arrêter. Trouver les mots susceptibles de l'arrêter. Elle n'avait pas d'autre méthode à sa disposition. Comme elle faisait un pas sur la gauche, son pied glissa sur une pente abrupte. Elle revint en arrière. *Pas à gauche, docteur Myrer !*

— Kevin, laisse-moi t'en dire un peu plus sur ta personnalité. Quelque chose que personne au monde ne sait à part toi et moi. Tu vois à quoi je fais allusion ?

— Non.

À présent, elle connaissait la raison de cette marque qu'il lui avait gravée sur le ventre. À elle et à la fille du Polaroid. À toutes ses victimes, sans doute. Helen effleura sa blessure.

— Tu n'es pas chirurgien, Kevin.

Un long et terrible silence retomba sur ces mots, puis fut interrompu par un nouveau bruit. Cela ressemblait à une chute sur un chantier de maçonnerie. Helen reconnut aussi le genre de gémissements que l'on entendait chez les fous, dans les pavillons psychiatriques. Mais ces bruits furent aussitôt engloutis par le silence.

— Kevin ?

— Sale pute !

Le coup de feu retentit, accompagné de son éclair aveuglant. Helen crut devenir folle. Le bruit était assourdissant au-delà de ce qu'elle avait imaginé. Elle se coucha à terre et roula sur elle-même sans savoir dans quelle direction elle se laissait entraîner. Peut-être vers la rivière…

Mais elle avait vu Kevin, le temps de l'éclair. Et elle avait vu qu'il était nu. Seulement vêtu de son slip. Tout cela avait une signification sexuelle pour lui. Toute l'expérience relevait de la sexualité. C'était une indication nouvelle. Kevin était masochiste, plus masochiste en tout cas qu'elle ne l'avait cru. Devait-elle faire une tentative pour le dominer ? Cela semblait bien téméraire… Il n'en restait pas moins que le fantasme d'être lui-même torturé était la force principale dont il nourrissait sa rage. Et ce n'était pas seulement qu'il désirait souffrir. C'était aussi que l'homme dominé est soulagé de sa responsabilité d'initiateur et de maître. Il peut se reposer. Comme s'il se retrouvait placé sous la protection de sa mère.

— La vérité, tu n'arriveras pas à la tuer, Kevin.

Elle se releva et fit trois pas rapides en marchant droit sur lui. Ce fut pour s'apercevoir qu'elle avait bien anticipé ses pensées car il tira deux coups de feux. Il avait calculé qu'elle se déplacerait soit sur la droite soit sur la gauche. En effet, c'est ce qu'elle avait fait un instant plus tôt. Le vacarme fut effroyable. Mais il n'avait pas été assez rapide pour rectifier le tir. En tirant, il l'avait vue, elle en était sûre.

Helen se laissa tomber à terre. Elle savait qu'il n'était pas assez idiot pour gaspiller une nouvelle balle. À quatre pattes, elle s'éloigna.

— L'autre analyste n'était pas à la hauteur, Kevin. Moi, je suis à la hauteur. Ton analyste, c'est moi…

— Ferme ta sale gueule !

— Je vais m'occuper de toi. Je ne te laisserai jamais tomber. Laisse-moi faire, Kevin. Donne-moi ce revolver et laisse-moi m'occuper de toi.

— C'est ça. Je vais te donner ce putain de revolver. Pour que tu me tires dessus…

— Non. Ce qu'on va faire, c'est aller à la police ensemble. Je me débrouillerai pour que tu reçoives des soins. Je deviendrai ton analyste. Et tu commenceras à aller mieux, Kevin. Sous mon contrôle. Je m'occuperai de tout.

— Ils me foutront en taule. Et j'y resterai mille ans.

— Je leur dirai ce qu'il convient de faire de toi. Jusqu'à la fin de tes jours.

— Je serai condamné à mort.

— Non. Tu ne relèves pas d'une peine criminelle. Tu dois être soigné.

— Et quand je serai guéri, on me laissera sortir, et je pourrai ouvrir une petite quincaillerie en ville, c'est ça ? Allez, arrête tes conneries.

— On ne te laissera jamais sortir, Kevin. Mais tu iras mieux.

— Des conneries, je te dis ! Va te faire foutre !

— Tu finiras ta vie sous ma protection, Kevin. Et tu seras bien protégé, crois-moi. Tu apprendras beaucoup de choses avec moi…

Elle sentait que le revolver bougeait. Il le braquait sur elle, sûrement.

— Quel genre de choses ? demanda-t-il.

La voix était morne. Mais Helen accueillit une bouffée d'espoir. Elle était peut-être en train d'y arriver…

— Je t'apprendrai à avoir pitié de tes victimes. Et de toi-même.

— Tu vas essayer de me faire détester mon père et ma mère ?

— C'est ce que ta précédente analyste a essayé de faire ? C'est ça ? Pourquoi t'a-t-on emmené chez elle ? Qu'est-ce que tu avais fait ? Tu avais pratiqué une césarienne sur un chien ? Ou un truc de ce genre…

— Sur une saloperie de chat…

— Elle s'est plantée, Kevin. Moi, je ne me planterai pas.

Le silence qui s'ensuivit n'était pas difficile à déchiffrer. Elle était sur la bonne voie. Elle faisait les bonnes réponses.

— Je t'apprendrai, pour le sexe, Kevin. Comment il faut s'y prendre pour que ce soit bien…

— Tu n'y connais rien !

— Je pense que je m'y connais. Tu aimerais bien qu'on te fasse un peu mal, toi aussi. Pas vrai ? Tu as des fantasmes de torture. Comment ? Avec des pinces à linge ? On te l'a fait, Kevin. C'est une douleur que tu connais très bien. Ça t'aurait plu d'être attaché par moi ? Ça te plairait, que je m'occupe de toi ?

Il se mit à respirer plus fort. Elle se demanda s'il n'était pas en train de se masturber. Elle était tentée de s'approcher de lui mais elle hésitait. Il pouvait craquer et s'effondrer dans ses bras. Il pouvait aussi bien la mettre en pièces.

La voix de Kevin s'éleva, enrouée, changée, plus calme :

— Ça pourrait… Ça pourrait faire partie du traitement ?

Le fantasme classique. Les patients l'ont tous. Elle lui fit une réponse presque obscène :

— Pourquoi pas ? Traitement de substitution, comme on dit.

— Qu'est-ce que c'est que ça ?

— Une méthode. Pour t'aider à trouver une sexualité normale.

— Docteur…

— Oui, Kevin ?

— J'ai foutu une sacrée merde.

— C'est vrai.

— Docteur…

Il se tut.

Helen entendit un sanglot. Le monstre était secoué de sanglots. Réprimant le dégoût qu'il lui inspirait, elle reprit :

— Kevin, c'est moi qui vais prendre les choses en main, maintenant. Tu es d'accord ?

— Oui.

Elle décida d'aller vers lui. Il fallait se jeter à l'eau. Même si elle aurait préféré avaler une araignée vivante.

— Bien, dit-elle vivement. Tu es nu…

— Oui.

— Tu bandes?

— Tout à l'heure, oui. Maintenant ça s'est arrêté.

Il fallait qu'elle arrive à déterminer dans quel état émotionnel il se trouvait. À quel point sa rage s'était apaisée.

— Je voudrais que tu me dises exactement quand ça s'est arrêté. On a dit quelque chose qui t'a fait débander. C'était quoi?

Il pleurait toujours. De petits sanglots brefs. Helen se le représentait très facilement en petit garçon. Il devait pleurer dans sa chambre exactement de cette façon. Il renifla et dit:

— Quand je pense à ce que j'ai fait... Elles me suppliaient, docteur. Mais je n'arrivais pas à m'arrêter!

Il avait carrément hurlé la dernière phrase. Et c'était le cri le plus sincère qu'Helen avait entendu, venant de lui, depuis le début. Était-ce le moment? Le moment qu'elle avait tant attendu...

La décision d'Helen était prise.

— Je viens, dit-elle pour qu'il ne soit pas surpris.

Et elle le rejoignit. Aussitôt, elle eut l'impression qu'il était prêt à se blottir contre elle. Réaction de type fœtal. Rien de vraiment surprenant.

Si elle voulait jamais éprouver de la miséricorde pour une telle créature, elle devait commencer par admettre qu'il pouvait lui-même ressentir quelque pitié envers ses victimes. Elle tendit les bras. Sa main entra en contact avec la cuisse de Kevin; et la main de Kevin se referma sur la sienne. À son tour, elle lui prit fermement la main.

Kevin ne devait pas regarder sa propre vie comme particulièrement perturbée. Une mère blessée, pleine d'amertume. Un père à ce point absent que son fils ne parlait presque jamais de lui. Et l'enfant qu'il avait été – cet enfant au doux visage et aux grands yeux, attiré par la poésie, taciturne et solitaire. Un brave petit garçon, sans doute, toujours en quête d'approbation de la part des adultes, et dont tous les efforts tendaient à briser cette paroi qui le séparait de leur amour.

Puis étaient venus ces épisodes avec la mère. L'avait-elle rejoint dans son lit d'enfant ? Y avait-il eu entre eux des pratiques sexuelles ? Est-ce à ce moment-là qu'avaient commencé les fameuses punitions corporelles – des punitions violentes, ritualisées, inhumaines ? Tout cela avait fini par former, dans l'esprit de Kevin, un univers de souffrances, de sang et de continuels reproches.

— Ça va aller, Kevin. Tu as trouvé un bon docteur. Un vrai docteur.

— Elle aussi était un vrai docteur.

— C'est arrivé où ? À l'hôpital public ? Tu avais quel âge quand tu as consulté ? Vingt ans ?

— Dix-sept.

— Dis-moi ce qui s'est passé.

— Quand j'étais gosse, j'avais l'habitude… d'aller dans les bois. Je disais que je partais à la chasse. Mais le gibier, c'étaient eux…

— Qui ?

— Les autres… Mes camarades d'école. Ils allaient se planquer dans les bois pour fumer.

— Et pas seulement pour fumer.

Il s'était accroupi et blotti contre elle.

— Tu sais des trucs sur moi, dit-il. Des trucs dont je n'ai jamais parlé à personne.

Elle lui mit la main sur le front.

— C'est mon métier, de savoir. Tu les as vus avoir des rapports sexuels dans les bois… Tu as l'habitude de regarder. Sortons de cette cave et regardons ensemble.

Elle sentit qu'il faisait non de la tête.

— Ils t'ont attrapé, dit-elle. Et ils t'ont battu. Mais pas tout de suite. Plus tard.

Elle allait loin, mais il lui semblait qu'elle avait raison. Il fallait qu'elle ait raison. Elle n'avait pas le choix.

— C'est la fille qui t'a vu. Ce n'est pas le garçon. Et plus tard, ils t'ont dérouillé…

— Elle…

— Elle t'a humilié. Tu étais moins costaud qu'eux. Ils étaient tous plus grands que toi. Qu'est-ce qu'ils t'ont fait ? Ils t'ont frappé à coups de ceinture ?

— Non, ils ont fait ça avec la vieille méthode… Enfin, c'est la fille…

— Quoi ?

— Ils m'ont déculotté devant toute une bande de filles. La moitié de la classe ! Eux, ils me tenaient, et elle… Elle m'a fouetté, putain. Elle m'a fouetté !

Helen le sentait trembler de rage. L'humiliation avait dû être affreuse. Les gosses n'avaient pas dû y aller de main morte…

— Après, tu es devenu la risée de tout le monde.

— Ils avaient pris des photos. Des polaroids qui ont commencé à circuler. Il y en avait qui me crachaient dessus. Pour eux, j'étais pire qu'un lépreux.

— Et quant à ce que tu avais vu, personne ne s'en souciait. Du coup, tu as compris que le fait de les avoir espionnés ne t'avait pas donné une parcelle de pouvoir… Baiser n'était pas un problème pour les autres gosses. Tout ce qu'ils voulaient, c'était un peu d'intimité. Et comme tu étais le seul à leur prêter attention, tu ne pouvais même pas les faire chanter…

— Mais pour les autres, ça n'a pas fini comme pour moi…

— Peut-être, mais c'est sur toi qu'on est en train de réfléchir. Si on essayait de s'occuper un peu de Kevin, pour une fois? Si on laissait les autres de côté?

— Pourquoi? Je suis quoi? Un petit employé de merde, c'est tout. N'importe quel être au monde est plus important que moi. Je suis un pervers. Un assassin. Je ne mérite même pas de vivre…

— Tu pourrais rendre service au monde entier, Kevin. Tu t'en rends compte? Simplement en essayant de donner un peu de sens à ce que tu as fait…

— Tu ne sais pas ce que j'ai fait.

— Des choses épouvantables. Ça, je le sais.

— Ces gens, je ne leur rendrai jamais la vie.

— Quand on aura étudié ton cas, établi ton bilan hormonal, déterminé ce qui provoque ces pulsions chez toi, alors on aura fait un grand pas en avant. Un pas vers la prévention. Autrement dit, tu viendrais en aide au genre humain.

Elle le tenait par l'épaule, tandis qu'il avait laissé retomber la tête. Il respirait avec peine.

— Les salopes ! dit-il soudain. Elles sont allées tout raconter aux autres mecs…

— Et eux, ils se sont mis à te botter le cul encore plus fort.

— Pas seulement le cul. Ils m'ont cassé les dents.

— Le problème, c'est de savoir ce que tu éprouvais quand ils te battaient. Tu devais bien ressentir quelque chose, à l'intérieur. Surtout la première fois, quand la fille t'a donné cette fessée… Ils t'ont forcé à te retourner ? À t'exhiber ? Ils s'étaient aperçu que tu prenais ton pied quand on te battait ?

— J'ai commencé à vivre un enfer, docteur. L'enfer sur terre. Dès que j'arrivais à l'école, ça recommençait… Il fallait…

— Ils ont continué à faire des polaroids ? Pendant qu'on te fouettait à coups de ceinture, alors que tu étais nu et excité ?

Il se tut en signe d'approbation. C'était bien ce qui s'était passé. Mais cela n'expliquait pas l'évolution ultérieure de Kevin. Ni pourquoi cette haine avait continué à le dévorer, depuis le jour de l'humiliation jusqu'à maintenant. C'est cela qui demeurait inexplicable chez lui.

Helen songea qu'elle ne pouvait pas se permettre de hasarder une hypothèse si c'était pour courir le risque de se tromper. D'une voix douce, elle murmura :

— Tu n'es plus seul avec tout ça, Kevin. Je vais te montrer – et tu vas découvrir par toi-même, dans le détail, comment tu en es venu là…

— Docteur ?

— Oui ?

— J'ai besoin de toi.

C'était fini. Elle avait envie de rire. De pleurer aussi. Elle avait bel et bien réussi à l'apprivoiser. Elle y était arrivée. Il était devenu aussi docile qu'un mouton.

— Kevin, reprit-elle, je pense que c'est le moment, maintenant.

— Qu'est-ce que je vais devoir faire ?

Elle lui pressa l'épaule.

— Tu n'auras rien d'autre à faire qu'à être mon patient. Mais être mon patient ici, dans cette cave, ce n'est pas vraiment possible, tu vois… Pour commencer, il faut que nous te fassions hospitaliser. Il faut te faire admettre dans une clinique…

— Quel genre de clinique ?

— Attends, Kevin. On va y réfléchir. Plus tard. D'abord, nous devons sortir d'ici tous les deux. Aller prendre une douche. Nous laver. Manger quelque chose.

Elle s'abstint de préciser que sa douche, il irait la prendre en prison, tandis qu'elle, ce serait dans un hôtel.

— On va aller chez moi, murmura-t-il.

— Allons-y, dit-elle en se levant.

Elle lui prit la main pour l'aider à se remettre sur ses jambes. Dès qu'il fut debout, il la prit dans ses bras. L'étreinte fut odieuse à Helen. Insupportable. Et supportée tout de même, puisqu'elle ne pouvait plus reculer désormais. Elle le laissa se blottir de nouveau contre sa poitrine.

— Tu trembles ? dit-il.

— Kevin, je suis très fatiguée.

— Pourquoi ne pas rester encore un moment ? C'est bien, ici. Il fait frais.

Elle ne devait pas laisser paraître l'horreur absolue qu'il soulevait en elle. Kevin avait commencé à lui faire confiance, mais c'était une confiance encore fragile. Grâce à Dieu, il serait bientôt placé sous la responsabilité de la prison d'État du New Hampshire, division des aliénés mentaux – et non plus sous celle du docteur Helen Myrer…

Maintenant, il lui appuyait la main sur la cuisse. Il demanda :

— C'est comment, la vraie façon ? La vraie façon de faire des… des choses ? Je n'ai jamais su…

— C'est dommage, Kevin.

— Tu sais quoi ? Je crois que nous ferions mieux de ne pas tomber amoureux. Dans la mesure où tu es mon analyste, je veux dire… L'amour, il faut l'économiser, non ? Pour quand je me marierai. L'instant magique doit venir à son heure.

On aurait dit qu'il essayait d'avoir moins peur de lui-même. En même temps il cherchait l'approbation d'Helen. Elle pensa qu'un homme moins fou que lui l'aurait tout bonnement violée sur-le-champ. Tandis que lui, il se contentait de lui prendre la main et d'y déposer de chastes baisers. De l'autre main, elle lui caressait la tête. Elle aurait voulu l'amener à plus de docilité encore.

— Tu sais ce que j'aimerais, docteur ?

— Oui, Kevin ?

— J'ai beaucoup bossé, ici. J'aimerais te montrer le résultat de mon travail avant qu'on s'en aille.

Sa voix avait eu une intonation bizarre.

— Ton travail? dit-elle.

— Cette pièce, par exemple, est très belle. Une vraie cathédrale. Tous les murs sont comme peints en bleu de cobalt. Tu n'imagines pas…

— Tu as réalisé des… des sculptures?

— On peut les appeler comme ça.

Il fit un pas en arrière et disparut instantanément dans le noir. Puis il dit :

— Regarde.

Il avait une autre lampe. Une lampe très puissante. Helen fut éblouie par un flot de lumière. Ainsi il avait gardé cette lampe de côté… Pourquoi?

La première chose qu'elle vit fut un squelette. Suspendu au mur. Entouré de chaînes. La cage thoracique était encore là, ainsi qu'un morceau de bras. Des ossements s'entassaient au pied du mur. Helen aperçut ensuite d'autres squelettes sous les voûtes de la galerie. Ces voûtes d'un bleu stupéfiant. Dans quelle roche étaient-elles creusées? Était-ce du quartz?

L'endroit était un chef-d'œuvre de la nature. Sans conteste la plus belle galerie souterraine qu'elle eût jamais vue. Une merveille d'un bleu profond, iridescent. Une cathédrale, en effet, avec ses arches et ses murs qui s'élançaient vers le plafond lointain. Mais sous le faisceau de la lampe que Kevin déplaçait apparaissaient toujours plus de squelettes… Certains portaient encore des lambeaux de chair. Quelques-uns semblaient des cadavres récents. Ceux qui étaient intacts montraient la trace d'une césarienne. Mais tous étaient affreusement déchiquetés. Car c'était ici que les rats venaient chercher leur nourriture.

Tout en déplaçant la lampe, il la regardait.

— Kevin, je n'ai pas besoin de voir ça.

— Bien sûr que si.

Il éclaira brusquement une autre forme, à trois mètres de là. Une forme attachée au mur, et qui offrait les mêmes blessures qu'Helen.

La fille du Polaroid. Kevin s'approcha d'elle et arracha l'adhésif qu'il lui avait collé sur la bouche pour la bâillonner. Les lèvres sèches et craquelées remuèrent et s'ouvrirent sur cette longue plainte désespérée qu'Helen avait entendue à plusieurs reprises déjà et, qui de nouveau, s'éleva sous les voûtes, plus tragique que le souffle interminable du vent dans la nuit.

Avec lenteur, comme émergeant d'un très long rêve, la fille souleva les paupières. Son regard se posa sur Helen. Mais ces yeux, en s'ouvrant, ne dévoilaient plus que les ténèbres. Helen en eut l'âme dévorée par un noir incendie.

— Il… Il nous oblige à regarder, parvint à balbutier la fille.

— Qui êtes-vous ?

— J'ai essayé de te prévenir…

De nouveau elle se mit à gémir, de plus en plus bas, comme un animal qui pleure.

— Kevin, tu dois laisser partir cette femme…

— Laisse. C'est… C'est un connard…

— Je suis chirurgien !

Une lame brillait dans sa main. Helen comprit qu'il retenait cette malheureuse ici depuis des jours. Chaque nouvelle victime devait assister à la césarienne de celle qui l'avait précédée dans la cave.

Helen ne put retenir un cri – sur quoi la lampe s'éteignit.

Kevin était si excité qu'il haletait. Il respirait de plus en plus fort.

Helen voulut se précipiter vers la fille pour lui venir en aide, pour la délivrer – mais Kevin l'arrêta en l'attrapant par les cheveux. Puis il se mit à tirer, à tirer si fort qu'elle en fut déchirée de douleur.

Elle avait échoué. Kevin était à des millions de kilomètres d'elle. Il vivait sur une autre planète. La planète de la damnation éternelle. Kevin était un monstre implacable, le mal incarné. Il était au-delà de la science. Au-delà de toute connaissance humaine.

La panique s'était emparée d'Helen. Elle perdait le contrôle d'elle-même, maintenant. Il n'y avait plus de pensée en elle, plus de logique. Elle n'était plus que désespoir, créature sans but. La vie était dépourvue de sens. Il n'y avait plus de vie. Elle se sentait comme un corps brisé qui essayait de s'arracher lui-même à ses liens. Elle s'élança dans les ténèbres, comme une aveugle.

18

LA RIVIÈRE

Il avait tout planifié. Même cette lampe laissée de côté, dont il avait prévu de ne faire usage qu'au tout dernier moment. Helen le haïssait tellement que sa propre haine lui était insupportable. Il avait réussi à réveiller en elle les instincts les plus sauvages. De sanglantes visions la traversaient, où elle le torturait. Cet homme était un monstre. Et ce monstre était un homme. Telle était la réalité. La regarder en face était la pire des expériences.

Dès le début, il avait eu sur elle des kilomètres d'avance. Durant tout ce temps, il n'avait fait que s'amuser avec elle ; y compris quand ils avaient partagé ces quelques minutes d'intimité. Elle devait admettre que cette forme de folie dépassait les limites de sa compréhension de la maladie mentale et de sa conception du mal.

Comment un être humain pouvait-il endosser un tel rôle ? Existait-il pour de bon des êtres démoniaques ? Elle murmura :

— Les médecins nazis…

Ce n'étaient pas des démons mais des humains. Pourtant, un effort considérable était nécessaire à Helen pour arriver à repousser la tentation de considérer Kevin comme un être surnaturel. L'idée de Satan, c'était déjà Satan. Autant qu'elle puisse la comprendre. Puisque l'idée de Satan fournissait à l'homme un moyen commode pour expliquer le mal…

Non, aucun démon ne hantait ce souterrain. Il y avait Kevin McCallum et rien d'autre.

— Lena ?

— Kevin, laisse-la partir !

Il avait dirigé sa lampe sur elle.

— Plus tu traînes, plus longtemps elle souffre.

— Je ne pourrai pas assister à ça.

— Il le faudra bien.

Assister à ça, puis être attachée à son tour et attendre qu'il ramène une nouvelle victime – *mon Dieu, par pitié aidez-moi !*

Kevin présenta un objet à la lumière. Quelque chose qui étincelait. Helen ne comprit pas tout de suite de quoi il s'agissait. Alors il s'approcha d'elle, et brandit le scalpel comme un trophée.

— Il est stérilisé, dit-il.

Pour que la suppliciée reste en vie plus longtemps. Et quand tu l'auras entaillée, tu lui donneras aussi des antibiotiques, peut-être ? Et des pansements…

— Je t'emmerde, pauvre connard…

C'était la voix de la fille attachée au mur.

— Ta gueule, sale pute ! répondit Kevin.

— Kevin ! s'écria Helen d'un ton désespéré. Tu peux tout arrêter ! Et deux d'entre nous seront sauvées si tu arrêtes maintenant !

Il répondit d'un petit rire – un rire doux et léger.

— Elle s'appelle Lenny, reprit-il. Elle est de Boston. C'est bien ça ? Lenny de Boston ? Elle est arrivée ici mardi. Et depuis mardi, elle n'a pas eu une seule goutte d'eau. Mais ce sera bientôt fini. Avant la tombée de la nuit ce sera fini.

— Je l'emmerde. C'est un pauvre... un pauvre connard.

Kevin poussa un gloussement tranquille.

— Allez, Helen. Approche. Fais ton devoir. À toi d'abréger ses souffrances.

Helen pensa encore aux médecins nazis. À leur façon d'agir. Quand, ayant ouvert le crâne de leur victime, ils observaient combien de temps elle arrivait à tenir avec le cerveau mis à nu. Mais elle pensa aussi qu'elle était différente de ces victimes. Contrairement à elles, Helen avait la possibilité de voir clair dans l'âme de son bourreau. Aussi clair que dans son propre cœur.

Un homme doit faire d'incroyables efforts pour accepter de vivre avec le tueur qui est en lui. Il peut par exemple s'hypnotiser lui-même, jusqu'à devenir un monstre. C'est ce que faisaient les nazis. Il peut aussi s'efforcer de satisfaire sa rage intérieure : c'était la démarche suivie par Kevin... Helen comprit soudain la vérité.

Il n'est pas fou, bon sang ! Ce n'est pas un malade mental...

Du faisceau de sa lampe, il lui montrait le chemin. Le chemin que devait suivre toute femme parvenue jusqu'à ce terrible endroit. Mais elle refusa d'avancer. Elle se dirigea vers la rivière.

Il se précipita et la retint par sa robe en haillons.

— Lena !

Elle se détacha et continua de s'éloigner à reculons.

— Lena, c'est vraiment très profond, tu sais !

— Tant mieux, répondit-elle.

Et elle se laissa tomber en arrière. Aussitôt le vent lui hurla aux oreilles. Puis elle tomba dans l'eau. Un froid violent la saisit comme un étau.

Elle s'enfonça à travers un courant de bulles, puis heurta le fond avec assez de force pour entendre craquer ses mâchoires. Elle eut l'impression que ses poumons allaient exploser. Un mouvement réflexe la poussa à fermer la bouche. Comme bâillonnée, elle se propulsa vers le haut, se hissa jusqu'à la surface. C'est alors que, dans le fracas des remous, lui parvint un cri terrible, un cri comme elle n'en avait jamais entendu, comme elle n'aurait jamais voulu en entendre. Ce hurlement semblait jaillir d'une région antérieure à l'existence de l'homme, d'une époque où vivaient les animaux intelligents qui nous ont précédés. Ce hurlement de rage féroce résonna contre les murs bleus, tandis que la lampe de Kevin fouillait le cours rapide de la rivière.

La sensation de froid était au-delà de tout ce qu'Helen avait imaginé. Elle essayait de reprendre sa respiration. Elle toussait. Elle crachait. Elle se débattait avec frénésie. Soudain elle heurta brutalement le bord du trou où l'eau se déversait, et son corps s'y engouffra comme dans un tunnel monstrueux. Elle était entraînée dans les plus noires et les plus profondes ténèbres.

Le froid lui brûlait la peau. Elle n'arrivait plus à respirer. Elle n'avait pas non plus une impression de mouvement, sauf quand elle se cognait aux parois de pierre. Tout ce qu'elle pouvait faire, c'était plier les jambes pour éviter qu'elles ne se coincent dans une anfractuosité de rocher. Elle demeura consciente quatre-vingt dix secondes peut-être. Puis, elle se sentit partir pendant deux à trois minutes. Bientôt ce serait fini. Elle allait se noyer.

Elle avait besoin d'air, tout de suite ! Elle se débattit à coups de pied, elle secoua les bras. Son esprit était en train de s'échapper de son corps…

De l'air. Il devait y en avoir. Elle donna un coup de tête et ne réussit qu'à heurter une pierre. Elle tourna sur elle-même, essaya de se cramponner aux rochers, mais les rochers fuyaient. Elle tourna encore. Elle se battit encore. *De l'air ! De l'air…*

Il y eut des visions d'éclairs intérieurs. Et un vacarme lui parvint, pareil à celui d'un train de marchandises lancé sur ses rails. Dans un instant elle ouvrirait la bouche. Elle tenterait d'aspirer une bouffée d'air. Mais il n'y aurait que de l'eau. Et tout serait fini. En enfer, il n'y avait pas de secours d'urgence. Elle ne pourrait jamais venir en aide à Lenny, ni à personne d'autre, encore moins à elle-même. Elle aurait privé Kevin de son plaisir, voilà tout.

Elle recommença à lutter à coups de pied et de poing contre les pierres. Elle voulait sortir de là, appeler les flics, faire arrêter ce fumier, et qu'il soit jeté dans la prison la mieux gardée de la planète.

Elle se colla les mains sur la bouche. Elle se pinça le nez jusqu'à ce que ses poumons échappent à son contrôle. Qui avait dit qu'il était facile de se noyer ? Se noyer était une expérience atroce. Une expérience qui vous nouait les muscles, qui vous tordait horriblement les viscères. *De l'air ! De l'air ! De l'air...*

Son visage émergea soudain dans une atmosphère noire et glacée. Elle avait encore une main plaquée sur sa bouche ; de l'autre, elle se pinçait toujours le nez. Elle se rendit compte soudain qu'elle n'avait plus la tête sous l'eau.

L'air ! L'air l'enveloppait comme une vague. L'air se répandait sur elle. L'air merveilleux, l'air humide de la cave !

Elle était si heureuse ! Elle aurait voulu crier. Mais elle ne laissa échapper aucun bruit. Le bassin où se jetait la rivière était peu profond. Pourtant, Helen n'essayait même pas de toucher le sol de ses pieds. Elle n'essayait pas non plus d'aller plus loin. Elle se contentait de flotter en silence, de respirer aussi calmement que possible. Ce fut seulement au bout d'un moment qu'elle s'approcha du bord et sortit de l'eau avec précaution. Ses haillons lui collaient à la peau. Elle tira dessus pour être mieux couverte. Elle n'avait jamais connu un froid pareil. Elle n'avait jamais pensé à ce que représentait une telle sensation de froid. Quelques minutes encore, et elle en mourrait. Sa première pulsion fut de regagner la terre ferme, mais quelque chose l'en empêcha. La rivière conduisait à l'air libre. Mieux valait rester à proximité de la rivière.

Ici, l'eau semblait calme. Et sans lumière, il était dangereux de s'éloigner. Elle craignait de se perdre. Comme elle essayait de refermer sa robe en lambeaux, elle trouva le stylo-lampe dans sa poche. Elle pressa le bouton.

Elle ne s'était pas attendue à voir la lampe fonctionner encore. L'ampoule donna pourtant un peu de lumière. Durant cinq secondes, Helen put découvrir une galerie aux superbes couleurs, un monde ocre et bleu où des stalagmites offraient des scintillements d'or. Elle vit aussi une salamandre grise – ou, en tout cas, une bête qui ressemblait à une salamandre. Un reptile dégoûtant, qui d'un geste très lent tourna la tête vers elle, puis s'en alla. Sur quoi la lumière s'éteignit définitivement.

Helen avait eu le temps de s'apercevoir que l'eau s'enfonçait dans une longue crevasse. Un autre gouffre, sans doute. C'est par là qu'elle allait devoir passer si elle voulait continuer de suivre la rivière.

En fait, cette cave n'était rien d'autre qu'une nouvelle salle de torture. Une salle magnifique et impitoyable. Helen à présent se sentait mal. Mal à en mourir. Et furieuse de n'être pas déjà morte.

Le moment finit toujours par arriver où l'on atteint le bout du rouleau. Helen en était à ce point. Elle avait tout essayé avec Kevin, pour arriver à la conclusion que la thérapie n'a pas de sens dans ce genre de cas.

— Ça suffit, dit-elle à voix basse. Arrête de t'en faire pour lui. C'est à Lenny qu'il faut penser maintenant. Allez, ma fille ! Remue-toi !

Tout à l'heure, elle avait tenu Kevin entre ses bras. Pour de bon. Et elle avait eu l'impression d'être tout près d'emporter une extraordinaire victoire. Une sensation de fierté avait jailli en elle.

Mais le cas dépassait de très loin les capacités d'une psychanalyste. Avec Kevin, on était au-delà du problème mental. C'est d'une atteinte morale qu'il s'agissait.

Voilà pourquoi l'on pouvait dire que le crime était un phénomène plus rare autrefois. Jadis, même l'homme le plus dément n'atteignait jamais un tel degré dans le mal, parce que la barrière de l'éthique se dressait toujours intacte. Et puis, les sociétés modernes avaient vu le jour, et le crime était devenu un phénomène de masse. L'individu avait conquis la possibilité de réaliser tout ce qu'il était en mesure d'imaginer. C'était la nouvelle donne, et le monde, aujourd'hui, devait se débrouiller avec.

Helen rampait dans la boue, et le sens de sa mission peu à peu lui revenait. Cette mission qu'elle s'était assignée depuis le début et qui était en train de devenir plus impossible encore. C'est qu'Helen, contrairement à Kevin, n'avait pas perdu son sens moral. Elle croyait en la valeur de la beauté, et en l'extraordinaire richesse de son semblable. Elle voyait le monde comme accessible à la guérison, et l'esprit humain comme un terrain en perpétuel renouvellement.

Ces pensées, inévitablement, la ramenèrent à Lenny. Combien de temps allait-elle pouvoir survivre en l'absence de soins ? Elle avait peut-être encore quelques jours devant elle. Si Kevin ne la tuait pas tout de suite.

Quelques jours, c'était peut-être suffisant pour la sauver !

Helen avait perçu de la bonté dans les yeux de cette fille. Elle était jolie. Elle s'était sans doute laissée surprendre dans une rue tranquille de Boston, tard dans la nuit, tandis qu'elle se promenait en pensant à son petit ami – ou à son souteneur.

Avait-il fait des recherches pour la retrouver, celui-là ? Et pendant combien de temps ? Mais Lenny n'avait peut-être personne dans sa vie. Et Kevin le savait. Depuis le temps qu'il tuait des femmes, il avait appris à choisir ses victimes avec précaution.

Ou bien c'était l'inverse. Lenny vivait avec sa famille à Boston. Seule, elle ne l'était que depuis son arrivée dans la cave. La cave l'avait réduite à l'état de personne disparue. Ce qu'elle resterait à jamais. La cave avait le pouvoir d'enterrer la vérité. Elle offrait à Kevin une liberté totale, absolue.

Les chances d'Helen étaient infimes, mais elle ne s'en souciait plus. Elle était prête à tout tenter pour renaître, pour s'expulser de cette matrice mortelle et mettre ce salaud sous les verrous. Et s'il y avait une chance sur un million de venir en aide à Lenny, elle arriverait peut-être à la saisir.

— Il est *déficient*, dit-elle.

Mais elle savait qu'elle devait se montrer prudente. La phrase sonnait d'une façon trop autoritaire. Elle n'était pas derrière un pupitre, en train de s'adresser à un auditoire, ni dans une de ces circonstances où l'on peut se permettre toutes les audaces théoriques... Elle était dans la cave. Elle rectifia :

— C'est la conscience qui est déficiente. Il n'a pas de sens moral...

En voilà assez avec ces conneries. Tu perds ton temps. Tu prêches une convaincue.

— Je vais tenter le coup, Lenny.

Elle descendit vers le fond de la galerie et plongea le bras dans la rivière. La morsure du froid la transperça jusqu'aux os. Elle secoua le bras. Tomber dans cette rivière était une chose, y entrer de son plein gré en était une autre. Mais Lenny ? Allait-elle devoir attendre ?

Helen avait senti la puanteur du mal. Elle avait éprouvé la noire profondeur du mystère. Mais vivre toute sa vie en compagnie de ce mystère, était-ce seulement possible ? Elle songea à la mère de cet assassin, Jeffrey Dahmer. La pauvre femme avait réclamé que l'on étudie le cerveau de son fils pour essayer de voir où étaient les lésions. Il fut un temps où Helen aurait pu prêter crédit à ce type d'examen, mais plus maintenant. Plus depuis qu'elle avait elle-même observé Kevin. Elle doutait qu'il fût possible de trouver chez lui la moindre lésion.

Elle n'avait pas pensé qu'elle verrait reparaître la lampe. Elle ne croyait pas que Kevin l'avait suivie. Pourtant, quand une grande lueur brilla sur la surface de l'eau, elle sut qu'il était là de nouveau.

Elle fut frappée de stupeur. Comment avait-il fait ? Il n'était pas venu par la rivière – il avait l'air de se tenir à quelque distance, dans un éboulement de rochers. Mais il était venu !

Maintenant, elle n'avait plus le choix. La rivière avait beau être atrocement froide, elle allait devoir s'y jeter. Combien de temps un individu est-il capable de tenir dans une eau dont la température est inférieure à dix degrés ?

La lumière devenait plus forte, et une chanson s'était élevée dans la caverne. Il chantait. Voilà qui aida Helen à se décider. Elle sauta dans la rivière. Elle eut l'impression que ses os allaient exploser ; que sa moelle elle-même était en train de se transformer en cristaux acérés. Elle se laissa glisser, puis se propulsa en direction de la crevasse.

Progresser dans cette partie de la rivière n'était pas difficile, car les pierres étaient lisses, émoussées par le courant. Mais au fur et à mesure qu'elle avançait, le courant était plus fort. L'eau lui entrait par le nez. Et plus loin, elle risquait de ne même plus pouvoir respirer.

Au-dessus de sa tête, le plafond se mit à étinceler de toute sa beauté – roche verte striée de nervures d'or, merveille surgissant soudain d'un palais de ténèbres. Helen comprit pourquoi elle y voyait clair tout à coup : la lampe de Kevin se trouvait à l'entrée de la crevasse. Elle sentit une main se glisser sous sa taille…

Il allait l'attraper ici, comme on attrape un poisson ! Elle ne devait pas se laisser prendre. Il fallait atteindre la crevasse. Aller plus loin ! L'empêcher de l'attirer hors de l'eau. Elle tourna sur elle-même. Elle s'enfonça plus profond. La main de Kevin avait disparu. Helen pensa qu'elle allait réussir à lui échapper. C'est alors qu'il lui saisit la cheville. Helen se mit sur le dos. L'eau lui ruisselait sur le corps et pénétrait dans ses narines. L'eau allait lui emplir les poumons et elle ne pourrait rien faire pour l'en empêcher ! Elle donna une poussée pour se dégager, puis une autre, et une troisième encore.

Maintenant elle progressait plus vite. Le courant l'emportait. Soudain elle eut l'impression que le décor avait changé. Elle releva la tête. Elle était passée. Elle avait franchi l'entrée de la crevasse…

Elle se trouvait à présent dans un grand bassin, enveloppée d'une étonnante lumière. Le spectacle était stupéfiant de beauté – une grotte vert pâle abritant un joyau d'un autre vert, iridescent. La lumière semblait remonter des profondeurs du bassin – était-ce une lumière artificielle ? Kevin pouvait très bien avoir installé un éclairage électrique. Oui, c'était sûrement cela. Helen nagea jusqu'au milieu du bassin et se retourna. Elle chercha Kevin des yeux. Mais il n'était plus là. L'eau était claire. Elle plongea et scruta le fond. Peut-être allait-elle trouver la source de lumière ; peut-être arriverait-elle à l'éteindre.

Mais il ne s'agissait pas d'une lumière artificielle. La lumière venait d'une ouverture. Et le fond du bassin était couvert d'algues qui ondulaient. Cette grotte merveilleuse était éclairée par la lumière du jour !

Mon Dieu… Mon Dieu !

Très bien ! C'est le moment de rassembler tes forces.
Et Lenny ? Qu'allait devenir Lenny ? Allez ! Il te restera
encore du temps, après, pour t'occuper d'elle !

Helen traversa la grotte à la nage, à la recherche
d'un endroit où elle pourrait se jucher, se reposer, mais
les murs étaient lisses comme de l'argent poli. Elle fit
demi-tour et nagea en direction de l'autre rive. C'était la
même chose de l'autre côté. Revenue au centre du
bassin, elle examina méthodiquement toutes les parois
l'une après l'autre. Il ne pouvait pas ne pas y avoir une
aspérité…

Apparemment, il n'y en avait pas. Helen comprit ce
que cela signifiait. Cela signifiait qu'elle devait plonger.
Essayer d'atteindre cette source de lumière pour sortir !
Elle aspira une grande bouffée d'air et plongea.

L'eau était claire et pure. Helen y voyait parfaitement. Elle nageait vers le fond. Aussi bien, aussi vite
qu'elle en était capable. Elle s'enfonçait toujours plus.
Elle sentait la pression de l'eau augmenter rapidement, lui emplir les oreilles et le nez. Bientôt, ce fut sa
poitrine qui commença à lui faire mal. Elle comprit
qu'elle n'y arriverait pas. Il fallait remonter à la surface. Elle essayerait encore une fois après avoir
emmagasiné une nouvelle provision d'air. Elle fit
demi-tour et s'éleva. Elle dut se battre, dans les derniers mètres, pour continuer à monter. Son corps
assoiffé d'air se vrillait de douleur… Mais sa tête finit
par déchirer la surface du bassin.

En trois brasses, elle atteignit le mur le plus proche.
Elle s'appuya contre lui et se servit, pour se reposer, de

toute l'aide qu'il pouvait lui offrir. Elle avait horriblement froid. Elle était à bout de forces. Et elle se demandait si ce bassin n'était pas un nouveau piège – sans
issue, celui-là.

Ses forces étaient en train de la quitter. Tout se passait comme si elle allait finalement périr noyée dans
cette grotte. Et le lac Glory, à quelle distance était-il ?
À trente mètres, peut-être…

Il lui sembla qu'elle avait, dans le temps, appris des
choses concernant la survie en cas de naufrage. *Mais
quoi ? Mon Dieu, oui ! C'était au YWCA de Manhattan !*
Elle y était allée à l'âge de douze ans suivre des cours
de secourisme.

— C'était quoi, déjà ?

Ces mots crevèrent le silence caverneux – ce mortel
silence.

— C'était quoi, merde ?

*Respire, Helen. Ne te laisse pas dominer par la
panique. Mets la tête sous l'eau. Replie-toi sur toi-
même. Tu vas flotter, tu verras. Oui ! Oui, c'est ça… Ça
va peut-être marcher.* Ce n'était pas impossible après
tout. Cela allait lui permettre de reprendre des forces.
De saturer son organisme d'oxygène. Puis de plonger
à nouveau et d'aller plus profond que tout à l'heure –
à condition que le froid ne lui provoque pas des
crampes dans les muscles. À condition que le froid ne
la tue pas… De toute façon, n'était-elle pas déjà à
moitié morte ? Helen n'était pas une athlète. Elle
n'avait jamais pratiqué ce genre de sport. Elle releva la
tête et prit une ample respiration.

Bon sang ! Mais il y a un rocher en saillie, là-bas, sur le bord ! Comment ai-je fait pour ne pas le voir plus tôt ?

Ce n'était pas un gros rocher, mais elle pourrait sûrement se cramponner à lui. Il avait l'air assez solide. Elle fit une brasse dans sa direction. Puis une autre. Le rocher s'approchait rapidement.

C'est alors que Kevin se jeta sur elle à la vitesse d'un requin. Elle le vit jaillir de l'eau aux trois quarts, et il retomba sur elle de tout son poids. Il avait les doigts comme des serres, et ces doigts trouvèrent rapidement la cuisse d'Helen, s'enfoncèrent dans la plaie… Helen ressentit une douleur si violente qu'elle en eut les yeux traversés d'éclairs rouges. De l'autre main, Kevin lui avait saisi le poignet. Elle courba le dos, donna des coups de pied et se retrouva la tête sous l'eau, en train de grogner parmi les bulles qui formaient autour d'eux un tourbillon sauvage. Helen, de sa main libre, plongea entre les cuisses agitées de Kevin. Elle saisit les parties les plus sensibles de son être et commença à les serrer dans son poing.

Il éprouva quelque chose. Quelque chose de fort, à en croire le hurlement qui jaillit de sa gorge, et qu'Helen entendit bien qu'elle eut la tête sous l'eau. Et cette fois, ce fut un cri ordinaire. Un cri humain. Cette fois, il ne s'agissait plus d'une plainte métaphysique. C'était le simple hurlement d'un homme fou de douleur.

Il avait relâché son étreinte. Helen s'enfuit à la nage. Elle engloutissait de l'air et le recrachait. Sans cesse. Hyperventilation. Elle allait finir par en avoir des vertiges, mais cela n'avait pas d'importance. Arrivée au milieu du bassin, elle plongea. docteuroit vers le fond. docteuroit vers la lumière. Il n'y avait rien pour l'arrêter. Kevin? *Qu'il se noie! Qu'il crève! Oh, oui!*

Elle descendait vers le fond. Son cœur cognait fort. Ses tempes vibraient. Ne pas s'arrêter. Continuer. Continuer encore. Toujours plus profond. Vers cette lumière qui étincelait comme un grand soleil matinal. Comme un immense et puissant soleil.

Maintenant, elle franchissait le rideau des algues. La lumière se répandait autour d'elle. Et c'était une autre lumière. De longs rayons étincelants. La poitrine d'Helen était lourde. Ses poumons réclamaient de l'air…

Des algues s'accrochaient doucement à ses jambes. Elle traversa un banc de poissons aux couleurs vives. Passant entre les rayons de lumière, elle entra dans une eau plus chaude – ce fut une bénédiction. Et elle commença à s'élever, à se rapprocher du plafond mouvant. Le lac! Helen relâcha son effort et respira. Elle avala de l'eau. Elle toussa. Elle toussa fort. Elle redescendait! Elle sombrait! Elle toussa encore. Et encore plus fort. Enfin, elle parvint à donner une poussée vers le haut, puis un léger battement des mains. Et elle surgit dans la lumière. Ses poumons s'emplirent d'air.

Elle avait réussi!

Mais elle pensa soudain qu'il était encore là. Qu'il s'était élancé derrière elle avec la détermination furieuse d'un requin.

19

UN BOUCLIER DE BRUME

Tout en donnant des coups de pied comme si Kevin fût déjà en train de l'attaquer, elle cherchait des yeux le meilleur endroit pour rejoindre la terre ferme. À cinq cents mètres de là mouillait un bateau à coque blanche, voiles ferlées.

— Hé ! cria Helen.

Puis, plus fort :

— Au secours ! Aidez-moi !

Pas de réponse. Explorant rapidement les alentours, elle aperçut un embarcadère auquel était amarrée une barque. Elle fit dans cette direction quelques brasses maladroites et sans force. Tout devenait affreusement lent. Aurait-elle encore assez d'énergie pour arriver jusque-là ?

— À l'aide !

Comme sa voix était faible !

Quand elle atteignit l'embarcadère, elle était si épuisée qu'elle eut à peine la force de se hisser hors de l'eau. Par chance, c'était un ponton flottant, bas de niveau. Elle parvint à y grimper et à se laisser rouler sur les planches.

Elle resta étendue un moment dans la lumière matinale, à regarder fixement droit devant elle. De longues bandes de brume s'élevaient dans le bleu paisible du ciel. Plus haut, elle apercevait de petits nuages fragiles d'une absolue blancheur.

Tout cela était-il réel ? Helen s'assit, la respiration encore haletante. Une fois, deux fois, elle frappa le ponton du plat de la main. Il fallait que ces planches soient bien réelles !

Elles l'étaient. Le bois lui piquait la main. L'embarcadère avait remué légèrement, et des vairons s'étaient précipités sous les planches.

Helen observa les alentours avec plus d'attention. Il était plus tôt que Kevin ne l'avait laissé entendre. Il avait dit onze heures dix, tout à l'heure. Puis elle s'était sauvée. Et elle était entrée dans la cave. Il était évident qu'il avait menti. La lumière qui était parvenue dans le sous-sol, c'était cette clarté blanche annonciatrice de l'aube. Et Helen doutait d'être restée plus de deux ou trois heures dans ces galeries. Il devait donc être sept heures du matin, peut-être un peu plus. Elle fit le point sur la situation. Son premier travail allait être de prévenir la police. Il fallait qu'ils descendent dans la cave, et qu'ils délivrent Lenny. Le plus vite possible.

L'embarcadère se prolongeait par un escalier très raide qui escaladait la côte. Il était peu probable qu'elle arrive à le grimper. Elle n'envisageait même pas un tel effort. Sauf si c'était la seule solution, évidemment. Les mains en porte-voix, elle lança avec toute la puissance dont elle était capable :

— Hé ! Du bateau !

Au moins, il était à l'ancre. Et à bord, on dormait encore. Ils étaient arrivés la veille, sans doute.

Des roseaux se pressaient au début de l'embarcadère. Aussitôt après commençait la pente raide et cailouteuse. Helen était exténuée, et ne se sentait pas le courage d'accomplir les vingt pas qui la mèneraient jusque-là.

Pourtant le soleil était en train de la délivrer du froid et de la mort. *Dans un moment, je serai prête à attaquer cet escalier.* Mais elle s'aperçut au même instant que l'escalier ne couvrait que les trois quarts de la côte. Au-delà, il était détruit. À supposer qu'Helen trouve la force de tenter l'escalade, elle n'avait aucune chance d'atteindre jamais le sommet de cette pente.

Levant les yeux, elle aperçut une cabane accrochée à l'à-pic. Une véranda. Des fenêtres fermées. C'était tout ce qu'elle voyait. Il n'y avait aucun signe de vie là-haut. Elle appela :

— Hé !

Mon Dieu que ce cri était faible. Impossible de l'entendre à plus de trois mètres.

Helen n'avait pas remarqué que le mouvement des vagues contre l'embarcadère avait légèrement augmenté.

Elle regarda de nouveau le voilier qui ne bougeait toujours pas. Il n'y avait peut-être personne à bord. Ou alors ils avaient pris un canot pour aller explorer la côte.

— Hé ! Là-bas !

Pourquoi ne se réveillaient-ils pas ? Et cette cabane, là-haut ? Elle était si tranquille, elle aussi. Il y avait toujours la possibilité de lancer un caillou contre une fenêtre. Les chances d'arriver à un résultat étaient infimes mais il n'y avait pas de raison de ne pas essayer.

Là où l'eau était peu profonde, Helen se mit en quête d'une pierre. C'est alors qu'elle comprit. Cette cabane, là-haut, c'était le Vieux Secret. Bien sûr ! Avec l'escalier détruit par Kevin McCallum. Helen s'approcha de la barque. C'était une barque verte. Et qui ressemblait tout à fait à celle du Vieux Secret. D'ailleurs, la peinture de la coque était encore fraîche…

— Slim, murmura Helen dans un soupir.

L'escalier avait beau être détruit, Slim s'était débrouillé pour descendre jusqu'ici.

Elle avait réussi à sortir de la cave. Mais il fallait regarder la vérité en face : elle était toujours seule avec Kevin McCallum. Et toujours sa prisonnière. Revenue exactement à la case départ. Elle se demanda si ce résultat, dans son affreuse ironie, ne faisait pas partie du plan de Kevin.

Helen, peu à peu, sentait grandir en elle une certitude. Elle ne devait pas s'attarder sur cet embarcadère. Elle voyait bien que ce n'était plus qu'une question de temps. Un temps très bref, même. Dans un instant, Kevin allait arriver. Aucun doute qu'il devait connaître deux ou trois façons de sortir de cette grotte. Helen observa la rive du lac. Elle ne voyait aucun signe de quelque endroit d'où il pourrait surgir.

Ce qu'il fallait, c'était s'éloigner du rivage. S'éloigner le plus possible. Avant qu'il ne la rattrape. Elle ne l'avait pas vu sortir de l'eau, c'est donc qu'il ne s'était pas élancé derrière elle à la nage quand elle s'était enfuie. Il avait sûrement emprunté un autre chemin. En tout cas, la seule chose dont elle était sûre, c'est qu'il n'avait pas renoncé.

Elle examina la barque, les réparations, la peinture fraîche. Elle considéra les tolets où s'accrochaient les rames, essayant de comprendre comment on s'en servait. Elle avait bien dû apprendre à se déplacer en barque, lorsqu'elle était petite fille, dans quelque camp de vacances. Mais pour le moment, elle ne se souvenait plus de rien. *Tu t'assieds face à l'arrière et tu tires sur les rames...* Voilà, c'était ça l'astuce. Ne pas essayer de ramer en regardant l'avant du bateau.

Il n'y avait plus qu'à partir d'ici tout de suite. Quatre ou cinq bons coups de rames, et elle serait loin, assez loin en tout cas pour demeurer hors d'atteinte, même poursuivie par un puissant nageur.

Elle mit la main sur les tolets et les enfonça dans les trous. Les rames se dressaient à l'entrée de l'embarcadère, appuyées à la côte.

Helen se mit debout et alla les chercher.

Elle faisait demi-tour pour revenir à la barque quand elle remarqua un léger mouvement de vagues dans les roseaux, derrière le ponton. Elle regarda avec plus d'attention. Et elle finit par découvrir, nichée au milieu des roseaux, aussi immobile qu'un serpent, la tache claire formée par un corps humain.

Ce corps était tout près. Il pouvait facilement se jeter sur elle et l'entraîner dans l'eau.

Elle avait si peur qu'elle faillit perdre connaissance. Comment était-ce possible? Il n'y avait qu'une seule réponse à cette question : il existait dans la galerie une issue conduisant directement à ces roseaux. Pour l'atteindre, Kevin avait dû faire un long détour. Pendant qu'elle venait ici à la nage, lui avait été obligé de parcourir tout le souterrain. Il était même arrivé après elle…

D'ailleurs tout était prévu. Comme le reste. Tout était programmé du début à la fin, jusqu'au plus infime détail. Il avait fait en sorte qu'elle finisse par arriver exactement là où elle se trouvait en ce moment. Il n'y avait aucun doute sur ce point.

Mais à ses yeux à elle, Kevin avait perdu toute humanité. C'était un grand prédateur, une espèce de reptile têtu et implacable, qui ne s'arrêterait qu'après avoir anéanti non seulement le corps, mais aussi l'âme de sa proie.

Ne pas crier. Garder le silence. Continuer à faire comme si elle ne l'avait pas vu. C'était là, sans doute, la chose la plus difficile qu'elle eût accomplie dans sa vie, et qu'elle aurait jamais à accomplir. Ce n'était pas plus facile que d'avancer sous un feu d'artillerie. Pas plus facile que de sauter d'une falaise. Pourtant elle y parvint. Ayant rassemblé tout ce qui lui restait de courage et de dignité – juste assez pour l'empêcher de se précipiter comme une folle vers l'extrémité du ponton – elle se remit à marcher sur les planches au rythme de ses longues jambes, sous le soleil qui éclairait son beau visage et l'enchevêtrement de ses cheveux ravagés.

Mais tout en marchant, elle se disait en elle-même – et elle savait que c'était l'absolue vérité : *Cette fois, tu joues ta dernière carte.* Après, s'il réussissait à l'attraper, il pourrait lui faire tout ce qui lui plaisait. Helen Myrer avait atteint les toutes dernières limites d'elle-même.

Avec la prévoyance dont il était coutumier, Kevin avait pris soin de se placer entre elle et la barque. Elle allait devoir passer devant lui, comme elle avait dû le faire dans le cellier, là-haut… Cette fois, elle portait une paire de rames. Pourvu qu'il croie qu'elle ne l'avait pas vu ! C'était sa seule chance. Peut-être le croyait-il. Lentement, très lentement, et avec tout le naturel possible, elle allait devoir maintenant passer devant lui et couvrir les quelques mètres qui la séparaient encore de la barque.

Elle avançait. L'embarcadère remuait sur l'eau. Au-dessous d'elle, l'eau était peu profonde. Mais là-bas, tout de suite après le bout du ponton, le lac plongeait vers les verts abîmes d'où Helen avait émergé tout à l'heure.

Elle avançait toujours. Il n'y avait plus aucun mouvement dans les roseaux. Kevin s'amusait. Il se préparait à bondir, à lui tirer dessus, ou bien à se saisir d'elle pour la ramener dans la cave. Helen n'y connaissait rien en armes à feu. Un revolver fonctionnait-il encore après avoir été plongé dans l'eau ?

Un dernier pas ramena Helen auprès de la barque. Avait-elle vraiment subi des réparations, ou était-ce encore un coup de Kevin ? Qu'arriverait-elle quand elle monterait à bord ? La barque allait-elle sombrer ? *Tout à fait le genre de plaisanteries mortelles dont ce fumier a le secret.*

La corde qui reliait l'embarcation au ponton était attachée par un nœud très compliqué. Comment en venir à bout ? Helen n'en avait pas la moindre idée. Elle se mit à genoux et palpa la corde râpeuse.

Puis elle se pencha pour regarder à l'intérieur de la barque, et s'aperçut que la corde était reliée à un simple cadenas ouvert et dépourvu de clé. Mais que les gestes les plus simples sont difficiles à accomplir, quand on est épuisé et terrifié !

Elle détacha la corde et la jeta sur le ponton. Puis elle sauta dans la barque. C'est le moment qu'il choisit pour jaillir de l'eau et se précipiter sur les planches en poussant un cri. Il tenait le revolver pointé droit vers elle.

— Kevin ! Non !

— Salope…

Un sanglot lui avait brisé la voix. Helen était sûre d'avoir entendu un sanglot. Cela signifiait qu'il était devenu terriblement dangereux, maintenant. Lui qui était si calme. En fait, il n'avait jamais imaginé qu'Helen ni aucune autre se révélerait capable d'aller aussi loin. Il jeta un coup d'œil en direction du voilier. Son visage devint cramoisi.

Non. Personne n'était encore jamais venu aussi loin. Certes, il s'était préparé à cette éventualité. Mais cela ne lui plaisait pas. Pas du tout.

— Lenny est un être humain, Kevin, dit-elle en poussant le ponton avec le pied pour que la barque s'éloigne. S'il te plaît, laisse-moi lui porter secours...

— Lenny, on l'emmerde, répondit Kevin.

La barque commença à dériver. Helen se débrouillait comme elle pouvait avec les rames. Elle vit Kevin lever son arme et la braquer de nouveau sur elle. De peur, elle ferma les yeux. Elle attendait le coup de feu.

Mais ce qu'elle entendit fut un cri de stupeur. La barque, pendant ce temps, fit une courbe. Helen arriva enfin à introduire les rames dans les tolets. Elle entendit un déclic, puis un autre. Et Kevin, furieux, lui lança le revolver. Elle le reçut au genou. Elle cria. Elle sut en même temps qu'elle ne serait plus obligée de nager.

Des voix lui parvinrent soudain sur le lac.

Kevin avait commis une erreur. Une erreur de taille. Elle hurla :

— Hé ! Du bateau ! Au secours ! Aidez-moi !

À coups de rames, elle essaya de creuser sa route en diagonale. Bon sang que cette barque était dure à gouverner ! Elle tenta des moulinets, puis recommença à piocher. Elle parvint à s'éloigner de trois ou quatre mètres.

— Espèce de pute ! Je croyais que tu étais mon psy !

— Ce n'est pas une psy qu'il te faut ! C'est un... c'est un prêtre !

Pour autant qu'on arrive à le dénicher, le prêtre qui voudra bien s'occuper de toi !

Kevin vint au bout de la jetée et se jeta dans le lac. Il nageait comme un champion, droit sur la barque.

Helen, debout, tirait sur les rames avec frénésie. Elle faisait le maximum, mais devait compter avec cette nouvelle douleur au genou. Ce salaud avait bien visé, une fois de plus. Il réfléchissait toujours avant d'agir.

L'écart se creusait. Une rame s'échappa de sa main. La barque fit presque un demi-tour sur elle-même. Helen rattrapa la rame, reprit ses efforts, réussit à gagner quelques mètres encore. Kevin nageait toujours, et le bruit de ses bras frappant la surface de l'eau claquait comme des coups de feu.

Soudain, Helen perdit de vue le rivage. *Que se passe-t-il ? Oh… que c'est beau !* Le soleil, en s'élevant dans le ciel, avait donné naissance à un bouclier de brume. Helen était cachée derrière ce bouclier. Ce rempart immense et gris la protégeait.

Toute trace de Kevin s'était évanouie. Il avait laissé s'envoler sa proie. Il l'avait perdue dans le brouillard. Et Helen ramait toujours, en s'efforçant de rester aussi calme que possible.

Cette brume ne pouvait pas être épaisse. Quelques minutes plus tôt, Helen apercevait encore le voilier endormi. Non, c'était une brume passagère. Elle recommença à frapper le lac avec ses rames, sans plus se soucier du bruit qu'elle faisait.

Et c'est alors qu'elle l'entendit. Il n'avait pas encore renoncé. Il venait droit sur elle. Avec une force qui fit tanguer l'embarcation, Kevin se suspendit à la poupe. Helen vit les doigts boudinés, crispés dans une prise solide. Et l'espace d'un instant, il lui sembla que rien n'existait plus à part cette main cramponnée à l'arrière de sa barque. Puis le visage de Kevin apparut. Il montrait les dents. Il la regardait fixement. À l'aide d'un seul bras, il parvint à se soulever hors de l'eau.

— Non, Kevin !

— Au secours, docteur…

Que pouvait-elle faire pour lui ? Elle ne voyait pas. Elle ne voyait absolument pas en quoi elle pouvait lui être utile. Elle sortit une rame de son tolet et la brandit. Mais elle hésitait encore. Elle s'apprêtait à tuer, elle ne se sentait plus capable de se retenir de le tuer, et cela l'horrifiait !

Dans les profondeurs d'elle-même, une bête avait frémi. Une pensée la visita, tel un puissant et lumineux éclair : Kevin est perdu, mais Lenny a encore besoin d'aide ! Se tournant vers le lac, elle cria :

— Aidez-nous !

À quelque distance, une voix répondit :

— Où êtes-vous ?

— Par ici !

— On ne vous voit pas à cause du brouillard ! Continuez d'appeler !

La voix était si jeune, si forte, si puissante ! Comme Helen avait envie de les voir arriver enfin !

— Par ici ! Du côté du rivage !

— Tais-toi donc, salope…

Il passa l'autre bras par-dessus bord. Il pouvait sauter facilement dans la barque, désormais. Mais il ne le faisait pas. Il restait accroché à l'arrière. Et la barque tanguait.

Helen baissa les yeux vers lui. Qu'est-ce qu'il attend ?

Leurs regards se croisèrent. Elle vit qu'il remuait les lèvres, et elle comprit qu'il ne lui demandait ni de l'aider à monter dans la barque, ni de le guérir du démon qui le dévorait.

Kevin, de nouveau, remua les lèvres. La rame retombait, Helen n'avait pas une bonne prise. Elle ne s'en sortirait pas si elle restait assise sur le banc de rameur. Avec précaution, tout en écartant les jambes pour ne pas perdre l'équilibre, elle se redressa.

— Vous nous entendez ? reprit la voix.

Lenny. La présence de ces gens était une chance pour Lenny. Ils allaient pouvoir lui porter secours.

— Par ici ! répondit Helen. Au nom du ciel, dépêchez-vous !

Elle se trouvait en plein dans le bouclier de brume, dans ce rempart mouvant qui enveloppait sa barque.

Et Kevin l'observait toujours. Son regard n'avait jamais ressemblé à ce point à un regard d'enfant. On eut dit que toutes ces années d'horreur s'étaient effacées, et avec elles les crimes qu'il avait commis. Il ne subsistait plus qu'une sorte d'innocence intérieure. Elle songea que ce visage exprimait le même émerveillement que celui de son fils, Mickey, quand il était bébé, et qu'il avait levé les yeux sur sa mère pour la première fois. C'était à la maternité. Et Helen se rappelait avoir pensé que les gens visités par une apparition céleste devaient avoir le même regard.

Kevin ferma les yeux.

— Lena ?

Que sa voix pouvait être douce... Et trompeuse !

— Ne bouge pas, Kevin.

Sa voix à elle était dure.

— Les secours seront là dans une minute.

Il secoua vivement la tête, à deux reprises, et ses lèvres formèrent une moue. Il refusait ce qui était en train d'arriver. Il était furieux. Sa figure devint à nouveau écarlate. Ses yeux parurent se rapprocher l'un de l'autre, en signe de détermination.

— Kevin, surtout ne bouge pas !

Il fit un mouvement vers elle. Elle hurla :

— Dépêchez-vous !

Elle avait crié en direction du voilier. Mais elle savait bien qu'elle n'avait plus le choix. Kevin s'apprêtait à lui saisir la jambe. Quand il y serait parvenu, il ne lui serait pas difficile de la faire tomber.

Le bruit léger d'un moteur s'approchait. Ils avaient pris leur canot.

— Par ici ! De ce côté !

— D'accord ! On arrive !

Les voix n'étaient plus très loin à présent.

— Calme-toi, Kevin. Ça va aller…

Tout en grognant, il avançait la main – et cette fois sa main se referma sur le pied gauche d'Helen. Elle lui abattit le plat de la rame sur la tête. Kevin lâcha prise et se courba. Il gémissait.

— J'ai dit non, Kevin !

— On arrive ! lança une voix.

— Dépêchez-vous, merde !

Kevin releva la tête et émit un sifflement, tel un énorme reptile. Puis il se hissa, sans parvenir à basculer

391

entièrement dans l'embarcation. Il gardait les yeux plongés dans ceux d'Helen, comme s'il eût existé entre eux un lien primitif, éternel. Et c'était le cas. Quand il fut encore plus près d'elle, elle en eut la certitude. Elle et lui étaient unis, attachés par un lien pour lequel aucun mot n'avait encore été inventé…

Le bouclier de brume était en train de se refermer sur eux. Kevin étouffa un cri. Il était toujours à moitié dans l'eau, à moitié dans la barque. Il avait l'air d'hésiter, maintenant. Cette tentative pour s'emparer d'elle avait-elle été son dernier sursaut de rage ? Peut-être le bruit du moteur le poussait-il à abandonner la lutte.

— Kevin ?

— Tu n'as pas le pouvoir de me guérir.

Elle ne savait plus que dire. Il reprit :

— Je suis incurable, et tu le sais…

— Je…

— Arrête de mentir, s'il te plaît ! Pas à moi !

Helen se taisait. Que pouvait-elle faire d'autre alors que tant de femmes étaient mortes ? Alors que Lenny endurait encore son supplice dans la cave…

Elle eut l'impression qu'il pénétrait profondément en lui-même, qu'il rassemblait ses forces en vue de ce qui allait se produire. Puis il recommença à remuer les mains. Helen leva de nouveau sa rame. Il était tout près d'elle. Elle pouvait le frapper sur le dos…

— Je te préviens, Kevin. Je vais te faire mal. Je le jure…

Mais Kevin tendit la main vers elle. À cet instant le bouclier de brume s'évanouit. Et ils furent soudainement en pleine lumière. Autour d'eux, sous un grand ciel bleu et matinal, s'agitaient des vagues étincelantes. Non loin de là, Helen aperçut la silhouette fantomatique du voilier.

Le canot à moteur se trouvait à une centaine de mètres, avec trois jeunes hommes à son bord. Il faut qu'ils s'occupent de Lenny, pensa Helen. Il le faut !

— Il y a une femme prisonnière dans la cave ! leur lança-t-elle. Et salement amochée !

— D'accord, madame. On arrive…

Kevin lui saisit de nouveau la cheville, mais elle parvint à se dégager. Il ne comprenait donc pas que c'était fini ? Il ne voyait pas que le canot arrivait ?

— Je peux t'aider, dit-elle une fois encore.

C'était sa voix professionnelle : la clinicienne était de retour.

— Menteuse ! Menteuse !

De nouveau, il avança la main. De nouveau, elle arriva à le repousser. Mais cette fois, en voulant l'éviter, elle trébucha, et la barque tangua dangereusement. La rame lui échappa des mains.

Helen réussit à se rétablir, mais de justesse. Elle poussa un cri vif. Kevin avait refermé les doigts autour de sa cheville, et son étreinte était aussi puissante que celle d'une paire de menottes. S'il la tirait par la cheville, elle risquait de passer par-dessus bord.

Elle baissa les yeux vers la tignasse sombre de Kevin. Là où il avait reçu le coup de rame, le sang suintait. Helen considéra aussi le dos large et nu. Kevin tirait sur la jambe. Elle cria encore. Le canot avançait

toujours, avec son moteur qui ronronnait tranquillement.

— Madame !

— C'est un tueur ! Un malade !

Kevin, de sa main libre, lui saisit l'autre cheville.

— Sous sa maison ! cria Helen. Il y a une cave !
Appelez la police de l'État ! Il y a une femme enfermée
dans la cave !

— La police de l'État… dit Kevin. Ils sont déjà dans
la cave. Ça fait une heure qu'ils y sont…

— Et Lenny ?

Il avait l'air aussi dur que du granit.

— Elle est vraiment très loin dans la galerie, c'est ça ?

Elle sentit qu'il tendait ses muscles. Il allait la faire
basculer dans l'eau. Il allait l'entraîner au fond… Elle se
tourna vers le canot et hurla :

— Vite !

— Lâchez-la, monsieur.

— Dépêchez-vous d'arriver, merde !

— On essaie, madame !

Ils avaient encore cinquante mètres à parcourir. Le
moteur produisait un son assez faible.

Kevin donna une violente poussée. Helen sentit ses
jambes se dérober. Il grogna. Elle s'écroula au fond de
la barque en se cognant contre la rame qu'elle refusait
de lâcher.

— Madame !

Le bruit du moteur était plus fort maintenant. Les
jeunes gens tirèrent des couteaux de pêche de leurs
fourreaux.

Kevin essayait d'attirer Helen à lui. Elle souleva sa rame, la tint un instant au-dessus d'elle, puis elle ferma les yeux et la lui abattit sur le dos de toutes ses forces. Elle avait frappé avec l'arête de la rame, cette fois, et elle lui avait brisé le dos. Un craquement morbide retentit. Kevin, stupéfait, laissa jaillir un cri de douleur. Peu à peu, ses doigts relâchèrent leur étreinte.

Helen pouvait difficilement estimer l'effet de ce coup, mais elle vit Kevin se transformer instantanément en un poids mort. Elle comprit qu'elle venait de lui briser la colonne vertébrale.

— Aidez-moi, gémit-elle. Aidez-moi !

— Tenez bon !

Mais elle ne pouvait tenir bon. Elle avait beau essayer de le retenir, Kevin glissait hors du bateau. Elle hurla :

— S'il vous plaît !

Le moteur du canot monta en puissance. Helen devinait qu'ils n'étaient plus qu'à une dizaine de mètres. Mais Kevin allait lui échapper. Elle ne pouvait plus le retenir. C'était comme si quelqu'un le tirait par les pieds. Elle se débattit comme elle put. Elle essaya de l'empêcher de céder à l'inertie. Mais elle était trop faible elle-même.

Une fois encore leurs yeux se rencontrèrent. Ses yeux à lui étaient touchants, caressants. Ce n'était pas seulement un monstre qu'elle essayait de sauver, c'était aussi un enfant maltraité, un enfant perdu si étrangement privé d'amour.

— Je ne peux plus bouger, soupira-t-il.

Elle tenta de le hisser jusqu'à elle, mais elle n'y arrivait pas.

Elle vit Kevin glisser dans l'eau, s'enfoncer, puis disparaître.

20

LA PRIÈRE DE KEVIN

Kevin McCallum coula dans le lac Glory et fut finalement déclaré mort. Son corps s'était perdu dans les profondeurs rocheuses et labyrinthiques, sous cette côte abrupte où s'accrochait la cabane du Vieux Secret.

La police de l'État parvint à retrouver et à sauver Leonore Czerny. Par la suite, Leonore et Helen devaient partager, trois semaines durant, la même chambre d'hôpital. C'est ensemble qu'elles guérirent de leurs blessures, du choc et des effets de l'épuisement.

Dans la cave de Kevin, on retrouva les restes de cent seize personnes – cent neuf femmes et sept hommes. Chaque fois que c'était possible, les corps furent rendus aux familles.

Dans certains cas, les victimes venaient combler un vide dans la liste des personnes disparues au cours des trente dernières années, mais bien souvent leur identité ne put être établie. Les crimes de Kevin étaient impossibles à dénombrer.

Au début de leur séjour à l'hôpital, Helen et Lenny furent admises dans des chambres séparées. Durant cette période, Helen se montra la plupart du temps fidèle à sa bonne vieille nature. Ses enfants, qui lui rendaient de fréquentes visites, la trouvaient comme toujours forte et chaleureuse. Mais la nuit, quand les démons étaient de retour, elle croyait entendre la voix de Kevin prononcer des lambeaux de phrases – *C'est l'heure, Lena* ; et elle devait rester étendue de longues heures avant d'arriver à trouver le sommeil. En un sens, elle avait l'impression que les mains de Kevin étaient sur elle pour le restant de ses jours ; qu'elle était condamnée à respirer jusqu'à la fin son odeur rance et insistante, à endurer ses baisers écœurants. Elle passa beaucoup de nuits difficiles.

Un jour – la cicatrisation des blessures de son ventre était en bonne voie et elle se sentait beaucoup plus en forme –, une jeune femme de grande taille entra dans sa chambre. Cette femme avait une curieuse figure pincée, et des yeux vifs pleins de bonté.

— Salut, docteur. Comment va ?

— Lenny.

Lenny sourit, et la gentillesse qui émanait de son regard lui envahit tout le visage. Elle était adorable.

— Voilà. Je suis venue te dire un petit bonjour.

Elles se mirent à discuter. Elles parlèrent de Boston, du conservatoire de musique – Lenny y avait suivi des études.

— Mon problème, dit-elle, c'est de savoir comment vivre avec ça, maintenant.

— C'est mon problème aussi, Lenny, répondit Helen en hochant la tête.

— Et tu vois ça comment ?

— Je ne sais pas. J'essaie d'y réfléchir. Je pense à ceux qui ont connu les camps. Toi et moi, nous allons peut-être devoir vivre avec notre expérience comme ils ont vécu avec la leur…

Les deux femmes observèrent un long silence, puis Lenny reprit :

— Mon copain vient me voir, et je n'arrive même plus à le regarder. Je n'arrête plus de penser à… quand j'étais attachée. C'est moche. Je voudrais chasser ces idées mais je n'y arrive pas. Et alors, c'est l'autre fille qui me revient en mémoire. Gloria Besor. Quand je regarde mon copain, je pense à elle. À Gloria.

Soudain, elles fondirent en larmes.

Depuis ce jour-là, elles firent chambre commune. Par la suite, elles devinrent des amies intimes. À la tombée de la nuit, elles se tenaient la main d'un lit à l'autre. Aux enfants d'Helen, elles dirent qu'elles étaient devenues sœurs.

Elles étaient ensemble depuis trois jours quand elles reçurent la visite d'un jeune policier sanglé dans un uniforme impeccable. Le jeune homme souriait, dans ce miracle floral qu'était à présent la chambre des deux femmes. Il est vrai qu'elles étaient devenues célèbres. Même le gouverneur de l'État avait tenu à leur exprimer ses vœux de rétablissement et son soutien.

Le policier était porteur d'une enveloppe en papier kraft qu'il posa sur la table de nuit, entre les deux amies.

— C'est quoi ? demanda Lenny.

— Ouvrez-la, répondit le jeune homme.

Helen prit l'enveloppe et la décacheta.

— Oh ! s'écria-t-elle. Je n'arrive pas à le croire

Elle l'avait réclamé à douze reprises, mais jusque-là il était resté en souffrance dans les locaux de la police. Pièce à conviction, lui avait-on répondu.

— Lenny, regarde…

— Qu'est-ce que c'est ?

— Tout le temps que j'étais là-bas, il… Il écrivait. Dans ce cahier.

Elle montra le cahier à Lenny.

— C'est la clé qui permet de comprendre Kevin McCallum, dit-elle.

— Le docteur Coxley a souhaité qu'il vous soit remis, madame, reprit le policier. Il se demande si…

Sam Coxley dirigeait le département de Psychiatrie du New Hampshire ; il était aussi l'éditeur de la *Revue de psychopathologie*. Et Helen savait exactement ce qu'il attendait d'elle. Ce que toute la profession attendait d'elle. Helen interrompit le jeune homme :

— Dites à Coxley que je vais lui écrire un sacré papier. Le papier le plus terrible qu'il ait jamais publié !

Maintenant qu'elle avait ce document entre les mains, elle sentait que son article ouvrirait de nouvelles perspectives.

Quand le jeune policier eut pris congé, Helen s'aperçut que Lenny s'était remise à pleurer doucement. Elle ne se sentirait plus jamais bien avec les hommes. Toutes les deux auraient à subir les symptômes postraumatiques de leur expérience, et cela durant des années.

— Le salaud ! siffla Lenny. Tu ferais mieux de le foutre au feu.

— Tu as raison. Je me sentirai mieux…

— Raconte-moi encore… Quand tu l'as tué…

— Lenny !

— Raconte encore !

Elle le lui avait répété cent fois déjà.

— Je l'ai frappé avec le tranchant de la rame. Ça lui a brisé la colonne vertébrale. C'est pour ça qu'il a lâché prise…

— Ça lui a brisé la colonne vertébrale…

— Il s'est noyé dans le lac…

— Il est retourné dans sa cave !

Helen s'approcha d'elle et la prit dans ses bras.

— Il est mort, Lenny. Mort.

Elle lui parlait comme parle une mère à sa fille apeurée. Elle couvrait de baisers ses joues mouillées de larmes.

— Oh, Helen… Pourvu que je redevienne normale avec les hommes.

Helen ouvrit le cahier. Dès la première page, une surprise l'attendait – une dédicace de la main du monstre. Helen la lut et la relut. Les mots lui traversaient l'esprit comme une douce brise chargée de souvenirs, et elle eut la vision passagère de leur importance : en eux s'exprimaient toutes les souffrances humaines.

— Lenny, dit-elle, il faut que tu écoutes ça…

— Cette merde ? Pas question.

— Ce n'est pas de la merde. C'est l'homme. Le mystère de l'homme.

— Le mystère ? Quel mystère ? Je te l'ai dit : cette ordure prenait son pied, c'est tout !

Helen s'assit au bord de son lit. Un vertige passager venait de la saisir. Un instant de faiblesse. Mais elle se reprit.

— La souffrance humaine est toujours un mystère, Lenny.

— Ah oui ? Alors le monde est un drôle d'endroit.

— Un mystère, répéta Helen. Écoute ça…

Et elle commença à lire.

Ma prière
par Kevin McCallum

Ma cave, mon Dieu, je sais que c'est votre cadeau :
merci.
Tout ce que vous m'envoyez est bon.
Mais je suis devenu pareil à Job.
Et mon cœur est si douloureux !
Délivrez-moi de mon fardeau.
Telle est ma prière.

Cet homme avait la voix si claire ! Sa douleur était si criante ! Et si épouvantable, cette profonde indifférence pour la souffrance de ses victimes…

Le soir était tombé. Bientôt viendrait la nuit. La fenêtre découpait un rectangle de ciel frappé d'un croissant de lune. Pour la première fois, il sembla aux deux amies que Kevin s'en était allé pour de bon. Tout ce qui restait de lui était enfoui dans leur mémoire, et dans ce triste cahier vert qui empestait la cigarette.

Kevin était mort. Mais son esprit continuait à vivre.

DANS LA MÊME COLLECTION

Philippe Bouin
MISTER CONSCIENCE

À quelques jours de l'Ascension, comme tous les ans, la cérémonie du Saint-Sang du Christ s'apprête à accueillir les fidèles dans le décor ciselé de Bruges. Mais les préparatifs sont endeuillés par un meurtre à caractère symbolique. La victime a été retrouvée décapitée dans la cathédrale Saint-Sauveur. Son auriculaire droit manque à l'appel…

Commence alors pour Philippe Daysvat, chargé de l'enquête, une période trouble. Les prédictions d'un énigmatique Mister Conscience le hantent. Ce dernier, qui prétend vouloir l'aider, lui annonce au total cinq crimes. Autant de doigts qu'en compte une main…

Des cauchemars prémonitoires écourtent ses nuits. Daysvat traque dès lors l'insaisissable Mister Conscience. Mais qui est-il ? L'assassin ou seulement son complice ?

Philippe Bouin *est né en Belgique en 1949 de parents français. Son premier roman* Les Croix de paille *(Viviane Hamy, 2000), mettant en scène Dieudonné Danglet, reçoit le prix Océanes. Le deuxième,* Implacables vendanges *(Viviane Hamy, 2000), introduit le personnage de Sœur Blandine, truculente enquêtrice.* Mister Conscience *est son premier thriller.*

Inédit

ISBN 978-2-35287-010-4 / H 50-3870-8 / 384 pages / 7,50 €

Evan Hunter
LES MENSONGES DE L'AUBE

New York est trop étroit pour Annie, coutumière depuis l'âge de seize ans de fugues aussi mystérieuses que soudaines, notamment en Sicile où Andy, son frère jumeau, a dû se rendre il y a peu pour la faire sortir d'un hôpital psychiatrique.

Jusque-là, les proches d'Annie la jugeaient excentrique – n'est-elle pas adepte du Tantra et créatrice de bijoux érotiques ? –, affabulatrice – ne dit-elle pas être poursuivie par des agents du FBI ? –, mais pas schizophrène, comme le prétend ce médecin italien !

Lorsque Annie disparaît à nouveau, Andy doit, pour la retrouver, rassembler les fragments qui composent, entre tendresse et désespoir, la personnalité de sa sœur. Mais revisiter ce passé l'oblige aussi à exhumer les névroses familiales et à affronter certaines vérités…

*Né à New York, Salvatore Gambino (1926-2005) a multiplié les pseudonymes tout au long de sa carrière. Sous le nom d'**Evan Hunter** ont paru en français dix romans, du classique* Graine de violence *(1955) à* Obsessions *(Presses de la Cité, 2001), cosigné avec un certain…**Ed McBain**, son plus illustre double, auteur des* Chroniques du 87e District.

« Une plongée douce-amère dans le déni
et les faux-semblants. »
Epok

« Un portrait de femme très attachant. »
Le Monde des livres

Traduit de l'anglais (États-Unis) par Pierre Brévignon
ISBN 2-35287-004-6 / H 50-3864-1 / 288 pages / 7,50 €

Andrew Klavan
PAS UN MOT...

Même à New York, dans le quartier chic de l'Upper East Side, le métier de psychiatre n'est pas de tout repos. Surtout lorsque l'on est spécialiste des troubles de l'adolescence et que l'on est sans nouvelles de sa fille, kidnappée par un inconnu.

En temps ordinaire, le docteur Conrad n'est pas homme à se laisser impressionner. Ne l'a-t-on pas surnommé le « psy des damnés » ? Et pourtant, comment rester de marbre face à Elizabeth, cette nouvelle patiente angélique, schizophrène et qu'il devine dangereuse ?

Étrange Elizabeth, qui porte les stigmates de violences inexplicables, et qui n'a du passé que des lambeaux de souvenirs... Comment le docteur Conrad pourrait-il soupçonner que la clé de son enfer personnel se trouve quelque part dans la mémoire défaillante de cette femme ?

Né à New York en 1954, Andrew Klavan est l'auteur de Présumé coupable *(Lattès, 1998), adapté au cinéma par Clint Eastwood. Pour* Pas un mot..., *porté à l'écran avec Michael Douglas, il s'est vu décerner l'Edgar Award, prix récompensant aux États-Unis le meilleur suspense de l'année. Les éditions de l'Archipel ont récemment publié* La Dernière Confession *et* Dynamite Road *(2005 et 2006).*

Traduit de l'américain par Bernard Ferry
ISBN 2-35287-001-1 / H 50-3861-7 / 448 pages / 8,50 €

Cet ouvrage a été composé
par Atlant'Communication
aux Sables-d'Olonne (Vendée)

Impression réalisée par Liberduplex
pour le compte des Éditions Archipoche
en août 2006

Imprimé en Espagne
N° d'édition : 15
Dépôt légal : octobre 2006